NURIA VARELA es licenciada en Ciencias de la Información por la Universidad Complutense de Madrid. Ha trabajado como reportera en el semanario *Panorama*, para el que ha cubierto la guerra de Bosnia, el sitio de Sarajevo, los campos de refugiados en Croacia y el golpe de Estado en Rusia. En 1993 se incorporó al semanario *Interviú*, en 2006 pasó a formar parte del departamento de Nuevos Proyectos del Grupo Zeta y en 2007 se incorporó a la redacción del semanario *Tiempo*. Durante toda su carrera profesional ha mantenido vivo su compromiso con el movimiento de mujeres y colabora con numerosas asociaciones y plataformas. En 2002 publicó en Ediciones B *Íbamos a ser reinas. Mentiras y complicidades que sustentan la violencia contra las mujeres.*

Papel certificado por el Forest Stewardship Council®

Primera edición: septiembre de 2013
Decimotercera reimpresión: octubre de 2018

Printed in Spain – Impreso en España

ISBN: 978-84-9872-873-6
Depósito legal: B-18.663-2017

Impreso en Novoprint
Sant Andreu de la Barca (Barcelona)

BB 2 8 7 3 6

Penguin
Random House
Grupo Editorial

Feminismo para principiantes

NURIA VARELA

PRÓLOGO

Todo libro ha de ser necesario. En un momento como el actual, en el que los ojos apenas se posan un instante en un tema antes de saltar a otro más escandaloso, más llamativo, los libros han de recuperar el ritmo lento, la necesidad de trascendencia imprescindible para que la reflexión y el aprendizaje brinden un mínimo de sentido a la sociedad moderna. Actuar de otra manera sería, a estas alturas, imperdonable.

Todo libro ha de completar a los anteriores. El conocimiento objetivo avanza con demasiada rapidez como para limitarse a recoger las fuentes clásicas, la ya domadas, y no interpretar las nuevas. Vivimos saturados de datos, de imágenes, indefensos ante hechos que no sabemos cómo descifrar.

Todo libro ha de revelar una verdad oculta. Oculta por olvidada, o por censurada, por desconocida o por novedosa. Hay demasiadas obras banales publicadas ya como para aumentar de manera indefinida la lista.

Feminismo para principiantes cumple las tres exigencias. Podría no hacerlo. ¿Quién se plantea, a estas alturas, que el feminismo sea necesario? ¿Que haya algo más que añadir a lo dicho por mujeres extraordinarias como Simone de Beauvoir, Clara Campoamor o Kate Millett? ¿Que se puedan revisar las mentiras sociales, los hábitos instaurados en un entorno paternalista y misógino? Sin embargo, las *falacias viriles* continúan, y una de ellas, no la menor, insiste en que no queda nada por conseguir, en que vivimos en el mejor de los mundos posibles, con la reconciliación entre las exigencias de libertad y los encantos de la femineidad.

Quien defienda, sea cual sea su motivación, que la igualdad de géneros es un hecho, se equivoca por completo. Ni en términos de poder, ni de visibilidad, ni de remuneración económica, ni en lo que respecta a la seguridad, a la salud, al grado y la intensidad de trabajo se ha conseguido el sueño de la equidad, un sueño que comenzó a esbozarse hace ya tres siglos. No hemos dejado atrás el problema que la fertilidad, la constitución física, la explotación sexual y la belleza provoca. Las medias verdades han sustituido a la realidad. Los logros a medias (el sufragio, las leyes de igualdad, la presencia social) se han tomado como universales. Y sobre todo ello pesa un silencio, una ignorancia que nadie se molesta en desvelar.

Todo libro ha de hacer pedazos el silencio. Creo, sinceramente, que Nuria Varela lo consigue. Tras la ruptura del silencio llega la indignación, la rabia, los propósitos de enmienda. Los libros solos no sirven para nada; los principiantes no aportan nada al mundo si no abandonan esa bisoñez.

Todo buen libro ha de encontrar un buen lector. Muchos lectores. Lectores valientes. Ojalá los encuentre.

Espido Freire,
diciembre de 2004

A todas las mujeres rebeldes

AGRADECIMIENTOS

Nadie piensa solo, nadie piensa sola, pero las feministas menos. Lo dice Celia Amorós y ¡qué razón tiene! En el hacer y deshacer de este libro quiero agradecer especialmente a Luisa Posada, Rosa Cobo y Justa Montero su generosidad con el tiempo, los afectos y los conocimientos. Ellas han tejido la red de confianza y apoyo necesaria para que esta trapecista se lance al vacío que supone publicar un libro como éste.

A Ángel Ibáñez su lectura detallada, sus inteligentes correcciones y su paciencia.

A todas las mujeres sabias su buen hacer y mejor pensar. Muchas están citadas a lo largo de las páginas del libro porque este texto se asienta sobre su trabajo. Otras no lo están porque necesitaría una enciclopedia para relatar el trabajo de miles de mujeres que cada día hacen feminismo. También me faltarían páginas para mencionar a todas con las que he compartido esta forma de estar en el mundo. Por eso, sólo a modo de homenaje y a sabiendas de todos los nombres que se me quedan en el tintero, me gustaría recordar a la Tertulia Feminista Les Comadres, a Rosa Villarejo, a Rosario Fernández Hevia, a la Red Feminista contra la Violencia de Género, a las amigas de la Librería de Mujeres de Madrid, a Cimac y Sara Lobera, a Fernanda Romeu, a la Plataforma de Artistas contra la Violencia de Género, al Club de las Veinticinco, a las Emilias y, muy especialmente, a la querida Dulce Chacón.

A las mujeres sóricas que me regalan su amistad quiero agradecerles su cariño y esa capacidad que tienen para hacer luminosos hasta mis peores momentos: Irma Gutiérrez, Celsi García, Yolanda Suárez, Dori Santolaya, Anna Dalmau, Inma Muro y Pilar Velasco.

A Luisa Antolín y Rocío León el haberme enseñado todo lo que significa ser feminista.

A Pedro Adrados sus aportaciones al capítulo de la masculinidad pero sobre todo, le agradezco su confianza en la *revolución permanente*.

A mis padres todo, como siempre.

Y a mi abuela, el ejemplo de una gran mujer.

1

¿QUÉ ES EL FEMINISMO?

La metáfora de las gafas violetas

> Me declaro en contra de todo poder cimentado en prejuicios aunque sean antiguos.
>
> MARY WOLLSTONECRAFT

El feminismo es un impertinente —como llama la Real Academia Española a todo aquello que molesta de palabra o de obra—. Es muy fácil hacer la prueba. Basta con mencionarlo. Se dice feminismo y cual palabra mágica, inmediatamente, nuestros interlocutores tuercen el gesto, muestran desagrado, se ponen a la defensiva o, directamente, comienza la refriega.

¿Por qué? Porque el feminismo cuestiona el orden establecido. Y el orden establecido está muy bien establecido para quienes lo establecieron, es decir, para quienes se benefician de él.

El feminismo fue muy impertinente cuando nació. Corría el siglo XVIII y los revolucionarios e ilustrados franceses —también las francesas—, comenzaban a defender las ideas de «igualdad, libertad y fraternidad». Por primera vez en la historia, se cuestionaban políticamente los privilegios de cuna y aparecía el principio de igualdad. Sin embargo, ellas, las que defendieron que esos derechos incluían a todos los seres humanos —también a las humanas—, terminaron en la guillotina mientras que ellos siguieron pensando que el *nuevo* orden establecido significaba que las libertades y los derechos sólo correspondían a los varones. Todas las libertades y todos los derechos (políticos, sociales, económicos...). Así, aunque existen precedentes feministas antes del siglo XVIII, podemos establecer que, como dice Amelia Valcárcel, «el feminismo es un hijo no querido de la Ilustración».[1] Es en ese momento cuando se comienzan a hacer las preguntas impertinentes: ¿Por qué están excluidas las mujeres? ¿Por qué los derechos sólo corresponden a la mitad del mundo, a los varones? ¿Dónde está el origen de esta discriminación? ¿Qué podemos hacer para combatirla? Preguntas que no hemos dejado de hacer.

El feminismo es un discurso político que se basa en la justicia. El feminismo es una teoría y práctica política articulada por mujeres que tras analizar la realidad en la que viven toman conciencia de las discriminaciones que sufren por la única razón de ser mujeres y deciden organizarse para acabar con ellas, para cambiar la sociedad. Partiendo de esa realidad, el feminismo se articula como filosofía política y, al mismo tiempo, como movimiento social. Con tres siglos de historia a sus espaldas, ha habido épocas en las que ha sido más teoría política y otras, como el sufragismo, donde el énfasis estuvo puesto en el movimiento social.

Pero además de impertinente, o precisamente por serlo, el feminismo es un desconocido. «Del feminismo siempre se dice que es recién nacido y que ya está muerto», dice Amelia Valcárcel. Ambas cuestiones son falsas. El trabajo feminista de los últimos años ha proporcionado material suficiente como para rastrear la historia escondida y silenciada y recuperar los textos y las aportaciones del feminismo durante todo este tiempo.

1. VALCÁRCEL, Amelia, *La memoria colectiva y los retos del feminismo*, Naciones Unidas, Santiago de Chile, 2001, pág. 8.

Ha sido tan beligerante el ocultamiento del trabajo feminista a lo largo de la historia que sabemos que este libro, con el paso del tiempo, se quedará viejo no sólo por las nuevas aportaciones, cambios, éxitos sociales o nuevas corrientes que irán apareciendo, sino porque el trabajo de recuperación de nuestra historia añadirá a la genealogía del feminismo nombres, acciones y textos desconocidos hasta ahora.

Sobre la segunda afirmación, que «ya está muerto», mucho nos tememos que corresponde más a un deseo de quienes lo dicen que a una realidad. Todo lo contrario. A estas alturas de la historia lo que parece incorrecto es hablar de feminismo y no de feminismos, en plural, haciendo así hincapié en las diferentes corrientes que surgen en todo el mundo. De hecho, podemos hablar de sufragismo y feminismo de la igualdad o de la diferencia, pero también de ecofeminismo, feminismo institucional, ciberfeminismo..., y podríamos detenernos tanto en el feminismo latinoamericano como en el africano, en el asiático o en el afroamericano. Como se cantaba en las revoluciones centroamericanas del siglo XX: «Porque esto ya comenzó y nadie lo va a parar.» Y es que uno de los perfiles que diferencian al feminismo de otras corrientes de pensamiento político es que está constituido por el hacer y pensar de millones de mujeres que se agrupan o van por libre y están diseminadas por todo el mundo. El feminismo es un movimiento no dirigido y escasamente, por no decir nada, jerarquizado.

Además de ser una teoría política y una práctica social, el feminismo es mucho más.[2] El discurso, la reflexión y la práctica feminista conllevan también una ética y una forma de estar en el mundo. La toma de conciencia feminista cambia, inevitablemente, la vida de cada una de las mujeres que se acercan a él. Como dice Viviana Erazo: «Para millones de mujeres [el femi-

2. El feminismo, por supuesto, no tiene nada que ver con el machismo. Ver capítulo 14, «Prejuicios y tópicos».

nismo] ha sido una conmoción intransferible desde la propia biografía y circunstancias, y para la humanidad, la más grande contribución colectiva de las mujeres. Removió conciencias, replanteó individualidades y revolucionó, sobre todo en ellas, una manera de estar en el mundo.»[3]

Ángeles Mastretta explica esta aventura personal con trasfondo poético en su libro *El cielo de los leones*: «Las puertas que bajan del cielo se abren sólo por dentro. Para cruzarlas, es necesario haber ido antes al otro lado con la imaginación y los déseos. [...] Una buena dosis de la esencia de este valor imprescindible tiene que ver, aunque no lo sepa o no quiera aceptarlo un grupo grande de mujeres, con las teorías y la práctica de una corriente del pensamiento y de la acción política que se llama feminismo. Saber estar a solas con la parte de nosotros que nos conoce voces que nunca imaginamos, sueños que nunca aceptamos, paz que nunca llega, es un privilegio de la estirpe de los milagros. Yo creo que ese privilegio, a mí y a otras mujeres, nos los dio el feminismo que corría por el aire en los primeros años setenta. Al igual que nos dio la posibilidad y las fuerzas para saber estar con otros sin perder la índole de nuestras convicciones. Entonces, como ahora, yo quería ir al paraíso del amor y sus desfalcos, pero también quería volver de ahí dueña de mí, de mis pies y mis brazos, mi desafuero y mi cabeza. Y pocos de esos deseos hubieran sido posibles sin la voz, terca y generosa, del feminismo. No sólo de su existencia, sino de su complicidad y de su apoyo.»[4]

La disputa sobre el feminismo comienza con su propia definición. Por un lado, como dice Victoria Sau: «Atareadas en hacer feminismo, las mujeres feministas no se han preocupado

---

3. ERAZO, Viviana, «Feminismos fin de siglo, una herencia sin testamento», Fempress.

4. MASTRETTA, Ángeles, *El cielo de los leones*, Seix Barral, Barcelona, 2004, págs. 51-53.

demasiado en definirlo.»[5] Y por otro lado, sabido es que quien tiene el poder es quien da nombre a las cosas. Por ello, el feminismo desde sus orígenes ha ido acuñando nuevos términos que histórica y sistemáticamente han sido rechazados por la «autoridad», por el «poder», en este caso, por la Real Academia Española (RAE), cuya «autoridad» hace décadas que está cuestionada por el feminismo. Así, dice el Diccionario de la RAE ¡en su vigésima segunda edición del año 2001!: «Feminismo: doctrina social favorable a la mujer, a quien concede capacidad y derechos reservados antes a los hombres. Movimiento que exige para las mujeres iguales derechos que para los hombres.» Tres siglos y los académicos aún no se han enterado de que exactamente eso es lo que no es el feminismo. La base sobre la que se ha construido toda la doctrina feminista en sus diferentes modalidades es precisamente la de establecer que las mujeres son actoras de su propia vida y el hombre ni es el modelo al que equipararse ni es el neutro por el que se puede utilizar sin rubor varón como sinónimo de persona. ¿Pensará la Academia que las mujeres no tenemos derecho al aborto, por ejemplo, puesto que los hombres no pueden abortar? Siguiendo a Victoria Sau, «el feminismo es un movimiento social y político que se inicia formalmente a finales del siglo XVIII y que supone la toma de conciencia de las mujeres como grupo o colectivo humano, de la opresión, dominación y explotación de que han sido y son objeto por parte del colectivo de varones en el seno del patriarcado bajo sus distintas fases históricas de modelo de producción, lo cual las mueve a la acción para la liberación de su sexo con todas las transformaciones de la sociedad que aquélla requiera».[6]

En la definición se hace hincapié en el primer paso para entrar en el feminismo: «la toma de conciencia». Imposible

5. SAU, Victoria, *Diccionario ideológico feminista*, vol. I, Icaria, Barcelona, 2000, pág. 121.

6. Ibídem.

solucionar un problema si antes éste no se reconoce. De hecho, para Ana de Miguel, «como ponen de relieve las recientes historias de las mujeres, éstas han tenido casi siempre un importante protagonismo en las revueltas y movimientos sociales. Sin embargo, si la participación de las mujeres no es consciente de la discriminación sexual, no puede considerarse feminista».[7] Por eso nos gusta utilizar la metáfora de las gafas violetas que ya dejó por escrito Gemma Lienas en su libro *El diario violeta de Carlota*,[8] un estupendo manual para jóvenes. El violeta es el color del feminismo. Nadie sabe muy bien por qué. La leyenda cuenta que se adoptó en honor a las 129 mujeres que murieron en una fábrica textil de Estados Unidos en 1908 cuando el empresario, ante la huelga de las trabajadoras, prendió fuego a la empresa con todas las mujeres dentro. Ésta es la versión más aceptada sobre los orígenes de la celebración del 8 de marzo como Día Internacional de las Mujeres. En esa misma leyenda se relata que las telas sobre las que estaban trabajando las obreras eran de color violeta. Las más poéticas aseguran que era el humo que salía de la fábrica, y se podía ver a kilómetros de distancia, el que tenía ese color. El incendio de la fábrica textil Cotton de Nueva York y el color de las telas forman parte de la mitología del feminismo más que de su historia, pero tanto el color como la fecha son compartidos por las feministas de todo el mundo.

Dice la Real Academia en su tercera acepción de impertinente: «Anteojos con manija, usados por las señoras.» Así que, trayéndonos los impertinentes a la moda del siglo XXI, la idea es comparar el feminismo con una gafas violetas porque tomar conciencia de la discriminación de las mujeres supone una manera distinta de ver el mundo. Supone darse cuenta de las men-

7. DE MIGUEL, Ana, «Feminismos», en AMORÓS, Celia (dir.), *10 palabras clave sobre mujer*, Editorial Verbo divino, Navarra, 4.ª ed., 2002, pág. 217.
8. LIENAS, Gemma, *El diario violeta de Carlota*, Alba Editorial, Barcelona, 2001.

tiras, grandes y pequeñas, en las que está cimentada nuestra historia, nuestra cultura, nuestra sociedad, nuestra economía, los grandes proyectos y los detalles cotidianos. Supone ver los micromachismos —como llama el psicoterapeuta Luis Bonino a las pequeñas maniobras que realizan los varones cotidianamente para mantener su poder sobre las mujeres—, y la estafa que supone cobrar menos que los hombres. Ser consciente de que estamos infrarrepresentadas en la política, que no tenemos poder real, y ver cómo la mujer es cosificada día a día en la publicidad. Supone conocer que la medicina —tanto la investigación como el desarrollo de la industria farmacéutica—, es una disciplina hecha a la medida de los varones y que las mujeres seguimos pariendo acostadas en los hospitales para comodidad de los ginecólogos, una profesión en España copada por varones. Supone saber que, según Naciones Unidas, una de cada tres mujeres en el mundo ha padecido malos tratos o abusos y que en España son más de un centenar las mujeres asesinadas cada año por sus compañeros, maridos, novios o amantes. Supone, en definitiva, ser conscientes de que nos han robado nuestros derechos y debemos afanarnos en recuperarlos si queremos vivir con dignidad y libertad al tiempo que construimos una sociedad justa y realmente democrática. Es tener conciencia de género, eso que a veces parece una condena porque te obliga a estar en una batalla continua pero consigue que entiendas por qué ocurren las cosas y te da fuerza para vivir cada día. Porque el feminismo hace sentir el aliento de nuestras abuelas, que son todas las mujeres que desde el origen de la historia han pensado, dicho y escrito libremente, en contra del poder establecido y a costa, muchas veces, de jugarse la vida y, casi siempre, de perder la «reputación». De todas las mujeres que con su hacer han abierto los caminos por los que hoy transitamos y a las que estamos profundamente agradecidas.

En eso consiste la capacidad emancipadora del feminismo. El feminismo es como un motor que va transformando las relaciones entre los hombres y las mujeres y su impacto se deja sentir en todas las áreas del conocimiento. El feminismo es capaz de percibir las «trampas» de los discursos que adrede confunden lo masculino con lo universal, como explica Mary Nash. Ésa es la revolución feminista. No es una teoría más. El feminismo es una conciencia crítica que resalta las tensiones y contradicciones que encierran esos discursos.

Asegura Amelia Valcárcel que el feminismo «compromete demasiadas expectativas y demasiadas voluntades operantes. Incide en todas las instancias y temas relevantes, desde los procesos productivos a los retos medioambientales. Es una transvaloración de tal calibre que no podemos conocer todas sus consecuencias, cada uno de sus efectos puntuales, ya sea la baja tasa de natalidad, la despenalización social de la homofilia, la transformación industrial, la organización del trabajo...». Y añade: «Nada nos han regalado y nada les debemos. [...] Ya que hemos llegado a divisar primero, y a pisar después, la piel de la libertad, no nos vamos.»[9]

Ése es el espíritu del feminismo: una teoría de la justicia que ha ido cambiando el mundo y trabaja día a día para conseguir que los seres humanos sean lo que quieran ser y vivan como quieran vivir, sin un destino marcado por el sexo con el que hayan nacido. «Educar seres humanos valientes, dueños de su destino, tendría que ser la búsqueda y el propósito primero de nuestra sociedad. Pero no siempre lo es. Empeñarse en la formación de mujeres cuyo privilegio, al parejo del de los hombres, sea no temerle a la vida y por lo mismo, estar siempre dispuestas a comprenderla y aceptarla con entereza es un anhelo esencial. Creo que este anhelo estuvo y sigue estando en el corazón del feminismo. No sólo como una teoría que busca mujeres audaces, sino como una práctica que pretende de los hombres el fundamental acto de valor que hay en aceptar a las

9. VALCÁRCEL, Amelia, *Rebeldes. Hacia la paridad*, Plaza & Janés, Barcelona, 2000, págs. 164 y 166.

mujeres como seres humanos libres, dueñas de su destino, aptas para ganarse la vida y para gozarla sin que su condición sexual se lo impida.»[10]

El feminismo es la linterna que muestra las sombras de todas las grandes ideas gestadas y desarrolladas sin las mujeres y en ocasiones a costa de ellas: democracia, desarrollo económico, bienestar, justicia, familia, religión...

Las feministas empuñamos esa linterna con orgullo por ser la herencia de millones de mujeres que partiendo de la sumisión forzada y mientras eran atacadas, ridiculizadas y vilipendiadas, supieron construir una cultura, una ética y una ideología nuevas y revolucionarias para enriquecer y democratizar el mundo.

La llevamos con orgullo porque su luz es la justicia que ilumina las habitaciones oscurecidas por la intolerancia, los prejuicios y los abusos. La llevamos con orgullo porque su luz nos da la libertad y la dignidad que hace ya demasiado tiempo nos robaron en detrimento de un mundo que sin nosotras no puede considerarse humano.

10. MASTRETTA, Ángeles, op. cit., pág. 54.

2

LA PRIMERA OLA

Comienza la polémica

> No conozco casi nada que sea de sentido co-
> mún. Cada cosa que se dice que es de sentido
> común ha sido producto de esfuerzos y luchas de
> alguna gente por ella.
>
> AMELIA VALCÁRCEL

Al siglo XVIII se le conoce como el siglo de la Ilustración, el «Siglo de las luces»... y de las sombras. La Ilustración y la Revolución francesa alumbraron el feminismo, pero también su primera derrota. La vida de las primeras feministas es un buen ejemplo de ello. En 1791, Olimpia de Gouges escribía la «Declaración de los Derechos de la Mujer y de la Ciudadana». En su artículo X la escritora francesa declaraba: «La mujer tiene el derecho a ser llevada al cadalso y, del mismo modo, el derecho a subir a la tribuna...» Y eso fue exactamente lo que le pasó. Olimpia fue guillotinada en 1793, aunque nunca subió a ninguna tribuna y no porque no lo hubiera intentado. Un año antes, era la inglesa Mary Wollstonecraft quien escribía *Vindicación de los derechos de la mujer*, considerada la obra fundacional del feminismo. Wollstonecraft moría también simbólicamente: a causa de una infección tras haber dado a luz a una niña.

Y EL JOVEN CURA DIJO: «LA MENTE
NO TIENE SEXO»

Antes del nacimiento del feminismo, las mujeres ya habían denunciado la situación en la que vivían por ser mujeres y las carencias que tenían que soportar. Esas quejas y denuncias no se consideran feministas puesto que no cuestionaban el origen de esa subordinación femenina. Tampoco se había articulado siquiera un pensamiento destinado a recuperar los derechos arrebatados a las mujeres.

A partir del Renacimiento, que es cuando se transmite el ideal del «hombre renacentista» —que lejos de ser un ideal humano, sólo se trataba de un ideal masculino—, se abre un debate sobre la naturaleza y los deberes de los sexos. Un precedente importante es la obra de Christine de Pizan *La ciudad de las damas*, escrita en 1405.

Christine de Pizan es una mujer absolutamente inusual para su época. Nació en Venecia en 1364 aunque, cuando tan sólo tenía cuatro años, su familia se trasladó a Francia y allí se educó y vivió hasta su muerte. Es la primera mujer escritora reconocida, dotada además de gran capacidad polémica lo que le permitió terciar en los debates literarios del momento. Christine de Pizan roturó un terreno que transitarán, además de las místicas, las humanistas del Renacimiento y destacadas poetisas.[1] En pleno siglo XIV, esta mujer, hija de un astrónomo, casada cuando tenía quince años con un hombre diez años mayor que ella, se queda viuda cuando apenas había cumplido los veinticinco años y al cargo de sus tres hijos, su madre anciana y una sobrina sin recursos.

En *La ciudad de las damas*, reflexiona sobre cómo sería esa ciudad donde no habría ni las guerras ni el caos promovidos por el hombre. Christine asegura que su obra nació tras haber-

1. AMORÓS, Celia, *Tiempo de feminismo. Sobre feminismo, proyecto ilustrado y postmodernidad*, Cátedra, col. Feminismos, Madrid, 1997, pág. 57.

se hecho una serie de preguntas clave. Así, relata en el primer capítulo de su *Ciudad*, cómo ojeando un librito muy ofensivo contra las mujeres se puso a pensar: «Me preguntaba cuáles podrían ser las razones que llevan a tantos hombres, clérigos y laicos, a vituperar a las mujeres, criticándolas bien de palabra, bien en escritos y tratados. No es que sea cosa de un hombre o dos [...] sino que no hay texto que esté exento de misoginia. Al contrario, filósofos, poetas, moralistas, todos —y la lista sería demasiado larga—, parecen hablar con la misma voz [...]. Si creemos a esos autores, la mujer sería una vasija que contiene el poso de todos los vicios y males.»[2] La autora decide fiarse más de su experiencia que de los escritos masculinos y con esa idea escribe *La ciudad de las damas*. En ella, defiende la imagen positiva del cuerpo femenino, algo insólito en su época, y asegura que otra hubiera sido la historia de las mujeres si no hubiesen sido educadas por hombres. Sorprendentemente, elogia la vida independiente y escribe: «Huid, damas mías, huid del insensato amor con que os apremian. Huid de la enloquecida pasión, cuyos juegos placenteros siempre terminan en perjuicio vuestro.»[3]

En sus libros, fundamentalmente políticos, de instrucción moral, civil y jurídica e históricos, Christine abordó temas como la violación o el acceso de las mujeres al conocimiento. Ya en su época, se la consideró como la primera mujer que se atrevió a rebatir los argumentos misóginos en defensa de los derechos de las mujeres. De Pizán falleció a los sesenta y seis años en la abadía de Passy. *La ciudad de las damas* se adjudicó a Boccaccio hasta 1786, cuando otra mujer, Louise de Kéralio, recuperó para Christine de Pizán la autoría de su libro.

La historia no enterró a esta mujer excepcional pero sí lo hizo con muchas otras. En ese debate sobre los sexos que

2. DE PIZÁN, Cristina, *La ciudad de las damas*, trad. de Marie-José Lemarchand, Siruela, Madrid, 2.ª ed, 2001, pág. 64.
3. Ibídem, pág. 274.

arranca en el Renacimiento se enfrentan dos discursos: el de la inferioridad y el de la excelencia. Nunca llegan a ponerse de acuerdo, pero ninguno duda de que las mujeres han de estar bajo la autoridad masculina. Por eso aún no hablamos de feminismo. De toda esa disputa, la historia apenas ha respetado los textos femeninos o aquellos que defendían a las mujeres, pero sí ha llegado hasta nuestros días la reacción a ellos, como señala Ana de Miguel, con obras tan espeluznantemente misóginas como *Las mujeres sabias* de Molière o *La culta latiniparla* de Quevedo.

Es en medio de esa polémica sobre los sexos cuando aparecen los escritos de Poulain de la Barre. Este filósofo, como señala Rosa Cobo,[4] siendo un joven cura de 26 años, publica en 1671 un libro polémico y radicalmente moderno titulado *La igualdad de los sexos*. Siguiendo a Cristina Sánchez,[5] Poullain de la Barre es un filósofo cartesiano que por sus ideas merece ser considerado un adelantado del discurso de la Ilustración. «En sus obras —subraya Sánchez—, aplica los criterios de racionalidad a las relaciones entre los sexos. Anticipándose a las ideas principales de la Ilustración, critica especialmente el arraigo de los prejuicios y propugna el acceso al saber de las mujeres como remedio a la desigualdad y como parte del camino hacia el progreso y que responde a los intereses de la verdad.»

Poulain de la Barre publicó otros dos textos sobre el mismo tema en los dos años siguientes: *La educación de las damas para la conducta del espíritu en las ciencias y las costumbres* y *La excelencia de los hombres contra la igualdad de los sexos*. En el primero, su intención era mostrar cómo se pue-

4. COBO, Rosa, «El discurso de la igualdad en el pensamiento de Poulain de la Barre», en AMORÓS, Celia (coord.), *Historia de la Teoría Feminista*, Instituto de Investigaciones Feministas de la Universidad Complutense, Dirección General de la Mujer, Comunidad de Madrid, 1994, pág. 12.
5. SÁNCHEZ, Cristina, «Genealogía de la vindicación», en *Feminismos. Debates teóricos contemporáneos*, BELTRÁN, Elena y MAQUIEIRA, Virginia (eds.), Alianza Editorial, Madrid, 2001, pág. 18.

de combatir la desigualdad sexual a través de la educación, y en el segundo, quiso desmontar racionalmente las argumentaciones de los partidarios de la inferioridad de las mujeres.[6] De la Barre hizo célebre la frase «la mente no tiene sexo» e inauguró una de las principales reivindicaciones del feminismo tanto en su primera ola como en la segunda: el derecho a la educación.

Pero no sólo eso. El que fuera uno de los fundadores de la sociología también defendía algo aún mucho más moderno, una idea parecida a la que siglos más tarde se desarrollaría con el nombre de discriminación positiva. Poullain de la Barre parte de la idea de que a las mujeres como colectivo social, históricamente se les ha arrebatado todo lo que era suyo así que el filósofo escribe: «Además de varias leyes que fueran ventajosas para las mujeres, prohibiría totalmente que se les hiciese entrar en religión a su pesar.»[7]

LOS CUADERNOS DE QUEJAS

No lo hemos estudiado en el colegio, pero aquellos grandes principios con los que la Ilustración y la Revolución francesa cambiaron la historia —libertad, igualdad y fraternidad—, no tuvieron nada que ver con las mujeres. Todo lo contrario, las francesas y todas las europeas salieron de aquella gran revuelta peor de lo que entraron.

Los últimos años del siglo XVIII y los primeros del XIX señalan la transición de la edad moderna a la contemporánea. Las características de este período histórico son el desarrollo científico y técnico y sus fundamentos fueron tres: el racionalismo —toda realidad puede ser científicamente analizada según principios racionales—; el empirismo —la experiencia de los

6. COBO, Rosa, op. cit., págs. 12-13.
7. Ibídem, pág. 20.

hechos produce su conocimiento—; y el utilitarismo —el grado de verdad de una teoría reside en su valor práctico.

Al mundo que anunciaban teóricamente los filósofos de la Ilustración se llega gracias a dos procesos revolucionarios. Por un lado, las revoluciones políticas que derribarán el absolutismo y caminarán por un primitivo embrión de democracia y la revolución industrial, que transformará los métodos tradicionales de producción en formas de producción masiva. Así, el 4 de julio de 1776, Thomas Jefferson redacta la Declaración de Independencia de Estados Unidos, que en realidad consiste en la primera formulación de los derechos del hombre: vida, libertad y búsqueda de la felicidad. En Francia, en pleno proceso revolucionario, el 28 de agosto de 1789, se proclama la Declaración de los Derechos del Hombre: reconocimiento de la propiedad como inviolable y sagrada; derecho de resistencia a la opresión; seguridad e igualdad jurídica y libertad personal garantizada.

En ambos casos, no hay un uso sexista del lenguaje. Realmente, cuando escribieron «hombre» no querían decir ser humano o persona, se referían exclusivamente a los varones. Ninguno de esos derechos fue reconocido para las mujeres.

Las revoluciones fueron posibles porque, además de una serie de razones económicas objetivas —malas cosechas, hambrunas, fluctuaciones demográficas y económicas, alza de los precios...—, comenzaba una nueva forma de pensar. Por primera vez en la historia se defiende el principio de igualdad y ciudadanía.

Sin embargo, Rousseau, uno de los teóricos principales de la Ilustración, un filósofo radical que pretende desenmascarar cualquier poder ilegítimo, que ni siquiera admite la fuerza como criterio de desigualdad, que apela a la libertad como un tipo de bien que nadie está autorizado a enajenar y que defiende la idea de distribuir el poder igualitariamente entre todos los individuos, afirma que, por el contrario, la sujeción y exclusión de las mujeres es deseable. Es más, construye el nuevo modelo de familia moderna y el nuevo ideal de femi-nidad.[8]

El ejemplo de Rousseau es probablemente el mejor para identificar lo ocurrido en aquella época. Todo el cambio libertario y político que supone la Revolución francesa, sus filósofos, sus políticos, sus declaraciones de derechos, por un lado traen como consecuencia inevitable el nacimiento del feminismo y por otro, su absoluto rechazo y represión violenta. Como señala Ana de Miguel: «Las mujeres de la Revolución francesa observaron con estupor cómo el nuevo estado revolucionario no encontraba contradicción alguna en pregonar a los cuatro vientos la igualdad universal y dejar sin derechos civiles y políticos a todas las mujeres.»[9]

Así, el nacimiento del feminismo fue inevitable porque hubiese sido un milagro que ante el desarrollo de las nuevas aseveraciones políticas —todos los ciudadanos nacen libres e iguales ante la ley— y el comienzo de la incipiente democracia, las mujeres no se hubiesen preguntado por qué ellas eran excluidas de la ciudadanía y de todo lo que ésta significaba, desde el derecho a recibir educación hasta el derecho a la propiedad.

Porque las mujeres no eran simples espectadoras como pudiéramos imaginar tras la lectura de los libros de historia. El feminismo ya nació siendo teoría y práctica. Además de los escritos de Olimpia de Gouges y Mary Wollstonecraft, muchas mujeres en aquella época comenzaban a vivir de forma distinta, cuestionando su reclusión obligatoria en la esfera doméstica. Las propias teóricas, De Gouges y Wollstonecraf, eran mujeres que no acababan de encajar en su época por la forma de vida que tuvieron. Pero junto a ellas, en la

8. COBO, Rosa, *Fundamentos del patriarcado moderno. Jean Jacques Rousseau*, Cátedra, col. Feminismos, Madrid, 1995, págs. 260-269.

9. DE MIGUEL, Ana, «Feminismos», en AMORÓS, Celia (dir.) *10 palabras clave sobre mujer*, Editorial Verbo Divino, Estella, 4.ª ed., 2002, pág. 223.

Francia del siglo XVIII, las mujeres fueron activas en todos los campos y crearon los salones literarios y políticos donde se gestaba buena parte de la cultura y la política del momento. Esos salones que nacen en París se extienden en los años siguientes a Londres y Berlín. Además, también abrieron los clubes literarios y políticos que fueron sociedades que adquirirían una gran relevancia en el proceso revolucionario, especialmente la Confederación de Amigas de la Verdad creada por Etta Palm y la Asociación de Mujeres Republicanas Revolucionarias. En ambos clubes se discutían los principios ilustrados apoyando activamente los derechos de las mujeres en la esfera política.[10]

Otra de las formas en las que las mujeres participaron en la política de este momento fue a través de Los Cuadernos de Quejas. Fueron redactados en 1789 para hacer llegar a los Estados Generales (una especie de *Parlamento* de la época que a los pocos días se constituyó en Asamblea Nacional), las quejas de los tres estamentos: clero, nobleza y tercer estado (el pueblo). La apertura en mayo de 1789 de los Estados Generales que no se reunían desde 1614, precipitó la Revolución. Las mujeres quedaron excluidas de la Asamblea General y entonces se volcaron en los Cuadernos de Quejas donde hicieron oír sus voces por escrito, desde las nobles hasta las religiosas pasando por las mujeres del pueblo. Esos Cuadernos «suponían un testimonio colectivo de las esperanzas de cambio de las mujeres».[11]

10. SÁNCHEZ, Cristina op. cit., pág. 26.
11. BLANCO, Oliva, *Olimpia de Gouges (1748-1793)*, Ediciones del Orto, Biblioteca de Mujeres, Madrid, 2000, pág. 38.

¿QUÉ QUERÍAN LAS MUJERES DEL SIGLO XVIII?

¿Qué pedían y reivindicaban las mujeres del siglo XVIII? Fundamentalmente, derecho a la educación, derecho al trabajo, derechos matrimoniales y respecto a los hijos y derecho al voto.[12] Mary Nash añade que también quedaban reflejados en los Cuadernos de Quejas de las mujeres su deseo de que la prostitución fuese abolida así como los malos tratos y los abusos dentro del matrimonio. También formulaban la necesidad de una mayor protección de los intereses personales y económicos de las mujeres en el matrimonio y la familia y se hacían planteamientos políticos nítidos como el que recoge *El Cuaderno de Quejas y Reclamaciones* de la anónima Madame B. B. del Pais de Caux:

> Se podría responder que estando demostrado, y con razón, que un noble no puede representar a un plebeyo, ni éste a un noble, del mismo modo un hombre no podría, con mayor equidad, representar a una mujer, puesto que los representantes deben tener absolutamente los mismos intereses que los representados: las mujeres no podrían pues, estar representadas más que por mujeres.[13]

Los Cuadernos de Quejas de las mujeres no fueron tenidos en cuenta. En agosto de 1789, la Asamblea Nacional proclamaba la Declaración de los Derechos del Hombre y del Ciudadano.

Frente a este texto, dos años más tarde, Olimpia de Gouges publicó la réplica feminista: la «Declaración de los Derechos

---

12. SÁNCHEZ, Cristina, op. cit., pág. 29.
13. ALONSO, I., y BELINCHÓN, M. (eds.), 1789-1793. *La voz de las mujeres en la Revolución francesa. Cuadernos de quejas y otros textos*, La-Sal, Barcelona, 1989, pág. 11, citado en NASH, Mary, *Mujeres en el mundo. Historia, retos y movimientos*, Alianza, Madrid, 2004, pág. 75.

de la Mujer y de la Ciudadana»,[14] que constituyó una de las formulaciones políticas más claras en defensa de ese derecho a la ciudadanía femenina. Con su Declaración, Olimpia denunciaba que la revolución había denegado los derechos políticos a las mujeres y, por lo tanto, que los revolucionarios mentían cuando se les llenaba la boca de principios «universales» como la igualdad y la libertad pero no digerían mujeres libres e iguales.

Olimpia, sin duda, no encajaba en su época. Según Oliva Blanco, tenía todo a favor para escandalizar a la opinión pública de su tiempo. Y fue castigada. A una mujer que tiene más de cuatro mil páginas de escritos revolucionarios que abarcan obras de teatro, panfletos, libelos, novelas autobiográficas, textos filosóficos, satíricos, utópicos... se le acusó de que no sabía leer ni escribir. Olimpia enviudó siendo muy joven, circunstancia que parece no sintió mucho ya que se refería al matrimonio como «la tumba del amor y de la confianza». Fue apasionada defensora del divorcio y la unión libre, anticipándose así a las saint-simonianas en más de cincuenta años y ciento cincuenta años antes de que Simone de Beauvoir planteara una postura similar.[15]

Tras la muerte de su esposo, renuncia al apellido de su marido, se hace llamar Olimpia de Gouges y se traslada a París. Tenía 22 años y era inteligente, indomable, bella, experta a menudo en provocar al sexo masculino y apasionada en la defensa de los asuntos más comprometidos: «Desde la prisión por deudas hasta la esclavitud de los negros pasando por los derechos femeninos (divorcio, maternidad, la masiva entrada forzada en la religión de muchas mujeres). Nada queda fuera de su interés y alzará la voz en defensa de los oprimidos con empecinamiento y generosidad.»[16] Todo ello no le abrió las puer-

---

14. Ver texto completo de la «Declaración de los Derechos de la Mujer y de la Ciudadana de Olimpia» de Gouges en Anexos.

15. BLANCO, Oliva, op. cit., págs. 12-15.

16. Ibídem, pág. 23.

tas de la Asamblea de París ni siquiera las de la Comedia Francesa, donde peleó con todas sus fuerzas para que sus obras de teatro fueran representadas sin conseguirlo. Eso sí, numerosos libros se hicieron eco tanto de su belleza como de las dudas sobre su «virtud», lo que le hizo aparecer tanto en el «Homenaje a las mujeres más bonitas y virtuosas de París» como una mujer honesta, como tratada como una prostituta en el «Pequeño Diccionario de los Grandes Hombres» o en la «Lista de prostitutas de París».[17]

Cuando Olimpia se decidió a escribir, recibió una carta de su padre que merece ser reproducida parcialmente:

No esperéis, señora, que me muestre de acuerdo con vos sobre este punto. Si las personas de vuestro sexo pretenden convertirse en razonables y profundas en sus obras, ¿en qué nos convertiríamos nosotros los hombres, hoy en día tan ligeros y superficiales? Adiós a la superioridad de la que nos sentimos tan orgullosos. Las mujeres dictarían las leyes. Esta revolución sería peligrosa. Así pues, deseo que las Damas no se pongan el birrete de Doctor y que conserven su frivolidad hasta en los escritos. En tanto que carezcan de sentido común serán adorables. Las mujeres sabias de Molière son modelos ridículos. Las que siguen sus pasos son el azote de la sociedad. Las mujeres pueden escribir, pero conviene para la felicidad del mundo que no tengan pretensiones.[18]

Parece que los temores del padre de Olimpia de Gouges eran idénticos a los que tenían la mayoría de los revolucionarios franceses. Pero nada amilanaba a las francesas. Como destaca Mary Nash, las mujeres participaron en el proceso revolucionario de forma muy activa. La marcha sobre Versalles que

17. Ibídem, págs. 17-18.
18. Ibídem, págs. 20-21.

realizaron alrededor de 6.000 parisinas el 5 y el 6 de octubre de 1789 en busca del rey y de la reina fue un detonante revolucionario. Las mujeres consiguieron el traslado de ambos a París. Poco después, se presentó una petición de las damas dirigida a la Asamblea Nacional que denunciaba la «aristocracia masculina» y en ella se proponía la abolición de los privilegios del sexo masculino, tal cual se estaba haciendo con los privilegios de los nobles sobre el pueblo. Entre 1789 y 1793 quedaron censados cincuenta y seis clubes republicanos femeninos activos en la emisión de peticiones y con expresión pública de una voz en femenino que reclamaba la presencia de las mujeres en la vida política.[19]

Tampoco todos los ilustrados fueron incoherentes. En 1790, Condorcet publica: «Sobre la admisión de las mujeres al derecho de ciudadanía.» Este autor, que fue diputado de la Asamblea Legislativa y de la Convención, no tenía dudas: los principios democráticos significaban que los derechos políticos eran para todas las personas. Además de sus sólidas argumentaciones políticas, Condorcet también llegó a ironizar burlándose de los prejuicios y estereotipos que manejaban sus contemporáneos: «¿Por qué unos seres expuestos a embarazos y a indisposiciones pasajeras no podrían ejercer derechos de los que nunca se pensó privar a la gente que tiene gota todos los inviernos o que se resfría fácilmente?»[20]

A pesar de todo ello, la Constitución de 1791, cuyo preámbulo era la Declaración de los Derechos del Hombre y del Ciudadano de 1789, afirmaba la distinción entre dos categorías de ciudadanos: activos —varones mayores de 25 años independientes y con propiedades—, y pasivos —hombres sin propiedades y todas las mujeres, sin excepción.

19. NASH, Mary, op. cit., pág. 77.
20. SÁNCHEZ, Cristina, op. cit., pág. 28.

Aunque el ideal de la Ilustración era la naturaleza domina-
da por la razón y como consecuencia se defendían la crítica, la
libertad y la tolerancia como sustitutos de la tradición e incluso uno de los ejes teóricos fundamentales fue la idea de emancipación, la vida de las mujeres no cambió.

Es en ese escenario en el que aparece el texto de Mary
Wollstonecraft, *Vindicación de los derechos de la mujer*. Wollstonecraft nació en Inglaterra en 1759. Era la segunda de cuatro hermanos de una familia que no carecía de recursos hasta
que se arruinó por el despilfarro del padre, aficionado a los ca-
ballos y la bebida. Mary creció protegiendo a su madre de las
palizas de su padre. Edward Wollstonecraft ejerció sobre su
mujer y el resto de la familia, durante años, violencia verbal y
física.

Ni Mary ni su hermana recibieron una buena educación,
aunque como destaca Clara Obligado: «Tan escaso era el interés de los Wollstonecraft por educar a sus hijas que las libraron
también de la educación tradicional de las mujeres, consisten-
te en una recua de conocimientos domésticos y sociales que la
muchacha consideraba tediosos y estúpidos.»[21] Así, Obligado
nos presenta a Wollstonecraft como una cría aislada y fantasio-
sa que sólo desea emanciparse pero sin pasar por el matrimonio, algo casi milagroso en su época. En las cartas que escribía
con 15 años, ya se ve a sí misma como «una vieja solterona» e
insiste en su voluntad de no casarse jamás.[22] Mary lo consigue con empleos propios de las mujeres de su época. Entre sus
19 y 28 años, Mary Wollstonecraft fue dama de compañía,

21. OBLIGADO, Clara, *Mujeres a contracorriente. La otra mitad de la
historia*, Plaza & Janés, Barcelona, 2004, pág. 110 y ss.
22. BURDIEL, Isabel, «Introducción» en WOLLSTONECRAFT, Mary,
Vindicación de los derechos de la mujer, Cátedra, col. Feminismos, Madrid,
2000, pág. 25.

maestra en una escuela para señoritas establecida con sus hermanas y su gran amiga Frances Blood y, finalmente, institutriz de una familia aristocrática. Es decir, experimentó todos y cada uno de los sucesivos personajes que las reglas de la decencia de su época le tenían reservados.[23]

Tras la muerte de su madre, además, ejercita la rebeldía: aleja a su hermana que acababa de dar a luz de los malos tratos de su marido y se la lleva a vivir consigo y con una amiga. Un acto insólito e incluso escandaloso en su época. Tanto como que las mujeres vivieran solas, sin padres, maridos, hermanos ni ninguna autoridad masculina. Fue con la fuga de su hermana Eliza, planeada por Mary, como comienza la leyenda de Mary Wollstonecraft. Explica Isabel Burdiel que «aquel desafío, sin embargo, no se planteó exclusivamente en el ámbito personal. Poco a poco, fue tomando cuerpo también como un desafío intelectual que trataba de dar forma, a través de la reflexión y de la palabra, a aquel cúmulo de experiencias. Lo característico de Mary Wollstonecraft —y lo que la convirtió en lo que llegó a ser—, fue su capacidad e insistencia en pensarse a sí misma intentando trascenderse; es decir, buscando una explicación pública (social) a sus experiencias privadas».[24]

Wollstonecraft comienza a escribir cuando recibe una oferta que no puede rechazar: un libro sobre la educación femenina. Por ese encargo nace *Pensamientos acerca de la educación de las niñas*, donde ya deja clara su defensa de las mujeres. Pero su gran amiga Frances Blood estaba muy enferma en Lisboa y Mary —«en uno de esos grandes gestos que casi siempre le jugaron malas pasadas», dice Isabel Burdiel—, abandonó la escuela para estar con ella hasta su muerte. Al volver, sus hermanas se habían cargado de deudas y habían llevado el negocio a la ruina. Mary tuvo que aceptar un trabajo de institutriz en Ir-

23. Ibídem, pág. 27.
24. Ibídem, pág. 28.

landa, pero no lo pudo soportar por mucho tiempo. Once meses le duró el empleo. Mary ya se había acostumbrado a la libertad de su escuela. Volvió a Londres con 28 años y el mismo editor de su primer libro, Joseph Johnson, le ofreció casa y trabajo como escritora y traductora a tiempo completo en su editorial, que era el corazón de la intelectualidad más interesante y crítica del Londres de su época. Allí se instala Mary, trabaja, lee, estudia y se dedica plenamente a su formación y a la vida política e intelectual.

Poco antes de que se tomara La Bastilla, escribió *Vindicación de los derechos del hombre*, un texto emocionado y emocionante hecho en menos de 30 días que la convirtió, de pronto, en una mujer famosa y, subraya Burdiel, insólita para la época. Tras ese éxito rotundo e inesperado, Mary tuvo la osadía de escribir otro libro, continuación del primero, donde se reivindicaran los derechos de la mujer. Así nació *Vindicación de los derechos de la mujer*, en el que abogaba por el igualitarismo entre los sexos, la independencia económica y la necesidad de la participación política y representación parlamentaria.[25]

Wollstonecraft tenía 33 años cuando publicó *Vindicación*. En la dedicatoria, señala la autora «... abogo por mi sexo y no por mí misma. Desde hace tiempo he considerado la independencia como la gran bendición de la vida, la base de toda virtud».[26] Así, *Vindicación* recoge los debates de su época e inicia ya los caminos del feminismo del siglo XIX. No es tanto una obra de reivindicación de unos derechos políticos concretos como de reivindicación moral de la individualidad de las mujeres y de la capacidad de elección de su propio destino. Señala Rosa Cobo que el texto, redactado en seis semanas durante el año 1792, presenta una sólida argumentación en la defensa de la igualdad de la especie y como consecuencia, de la igualdad entre los géneros; la lucha radical contra los prejuicios; la

25. OBLIGADO, Clara, op. cit., pág. 116.
26. WOLLSTONECRAFT, Mary, op. cit., pág. 108.

exigencia de una educación igual para niños y niñas, y la reclamación de la ciudadanía para las mujeres.[27]

Una vez publicada *Vindicación*, los conservadores le lanzaron su odio apodándola «la hiena con faldas», aunque eso no evitó que se convirtiera en la mujer más célebre del momento en Europa. Tenía Wollstonecraft un sólido anclaje. «La vitalidad de sus ideas venía de sus experiencias personales. La preocupación por la opresión de las mujeres estaba firmemente arraigada en su propia vida, en la que su condición de mujer fue un gran obstáculo para su desarrollo vital y profesional.»[28]

Y fue así como Mary Wollstonecraft pasó su vida sufriendo entre sus ideas y la realidad que la rodeaba. En plena revolución, viajó a París y allí se encontró siendo extranjera y mujer. «El Terror aumentó el peligro en las calles y los ciudadanos, aunque a su lado habían combatido muchas mujeres, no eran proclives al cambio en sus alcobas. Así, muchas líderes murieron en la guillotina y, finalmente, se decretó la expulsión de los extranjeros.»[29] En ese momento, cuando se decreta la expulsión, Mary vivía una historia de amor con un aventurero y hombre de negocios americano, Gilbert Imlay, con quien tendrá una hija. Se encuentra, una vez más, entre dos fuegos. Ella que siempre ha defendido sus ideas contrarias al matrimonio, tampoco quiere que su hija sufra por ser ilegítima.

Mary regresa a Inglaterra. En ese momento, intenta suicidarse. Isabel Burdiel relata cómo ocurrió en las aguas del londinense río Támesis, en una tarde lluviosa, cuando Wollstonecraft tenía 36 años y un desamor tan intenso que le había arrebatado el sentido común del que había hecho gala hasta conocer a Gilbert Imlay. Tanto la había abandonado la sensatez —afortunadamente en este caso—, que sólo se le ocurrió

27. COBO, Rosa, «La construcción social de la mujer en Mary Wollstonecraft», en AMORÓS, Celia (coord.), *Historia de la teoría feminista*, op. cit., pág. 24.

28. Ibídem.

29. OBLIGADO, Clara, op. cit., pág. 116.

que para no flotar, nada mejor que caminar durante un buen rato para que así se le empapara la ropa. El cálculo le salió mal y fueron precisamente esos ropajes que llevaban las mujeres de finales del siglo XVIII los que la salvaron de la muerte pues aunque tragó mucha agua, la mantuvieron a flote el tiempo suficiente para que la rescataran unos pescadores.[30]

Fue un paréntesis de año y medio. Tras la apasionada y turbulenta ruptura con Gilbert Imlay, Mary comienza una nueva relación con William Godwin, filósofo radical y uno de los precursores del anarquismo. Ambos defienden el amor libre hasta que Mary vuelve a quedar embarazada y se enfrenta al horror de tener otra hija natural. La pareja renuncia a sus convicciones y se casa, lo que les convierte en el centro de las críticas por la incoherencia entre sus ideas y sus actos. Mary muere en 1797, a los 38 años, diez días después de dar a luz a quien sería conocida como Mary Shelley, la famosa autora de *Frankenstein*, libro mucho más leído y reconocido que la *Vindicación* de su madre.

La vida de Mary Wollstonecraft concluyó de un mal llamado fiebres puerperales «un mal que era, casi invariablemente, producto de la escasa atención médica de entonces al oficio más viejo del mundo por lo que a las mujeres se refiere y que consiste, como es sabido, en dar a luz. Fue un caso común, situado entre los primeros por lo que respecta a los índices de mortalidad femenina del siglo XVIII: una placenta mal expulsada y a duras penas extraída por un médico que —siguiendo las costumbres en uso—, no consideraba necesario, ni de sentido común, lavarse las manos previamente».[31] Wollstonecraft tuvo una digna heredera que también debió de sufrir lo suyo. La propia Mary Shelley, que empeñó casi toda su vida adulta en huir del escándalo y lograr el olvido, supo de las dificultades para una mujer brillante, como lo había sido su madre y ella misma. Así, cuando tuvo que

30. Burdiel, Isabel, op. cit., pág. 9.
31. Ibídem, pág. 10.

enfrentarse a la educación de su único hijo superviviente, el futuro sir Percy F. Shelley, lo hizo bajo la advocación de: «Oh, Dios, enséñale a pensar como los demás.» Parece que sus ruegos fueron oídos porque sir Percy se encargó de destruir los papeles más comprometedores de su madre y de su abuela.[32]

Pero *Vindicación de los derechos de la mujer* no nacía sola. Como señala Amelia Valcárcel, estaba avalada por el difuso sentimiento igualitarista que fluía en el conjunto social y Wollstonecraft «inaugura la crítica de la condición femenina. Supone que bastantes de los rasgos de temperamento y conducta que son considerados propios de las mujeres son en realidad producto de su situación de falta de recursos y libertad».[33] Siguiendo a Valcárcel, la novedad teórica de Wollstonecraft era que, por primera vez, llamaba privilegio al poder que siempre habían ejercido los hombres sobre las mujeres de forma «natural», es decir, como si fuera un mandato de la naturaleza.

Wollstonecraft es radicalmente moderna puesto que pone el embrión de dos conceptos que el feminismo aún maneja en el siglo XXI: la idea de género —lo considerado como «natural» en las mujeres es en realidad fruto de la represión y el aprendizaje social o como diría años después Simone de Beauvoir «no se nace mujer, llega una a serlo»—,[34] y la idea de la discriminación positiva puesto que asegura la autora inglesa: «Y si se decide que naturalmente las mujeres son más débiles e inferiores que los hombres ¿por qué no establecer mecanismos de carácter social o político para compensar su supuesta inferioridad natural?»[35] Decía la escritora inglesa Virginia Woolf, ya en

32. Ibídem, pág. 11.
33. VALCÁRCEL, Amelia, *La memoria colectiva y los retos del feminismo*, op. cit., pág. 12.
34. DE BEAUVOIR, Simone, *El segundo sexo*, Vol. II, *La experiencia vivida*, trad. Pablo Palant, Ediciones Siglo Veinte, Buenos Aires, 1987, pág. 13.
35. WOLLSTONECRAFT, Mary, op. cit., pág. 159.

1929, que hubo algo en el apasionado experimento vital e intelectual de Mary Wollstonecraft que la hizo abrirse camino «hasta llegar al mismo meollo de la vida».[36]

UNA SANGRIENTA REPRESIÓN

A modo de resumen, «el debate feminista ilustrado afirmó la igualdad entre hombres y mujeres, criticó la supremacía masculina, identificó los mecanismos sociales y culturales que influían en la construcción de la subordinación femenina y elaboró estrategias para conseguir la emancipación de las mujeres. Los textos fundacionales del feminismo ilustrado avanzaron haciendo énfasis en la idea acerca de la cual las relaciones de poder masculino sobre las mujeres ya no se podían atribuir a un designio divino, ni a la naturaleza, sino que eran el resultado de una construcción social. [...] Al apelar al reconocimiento de los derechos de las mujeres como tales, situaron las demandas feministas en la lógica de los derechos».[37]

Sin embargo, el poder masculino reaccionó con saña. En 1793, las mujeres son excluidas de los derechos políticos recién estrenados. En octubre se ordena que se disuelvan los clubes femeninos. No pueden reunirse en la calle más de cinco mujeres. En noviembre es guillotinada Olimpia de Gouges.[38] Muchas mujeres son encarceladas. En 1795, se prohíbe a las mujeres asistir a las asambleas políticas. Aquellas que se habían significado políticamente, dio igual desde qué ideología, fueron llevadas a la guillotina o al exilio.

Quince años más tarde, el Código de Napoleón, imitado después por toda Europa, convierte de nuevo el matrimonio en un contrato desigual, exigiendo en su artículo 321 la obe-

36. BURDIEL, Isabel, op. cit., pág. 93.
37. NASH, Mary, op. cit., págs. 70-71.
38. SAU, Victoria, op. cit., pág. 123.

diencia de la mujer al marido y concediéndole el divorcio sólo en el caso de que éste llevara a su concubina al domicilio conyugal.

Con el Código de Napoleón —explica Amelia Valcárcel—, la minoría de edad perpetua de las mujeres quedaba consagrada: «Eran consideradas hijas o madres en poder de sus padres, esposos e incluso hijos. No tenían derecho a administrar su propiedad, fijar o abandonar su domicilio, ejercer la patria potestad, mantener una profesión o emplearse sin permiso, rechazar a su padre o marido violentos. La obediencia, el respeto, la abnegación y el sacrificio quedaban fijados como sus virtudes obligatorias. El nuevo derecho penal fijó para ellas delitos específicos que, como el adulterio y el aborto, consagraban que sus cuerpos no les pertenecían. A todo efecto ninguna mujer era dueña de sí misma, todas carecían de lo que la ciudadanía aseguraba, la libertad.»[39]

Las mujeres entraron en el siglo XIX atadas de pies y manos pero con una experiencia política propia a su espalda que ya no permitiría que las cosas volviesen a ser exactamente igual que antes puesto que la lucha había empezado.[40] «Sin capacidad de ciudadanía y fuera del sistema normal educativo, quedaron las mujeres fuera del ámbito completo de los derechos y bienes liberales. Por ello, el obtenerlos, el conseguir el voto y la entrada en las instituciones de alta educación se convirtieron en los objetivos del sufragismo.»[41]

El sufragismo continuará con la lucha que las mujeres del siglo XVIII inauguraron, y que a muchas les costó incluso la vida, sin llegar a disfrutar ningún derecho.

---

39. VALCÁRCEL, Amelia, *La memoria colectiva y los retos del feminismo*, pág. 13.
40. SAU, Victoria, op. cit., pág. 123.
41. VALCÁRCEL, Amelia, op. cit., pág 14.

3

LA SEGUNDA OLA

Del sufragismo a Simone de Beauvoir

> DECIDIMOS: Que todas las leyes que impidan que la mujer ocupe en la sociedad la posición que su conciencia le dicte, o que la sitúen en una posición inferior a la del hombre, son contrarias al gran precepto de la naturaleza y, por lo tanto, no tienen ni fuerza ni autoridad.
>
> DECLARACIÓN DE SENTIMIENTOS
> Seneca Falls, Nueva York,
> *19 y 20 de julio de 1848*

Los mejores purasangres de Inglaterra corrían en el hipódromo de Epsom Downs el 4 de junio de 1913. Ese día se celebraba, como se venía haciendo desde 1780, el Derby Day, una gran prueba hípica anual en la que se concentraba lo más destacado de la sociedad inglesa. En medio del espectáculo y la fiesta que se vivía en las gradas, una joven se lanzó a la pista y trató de sujetar por las riendas el caballo del Rey. No lo consiguió, el animal la arrolló y quedó gravemente herida. Cuatro días después, fallecía. La joven era Emily Wilding Davison, una combativa sufragista que se convertía en mártir al perder la vida por sus ideas: el derecho al voto de las mujeres.

El funeral de Emily W. Davison constituyó un gran acto feminista en las calles de Londres. Las sufragistas inglesas llevaban ya sesenta años de lucha por el derecho al voto, sin ningún resultado. Antes, habían comenzado las norteamericanas. La segunda mitad del siglo XIX y principios del XX supuso una gran prueba de la capacidad, estrategia y, sobre todo, paciencia, de las feministas. Esta vez sí, consiguieron su primera gran victoria.

¿DE DÓNDE SALEN LAS SUFRAGISTAS?

A las mujeres estadounidenses del siglo XIX no las sacaron de casa sus propios problemas, sino un injusticia que se desarrollaba a su alrededor y que, por lo visto, percibían mejor que su propia realidad: la esclavitud. Las mujeres, que ya habían luchado junto a los hombres por la independencia de su país, hasta entonces una colonia inglesa, se organizaron para terminar con la situación de los esclavos. Esta actividad les aportó experiencia en la lucha civil, en la oratoria, en los asuntos políticos y sociales, y, por otro lado, les sirvió de «linterna» para ver cómo la opresión de los esclavos era muy similar a su propia opresión. Las hermanas Sarah y Angelina Grimké, nacidas en una familia propietaria de esclavos de Carolina del Sur, fueron de las primeras activistas en el movimiento de abolición de la esclavitud que luego aplicaron su crítica social a la condición de la mujer.[1]

Como anécdota —o quizá no por casualidad—, la primera novela antiesclavista del continente americano es una obra de Harriet Beecher Stowe, escritora estadounidense que en 1851 publica por entregas la conocida *La cabaña del tío Tom*.

1. NASH, Mary, op. cit., pág. 81.

Paralelamente, Estados Unidos estaba inmerso en otro proceso: el movimiento de reforma moral.[2] La Reforma protestante, iniciada por Lutero en la Europa del siglo XVI frente a la Iglesia católica, defendía la libertad de cada creyente para interpretar personalmente las sagradas escrituras, y afirmaba que lo importante era la conciencia de cada individuo. La Reforma prendió de distinta manera por Centroeuropa y tuvo especial importancia en Inglaterra bajo el nombre de puritanismo. Su fuerza, ya a mediados del siglo XVII, dio lugar a algunas sectas que, como los cuáqueros, desafiaron a la iglesia oficial.

Las prácticas políticas protestantes —evangelistas, pero sobre todo las cuáqueras—, permitían la presencia de las mujeres en las tareas de la iglesia. Las mujeres podían intervenir públicamente en la oración y hablaban ante toda la congregación.

La nueva iglesia llegó al Nuevo Continente. Los cuáqueros, por ejemplo, fundaron su propia colonia en Pensilvania, en 1682. Y, como al contrario que el catolicismo, defendían la interpretación individual de los textos sagrados, favorecían que las mujeres aprendieran a leer y escribir. Este motivo fue fundamental para que en Estados Unidos el analfabetismo femenino fuera mucho menor que en Europa y para que se crearan colegios universitarios femeninos. Con la educación se desarrolló una clase media de mujeres educadas que fueron el núcleo y dieron cuerpo al feminismo norteamericano del XIX.[3]

Con todas estas condiciones —explica María Salas—, ya existían las bases para un movimiento de mujeres real. Lo que hacía falta era un impulso que le diese vida, una cabeza y un programa.[4] Quizá también necesitasen una última injusticia.

2. ROSSI, Alice S., *The Feminist Papers*, Bantam Books, Nueva York, 1973, citado en SÁNCHEZ, Cristina, op. cit., pág. 36.

3. NASH, Mary y TAVERA, Susana, *Experiencias desiguales: Conflictos sociales y respuestas colectivas (siglo XIX)*, Síntesis, Madrid, 1994, pág. 66, citado en SÁNCHEZ, Cristina, op. cit., pág. 39.

4. SALAS, María, «Una mirada sobre los sucesivos feminismos», en http://www.nodo50.org/mujeresred/feminismo.

Todas esas circunstancias se dieron en el Congreso Antiesclavista Mundial celebrado en Londres en 1840. De la delegación norteamericana formaban parte cuatro mujeres que, sin embargo, no fueron bien recibidas en Inglaterra. Todo lo contrario. El Congreso, escandalizado por su presencia, no las reconoció como delegadas e impidió que participaran. Las cuatro mujeres tuvieron que seguir las sesiones tras unas cortinas.

Efectivamente, el Congreso fue el detonante. Las delegadas regresaron de Londres a Estados Unidos humilladas, indignadas y decididas a centrar su actividad en el reconocimiento de sus propios derechos, los derechos de las mujeres. Especial empeño pusieron en ello Lucretia Mott y Elizabeth Cady Stanton.

Lucretia Mott era una cuáquera que fundó la primera sociedad femenina contra la esclavitud y cuya casa se utilizaba como refugio en el camino de huida de los esclavos. Tenía unos 20 años más que Elizabeth Cady Stanton, quien fue en cierto modo su discípula, convirtiéndose con el tiempo en la intelectual más destacada del movimiento americano.[5]

LA DECLARACIÓN DE SENTIMIENTOS

Si los años pueden tener apellidos, 1848 ha pasado a la historia como un año «revolucionario». Tomó su nombre la revolución que se desarrolló en Francia, la revolución de 1848, y además es la fecha en la que Marx y Engels publicaron su célebre *Manifiesto comunista*. Pero en la mayoría de los libros de historia, le falta el segundo apellido. En verano, 1848 también vio nacer la Declaración de Seneca Falls o Declaración de Sentimientos,[6] el texto fundacional del sufragismo norteamericano.

5. MILLETT, Kate, *Política sexual*, Cátedra, Madrid, 1995, pág. 159.
6. Ver en Anexos el texto completo de la Declaración de Seneca Falls.

Ocurrió en un pueblecito al oeste del estado de Nueva York. En una capilla metodista, Elizabeth Cady Stanton convocó a cien personas —más del doble de mujeres que de hombres—, de distintas asociaciones y organizaciones políticas del ámbito liberal —fundamentalmente comprometidas todas con la lucha abolicionista—, a una reunión. Elizabeth Cady Stanton era hija de un juez y estaba casada con un abogado. Tenía ya experiencia en hablar en público por sus actividades en contra de la esclavitud y, además, habían pasado ya ocho años tras el vergonzoso episodio del Congreso Antiesclavista Mundial de Londres. Tiempo suficiente para haber madurado la rabia y la humillación y para haber tomado decisiones.

La reunión se anunció públicamente en el periódico local:

Convención sobre los derechos de la mujer. El miércoles y jueves, 19 y 20 de julio a las 10.00 horas de la mañana, se celebrará en la capilla metodista, Seneca Falls, estado de Nueva York, una convención para discutir los derechos y la condición social, civil y religiosa de la mujer. El primer día se celebrará una sesión exclusivamente para mujeres, a las que se invita cordialmente. El público en general está invitado a la sesión del segundo día, cuando Lucretia Mott de Filadelfia, y otras damas y caballeros, se dirigirán a los presentes.[7]

Parece que en total, entre los invitados y el público que acudió tras leer el periódico, se congregaron alrededor de 300 personas. La reunión, como decía el anuncio, se había convocado para estudiar las condiciones y derechos sociales, civiles

7. OZIELBO, Bárbara, *Un siglo de lucha. La consecución del voto femenino en Estados Unidos*, Biblioteca de Estudios sobre la Mujer, Diputación provincial de Málaga, 1996, citado en BOSCH, E., FERRER, V., RIERA, T. y ALBERDI, R., *Feminismo en las aulas*, Universitat de les Illes Balears, Palma, 2003, pág. 68.

y religiosos de la mujer. Cuando ésta terminó, después de los dos días de conversaciones, redactaron un texto cuyo modelo es la Declaración de Independencia de Estados Unidos. Era la Declaración de Seneca Falls, que ellas llamaron «Declaración de Sentimientos». Este acontecimiento marcó un hito en el feminismo internacional al quedar consensuado uno de los primeros programas políticos feministas. La Convención fue el primer foro público y colectivo de las mujeres.[8]

El texto fue aprobado por unanimidad y firmado por las sesenta y ocho mujeres y los treinta y dos hombres convocados, salvo una cláusula, la que reclamaba el derecho al voto. En ese momento, aún no era una reivindicación clara para todas. Como «hijas de la libertad», las mujeres de Seneca Falls se apropiaron de los discursos políticos del momento en la cultura norteamericana para legitimar su filosofía feminista. Por eso, la Declaración fue calcada de la Declaración de Independencia americana, porque al hacerlo así daban legitimidad política a sus reivindicaciones y entroncaban con la filosofía que ya estaba asentada en la cultura política de su país.[9]

Explica Alicia Miyares que la Declaración de Seneca Falls se enfrentaba a las restricciones políticas: no poder votar, ni presentarse a elecciones, ni ocupar cargos públicos, ni afiliarse a organizaciones políticas o asistir a reuniones políticas. Iba también contra las restricciones económicas: la prohibición de tener propiedades, puesto que los bienes eran transferidos al marido; la prohibición de dedicarse al comercio, tener negocios propios o abrir cuentas corrientes. En definitiva, la Declaración se expresaba —y de forma muy rotunda—, en contra de la negación de derechos civiles y jurídicos para las mujeres.[10]

8. NASH, Mary, op. cit., pág. 81.

9. Ibídem, pág. 82.

10. MIYARES, Alicia, *1848: El manifiesto de Seneca Falls, Revista Leviatán*, n.º 75, Madrid, primavera 1999, págs. 135-158, en la red http://www. creatividadfeminista.org/articulos/2004.

Así, en 1848, cuando el recién nacido *Manifiesto Comunista* proclama que la historia de la humanidad es la historia de la lucha de clases, las reunidas en Seneca Falls se encargan de señalar que ésa era sólo parte de la historia. Ellas eran el primer movimiento político de mujeres. Ellas eran las que convocaban, las que se reunían y reclamaban derechos para sí mismas. Las mujeres se convertían en sujeto de la acción política.

A partir de esa fecha, las mujeres de Estados Unidos empezaron a luchar de forma organizada a favor de sus derechos, tratando de conseguir una enmienda a la Constitución que les diera acceso al voto. Como les había ocurrido a las francesas durante la revolución de 1789, las sufragistas también fueron traicionadas. Después de todo su trabajo en contra de la esclavitud, la recompensa fue que en 1866 el Partido Republicano, al presentar la Decimocuarta Enmienda a la Constitución que por fin concedía el voto a los esclavos, negaba explícitamente el voto a las mujeres. La enmienda sólo era para los esclavos varones liberados. Pero aún sufrieron otra traición. Más dolorosa si cabe. Ni siquiera el movimiento antiesclavista quiso apoyar el voto para las mujeres, temeroso de perder el privilegio que acababa de conseguir.

Elizabeth Cady Stanton y Susan B. Anthony llegaron al convencimiento de que la lucha por los derechos de la mujer dependía sólo de las mujeres y en 1868 fundaron la Asociación Nacional pro Sufragio de la Mujer (NWSA). En 1869, sufrieron una escisión liderada por Lucy Stone y formada por quienes consideraban excesivos los planteamientos de la NWSA. Nacía la Asociación Americana pro Sufragio de la Mujer (AWSA), la parte más conservadora del movimiento. Ellas se dedicaron al voto a través de campañas graduales, estado por estado.[11] Y ese mismo año, en 1869, Wyoming se convertía en el primer estado que reconocía el derecho del voto

---

11. MIYARES, Alicia, «Sufragismo» en AMORÓS, Celia (coord.), *Historia de la teoría feminista*, op. cit., págs. 74-75.

a las mujeres. ¡21 años después de la declaración de Seneca Falls!

Los avances fueron lentos y ante las dificultades, de nuevo, las dos alas del sufragismo norteamericano volvieron a unirse en 1890 y, con la llegada del nuevo siglo, se radicalizaron. En 1910 organizan desfiles monstruo en Nueva York y Washington. Todas, las más moderadas y las más radicales, desarrollaron una actividad frenética hasta conseguir en 1918 que el presidente Wilson anunciara su apoyo al sufragismo y un día después, la Cámara de Representantes aprobaba la Decimonovena Enmienda. Aún tardó en entrar en vigor. Por fin, en agosto de 1920, el voto femenino fue posible en Estados Unidos.

El sufragismo fue un movimiento épico donde las mujeres demostraron su capacidad y su paciencia. De todas las mujeres que se reunieron en Seneca Falls, sólo Charlotte Woodward, entonces una modistilla de diecinueve años, vivió lo suficiente como para poder votar en las elecciones presidenciales de 1920. «El sufragismo fue un movimiento de agitación internacional —señala Amelia Valcárcel—, presente en todas las sociedades industriales, que tomó dos objetivos concretos —el derecho al voto y los derechos educativos— y consiguió ambos en un período de ochenta años, lo que supone ¡tres generaciones militantes empeñadas en el mismo proyecto!»[12]

Ese afán de aprender creció hasta alcanzar proporciones gigantescas, dando lugar a anécdotas tan conmovedoras y pintorescas como la de *la bolsa verde* de Mary Lyon, quien recorrió Nueva Inglaterra recogiendo donativos de cinco, tres o incluso un dólar, con el fin de poder instituir en América un centro universitario femenino.[13] Cuando sus amistades escri-

12. VALCÁRCEL, Amelia, *La memoria colectiva y los retos del feminismo*, op. cit., pág. 17.
13. MILLETT, Kate, op. cit., pág. 149.

bían a Mary Lyon reprochándole que no era propio de una señorita viajar sola recogiendo dinero para comenzar su Universidad de Mujeres, ella contestaba: «¿Qué hago que esté mal hecho? Mi corazón está enfermo. Mi alma está dolorida. Estoy realizando un gran trabajo. No puedo retroceder.»[14]

Al movimiento sufragista le debe la política democrática, al menos, dos grandes aportaciones —explica Valcárcel—. Una es la palabra solidaridad. Otra, los métodos de lucha cívica actuales. La palabra solidaridad fue elegida para sustituir a fraternidad, que en realidad significaba hermano varón, lo que tenía demasiadas connotaciones masculinas. La otra aún es más importante. El sufragismo se vio obligado a intervenir en política desde fuera, llamando la atención sobre su causa y con vocación de no violencia. Así que tuvo que ensayar y probar nuevas formas de protesta. Y acertó. El sufragismo se inventó las manifestaciones, la interrupción de oradores mediante preguntas sistemáticas, la huelga de hambre, el autoencadenamiento, la tirada de panfletos reivindicativos... Todos éstos fueron sus métodos habituales. El sufragismo innovó las formas de agitación e inventó la lucha pacífica que luego siguieron movimiento políticos posteriores como el sindicalismo y el movimiento en pro de los Derechos Civiles.

LA PROTESTA SUICIDA DE EMILY W. DAVISON

A las sufragistas inglesas se les acabó la paciencia antes que a las norteamericanas. La primera petición de voto para las mujeres presentada al Parlamento británico está fechada en agosto de 1832. Tres décadas más tarde, en junio de 1866, Emily Davies y Elizabeth Garret Anderson elevan otra nueva «Ladies Petition» firmada por 1.499 mujeres, que es pre-

14. FRIEDAN, Betty, *La mística de la feminidad*, Ediciones Sagitario, Barcelona, 1965, pág. 108.

sentada a la Cámara de los Comunes por los diputados John Stuart Mill y Henry Fawcett. Al ser rechazada, se crea un movimiento permanente: la Sociedad Nacional pro Sufragio de la Mujer, liderada por Lidia Becker.[15] Al año siguiente, 1867, cuando se está debatiendo una segunda reforma de la ley electoral para incrementar el número de varones adultos con derecho al sufragio, el mismo Mill presenta una enmienda para que se sustituya la palabra «hombre» por «persona», lo que daría el voto a aquellas mujeres que cumpliesen los mismos requisitos que se les pedían a los hombres. Fue rechazada.

Las sufragistas inglesas tuvieron dos grandes aliados: John Stuart Mill y Jacob Brigt. Este último era un parlamentario que insistente e infatigablemente presentó una y otra vez propuestas en la Cámara Baja para conseguir el derecho político de las mujeres. En 1867 Jacob Brigt aseguró que «si los mítines carecen de efecto, si la expresión precisa y casi universal de la opinión no tiene influencia ni en la Administración ni en el Parlamento, inevitablemente las mujeres buscarán otros sistemas para asegurarse estos derechos que les son constantemente rehusados».[16]

Brigt no se equivocó. Aunque las sufragistas inglesas aguantaron casi cuarenta años más defendiendo el feminismo por medios legales. Hasta 1903, cuando, cansadas de que no se les hiciera caso, pasaron a la lucha directa. Describe María Salas que la táctica que emplearon fue interrumpir los discursos de los ministros y presentarse en todas las reuniones del partido liberal para plantear sus demandas. La policía las expulsaba de los actos y les imponía multas que ellas no pagaban, así que iban a la cárcel. Allí, eran consideradas presas comunes y no políticas como reivindicaban.

Aun en la cárcel, no desistieron. Iniciaron una huelga de

15. MIYARES, Alicia, *Sufragismos,* op. cit., pág. 76.
16. Citado en SALAS, María, op. cit.

hambre en prisión. Gladstone, el primer ministro en aquel momento, ordenó que las alimentaran a la fuerza. Comenzó entonces una espiral de violencia entre las feministas y la policía inglesa. En julio de 1902, lady Pankhurst, presidenta de la National Union of Women Suffrage, fue condenada a tres años de trabajos forzados, pero las sufragistas lograron su evasión de la cárcel.[17]

El presidente Wilson la invitó a Estados Unidos. Se había convertido en una figura casi legendaria, aunque no se libró de volver a prisión en cuanto regresó a Inglaterra. En esos años, las sufragistas también llevaron a cabo una serie de actos violentos contra diversos edificios públicos, aunque nunca realizaron ningún atentado personal, ni nadie resultó herido como consecuencia de sus protestas. La única pérdida se registró en sus propias filas, con la muerte de Emily W. Davidson en el hipódromo de Epson. Como hemos dicho, el funeral de Emily W. Davidson fue un grandioso acto feminista, según relatan las historiadoras. Describe María Salas que entre las decenas de carrozas que seguían el féretro de la joven desfiló una vacía con las cortinas bajadas. Era la de lady Pankhurst que no pudo acudir porque, de nuevo, estaba arrestada.

Sin embargo, ni siquiera el sacrificio de la joven Davidson fue suficiente ni puso fin a la lucha. Tuvo que estallar la Primera Guerra Mundial. El rey Jorge V amnistió a todas las sufragistas y encargó a lady Pankhurst el reclutamiento y la organización de las mujeres para sustituir a los hombres que debían alistarse. «Un buen ejemplo del pragmatismo inglés», señala Salas.

Por fin, el 28 de mayo de 1917 fue aprobada la ley de sufragio femenino por 364 votos a favor y 22 en contra, casi como contraprestación a los servicios prestados durante la guerra, ¡después de 2.588 peticiones presentadas en el Parlamento! De todas formas, las inglesas tuvieron que esperar aún otros diez

17. Ibídem.

años a que las condiciones para su derecho al voto fueran idénticas a las de los varones ya que en la primera ley se decía que podían votar las mujeres mayores de 30 años. Diez años más tarde, todas las mayores de 21, la misma edad que los varones, podían votar y ser votadas.

De la épica de las sufragistas inglesas dan cuenta los recuerdos de Ida Alexa Ross Wylie, quien dejó escrito:

Ante mi asombro, he visto que las mujeres, a pesar de la falta de entrenamiento y del hecho de que durante siglos no se podía hablar de las piernas de una mujer respetable, podían, en un momento dado, correr más que cualquier policía londinense. [...] Su capacidad para improvisar, para guardar el secreto y ser leales, su iconoclasta desprecio de las clases sociales y del orden establecido, fueron una revelación para todos, pero especialmente para ellas mismas [...].

Durante dos años de locas y a veces peligrosas aventuras, trabajé y luché hombro con hombro con mujeres sensatas, vigorosas, felices, que reían a carcajadas en vez de reírse por lo bajo, que caminaban libremente en vez de contenerse, que podían ayunar más que Gandhi y salir del trance con una sonrisa y una broma. Dormí sobre el duro suelo entre viejas duquesas, robustas cocineras y jóvenes dependientas. A menudo estábamos fatigadas, contusionadas o asustadas. Pero éramos tan felices como nunca lo habíamos sido. Compartíamos con júbilo una vida que nunca habíamos conocido. La mayoría de mis compañeras de lucha eran esposas y madres. Y ocurrieron cosas insólitas en su vida doméstica. Los esposos llegaban a su casa, por la noche, con una nueva ansiedad... Los hijos cambiaron rápidamente su actitud de condescendencia afectuosa hacia la «pobre y querida mamá» por una de admirado asombro. Al disiparse la humareda de amor maternal —ya que la madre estaba demasiado ocupada para poder preocuparse por ellos más que de vez en cuando—, los hijos descubrieron que les era simpática, que «era un gran tipo». Que tenía agallas....[18]

EL DERECHO AL VOTO, UNA ESTRATEGIA DE FUTURO

Las sufragistas no reivindicaban sólo el derecho al voto, al sufragio universal. Se las conoce por ese nombre porque fue en el voto donde pusieron todo el énfasis. Confiaban en que una vez conseguido éste, sería posible alcanzar la igualdad en un sentido muy amplio. Las feministas de esta época reivindicaron el derecho al libre acceso a los estudios superiores y a todas las profesiones, los derechos civiles, compartir la patria potestad de los hijos y administrar sus propios bienes. Denunciaban que sus esposos fueran los administradores de los bienes conyugales, incluso de lo que ellas ganaban con su trabajo. En la práctica, cualquier marido podía «alquilar» a su esposa para un empleo y cobrarlo y administrarlo él. También reivindicaban igual salario para igual trabajo.

Además, bajo el sufragismo se podían unir todas puesto que fuese cual fuese su situación económica, social o sus opiniones políticas, la reivindicación del derecho al voto era común. La conciencia feminista estaba extendida: en cualquier caso, todas estaban excluidas por ser mujeres.

Y es que en el siglo XIX se da una gran paradoja. Por un lado, las mujeres quedan divididas. Con la llegada del capitalismo, las mujeres se incorporan al trabajo industrial dado que eran una mano de obra más barata y menos reivindicativa que los hombres. Sin embargo, en la burguesía —la clase social adinerada del mo-

18. ROSS WYLIE, Ida Alexis, «The Little Woman», *Harper's Magazine*, noviembre 1945, citado en FRIEDAN, Betty, *La mística de la feminidad*, op. cit., pág. 117.

mento y que cada día tenía más poder—, las mujeres se quedaban encerradas en su casa. No se les permitía trabajar y cada día eran más cosificadas. Simplemente simbolizaban el poder de sus maridos. Cuanto más hermosas mejor. Casadas, carecían de derechos; solteras, eran castigadas y rechazadas socialmente. Pero a pesar de esta separación cada vez mayor en distintas clases y por lo tanto con distintos roles, y distintas exigencias, las mujeres comienzan a organizarse. Con el sufragismo, «el feminismo aparece, por primera vez, como un movimiento social de carácter internacional, con una identidad autónoma teórica y organizativa. Además, ocupará un lugar importante en el seno de los otros grandes movimientos sociales, los diferentes socialismos y el anarquismo».[19]

«¿ACASO NO SOY UNA MUJER?»

Sojourner Truth es un gran ejemplo de las diversas voces de mujeres distintas que se van uniendo al sufragismo. Cristina Sánchez recuerda su vida y sus discursos.[20] Sojourner hizo honor a su nombre —literalmente, «Verdad Viajera»— y pregonó allí donde pudo algunas «verdades» que cuestionaban aún más los discursos que justificaban la exclusión de las mujeres. Sojourner Truth era una esclava liberada del estado de Nueva York. No sabía leer ni escribir, pues estaba prohibido y castigado con la muerte para los esclavos, pero fue la única mujer negra que consiguió asistir a la Primera Convención Nacional de Derechos de la Mujer, en Worcester, en 1850. Al año siguiente, pronunció un discurso en la Convención de Akron y con él enfocó por primera vez los problemas que tenían las mujeres negras, asfixiadas entre la doble exclusión: la de la raza y la del género.

19. DE MIGUEL, Ana, *Feminismos*, op. cit., pág. 226.
20. SÁNCHEZ, Cristina, op. cit., págs. 46-48.

Creo que con esa unión de negros del Sur y de mujeres del Norte, todos ellos hablando de derechos, los hombres blancos estarán en un aprieto bastante pronto. Pero ¿de qué están hablando todos aquí?

Ese hombre de allí dice que las mujeres necesitan ayuda al subirse a los carruajes, al cruzar las zanjas y que deben tener el mejor sitio en todas partes. ¡Pero a mí nadie me ayuda con los carruajes, ni a pasar sobre los charcos, ni me dejan un sitio mejor! ¿Y acaso no soy yo una mujer? ¡Miradme! ¡Mirad mi brazo! He arado y plantado y cosechado, y ningún hombre podía superarme! ¿Y acaso no soy yo una mujer? [...] He tenido trece hijos, y los vi vender a casi todos como esclavos, y cuando lloraba con el dolor de una madre, ¡nadie, sino Jesús me escuchaba! ¿Y acaso no soy yo una mujer?[21]

El discurso de Sojourner Truth abría el camino para el desarrollo del feminismo de las mujeres negras y demostraba que las supuestas debilidades *naturales* de las mujeres o sus incapacidades para según qué trabajos o responsabilidades sólo eran disquisiciones absurdas e interesadas.

Las *nadies* aparecían en la escena pública. Las mujeres silenciadas iban recuperando la voz. El sufragismo engordaba día a día y los últimos años del siglo XIX y principios del XX fueron un continuo pensar y repensar, hacer estrategias y modificarlas sobre la marcha para un feminismo que se consolidaba y al que llegaban mujeres diversas que lo engrandecían.

Señala Sánchez que Truth hacía su reivindicación apelando a criterios universalistas, esto es, no abría la puerta de la diferencia, sino la de la igualdad. Extendían la reivindica-

21. SCHENEIR, Miriam, *Feminism, The Essential Historical Writings*, Vintage Books, Nueva York, 1972, pág. 94, en SÁNCHEZ, Cristina, op. cit., pág. 47.

ción a la raza, y más concretamente, al punto estratégico en que en ese momento histórico se entrecruzaban la raza y el género: los derechos de las mujeres negras. Reivindica su identidad no como negra, sino como mujer, como lo que no era reconocido.[22]

JOHN STUART MILL: EL MARIDO DE LA FEMINISTA

Quizá parezca irrespetuoso presentar así a uno de los grandes pensadores del siglo XIX. Todo lo contrario, es un homenaje a un hombre que esperó veinte años para casarse con Harriet Taylor, la mujer que amaba y junto a la que construyó una relación de amor y respeto rebosante de pasión, cariño, complicidad y confianza entre iguales. Pero no sólo eso. Harriet Taylor y John Stuart Mill pusieron las bases de la teoría política en la que creció y se movió el sufragismo.

El feminismo respeta a John Stuart Mill especialmente por su libro *La sujeción de la mujer* —publicado en 1869— y también por su trabajo político como diputado en la Cámara de los Comunes (el parlamento inglés). Mill no consiguió ninguna de sus iniciativas, tuvo que soportar la sorna de sus compañeros diputados e incluso en el periódico *Times* se escribió con ironía que Mill intentaba realizar «una gran reforma social» mediante el cambio de una simple palabra cuando éste pretendió cambiar «hombre» por «persona» en la reforma electoral que se discutía en ese momento.[23] Sin embargo, llevar la petición del voto al parlamento fue muy importante para las sufragistas y para que la cuestión llegara a la opinión pública. Como ejemplo del agradecimiento feminista a la obra de Mill y la repercusión que ésta tuvo entre las mujeres de su época, nada

22. Ibídem.
23. DE MIGUEL, Ana, *Deconstruyendo la ideología patriarcal*, en AMORÓS, Celia (coord.), *Historia de la teoría feminista*, op. cit., pág. 52.

mejor que la carta que Elizabeth Cady Stanton, líder de las sufragistas norteamericanas, le escribió tras leer *La sujeción de la mujer*:

> Terminé el libro con una paz y una alegría que nunca antes había sentido. Se trata, en efecto, de la primera respuesta de un hombre que se muestra capaz de ver y sentir todos los sutiles matices y grados de los agravios hechos a la mujer, y el núcleo de su debilidad y degradación.[24]

Pero no sólo Elizabeth Cady Stanton se deslumbró por la lectura del libro de Mill, feministas de todo el mundo se sintieron impresionadas:

> El ensayo de Mill, *La sujeción de la mujer*, publicado en 1869, fue la biblia de las feministas. Es difícil exagerar la enorme impresión que causó en la mentalidad de las mujeres cultas de todo el mundo. En el mismo año en que se publicó en Inglaterra y Norteamérica, Australia y Nueva Zelanda, también apareció traducido en Francia, Alemania, Austria, Suecia y Dinamarca. En 1870 fue publicado en polaco e italiano, y también las estudiantes de San Petersburgo hablaban de él con entusiasmo. Hacia 1883, la traducción sueca dio lugar a un debate entre un grupo de mujeres de Helsinki que fundaron el movimiento femenino finlandés tan pronto como terminaron de leer el libro. Desde toda Europa llegaron testimonios impresionantes del impacto inmediato y profundo que ejerció el opúsculo de Mill; su publicación coincidió con la fundación de movimientos feministas no sólo en Finlandia, sino tam-

24. Citado en DE MIGUEL, Ana, ibídem, pág. 51, citado a su vez de ROSSI, Alice S., *Sentimiento e intelecto. La historia de John Stuart Mill y Harriet Taylor Mill* en *John Stuart Mill y Harriet Taylor Mill, Ensayos sobre la igualdad sexual*, Península, Barcelona, 1973, pág. 84.

bién en Francia y Alemania y muy posiblemente en otros países.[25]

Además de respeto intelectual y político, el feminismo guarda especial cariño a Mill por su vida privada. Era un romántico que se enamoró completamente de Harriet Taylor y juntos formaron una pareja sorprendente, provocadora para su época. John Stuart y Harriet Taylor se conocieron en el verano de 1830. Harriet tenía 23 años y John Stuart 25. Ella se había casado a los 18 con John Taylor, un hombre de negocios interesado en la política radical y al que Harriet quería y respetaba aunque no estaba —ni ella lo consideraba— a su nivel intelectual. Harriet era una mujer de grandes cualidades, inteligencia y belleza. Y lo que parece indiscutible es que deslumbró a Mill y Mill la deslumbró a ella. Cuando se conocieron, ella era madre de dos hijos y al año nacería Helen, la pequeña. Harriet era hija de un cirujano acomodado y había recibido una buena educación. En aquella época colaboraba en la revista *Monthly Repository*, una publicación política y radical en consonancia con su grupo de amigos y su círculo más próximo. Neus Campillo nos presenta a una Harriet que antes de conocer a Mill mostraba ser una madre feliz y buena esposa aun con distintos gustos a su marido y con ideología feminista y anticonvencional.[26]

Cuando Mill conoce a Harriet, éste se encuentra en medio de una fuerte depresión. Mill era un hombre extraño con el que su padre, James Mill, había experimentado desde que era muy pequeño educándole de manera extraordinariamente precoz. De hecho, le trató y le educó como si nunca hubie-

25. EVANS, Richard J., *Las feministas. Los movimientos de emancipación de la mujer en Europa, América y Australasia, (1840-1920)*, Siglo XXI, Madrid, 1980, págs. 15-16.

26. CAMPILLO Neus, *Introducción,* en MILL, John Stuart y TAYLOR MILL, Harriet, *Ensayos sobre la igualdad sexual*, Cátedra, col. Feminismos, Madrid, 2001, pág. 11.

se sido un niño. «No guardo memoria del momento en que empecé a aprender griego. Me han dicho que fue cuando tenía tres años.»[27]

Mill llama a su propia depresión «una crisis en mi historia mental» y parece que fue provocada por la falta de interés sobre lo que hasta entonces había sido el centro de su vida, «ser un reformador del mundo». Cuando esto dejó de interesarle, se derrumbó.[28] Esa depresión, sin embargo, no le había paralizado. Mantenía una intensa actividad intelectual y completaba su formación visitando y conociendo a fondo a los pensadores más destacados de su época, buena parte de ellos, amigos de su padre. Sus males melancólicos desaparecieron cuando conoció a Harriet y juntos protagonizaron una relación apasionada que rompió todos los tópicos, componiendo una serie de libros y escritos esenciales en la historia del pensamiento. Dos personas con una enorme complicidad intelectual y personal y, además, una gran pasión que no encajaba de ninguna manera en los ideales románticos de la época en los que las mujeres sólo eran receptoras pasivas del amor. Dos apasionados que renuncian a las relaciones sexuales por respeto al marido de Harriet y a las convenciones del momento, puesto que no existía divorcio en la Inglaterra de mediados del siglo XIX, en plena época de puritanismo victoriano. Dos personas, una mujer y un hombre, que se tratan de igual a igual en una época en la que las mujeres comenzaban la pelea por sus derechos políticos y empezaban a soñar con los derechos civiles.

Aunque la época no daba para pasiones dentro de los límites de lo respetable, por la correspondencia que se conserva, ésta, aunque contenida, debió de ser arrolladora y supuso una gran crisis en el matrimonio de Harriet. Para resolverla, la pa-

27. MILL, John Stuart, *Autobiografía*, Espasa-Calpe, Madrid, citado en MILL, J. S. y TAYLOR MILL, H., op. cit., de la introducción de Neus Campillo, pág. 14.
28. CAMPILLO Neus, op. cit., pág. 15.

reja —parece que no sin largas discusiones— decidió separarse durante seis meses.[29] Harriet se mudó a París y Mill también. Seis meses felices que Harriet resolvió con un acuerdo con su esposo: conservar su vida familiar con él y sus hijos y mantener también la relación de amistad con Mill.[30]

Tanto su marido como Mill aceptaron la solución de Harriet. Ella evidenciaba con su propia vida, con sus sentimientos y deseos, que las normas y las leyes que la sociedad había creado para las mujeres eran sólo diques de contención ante su libertad. Esas mismas mujeres no se parecían a la caricatura que la sociedad les había dibujado sobre lo que debía de ser una mujer. A Harriet, culta e inteligente, no le bastaba con tener un marido, una casa y unos hijos, quería una vida propia y buscó la rendija del dique para conseguirla.

La situación era extraña y se convirtió en objeto de murmuraciones de todo tipo que ni Harriet ni Mill dejaron que enturbiaran su especial amistad. La desaprobación fue general, pero ellos prefirieron romper con las actividades sociales e incluso con los amigos que criticaban sus vidas antes que con su relación.

Mill fue, además, un hombre consecuente. Lejos de aprovecharse de las leyes del momento que le regalaban toneladas de privilegios por ser varón, reniega de ellas. Así, el 6 de marzo de 1851, después de veinte años de amistad, Harriet Taylor y John Stuart Mill van a casarse. Con ese motivo él escribió la siguiente declaración:

> Estando a punto —si tengo la dicha de obtener su consentimiento—, de entrar en relación de matrimonio con la única mujer con la que, de las que he conocido, podría haber yo entrado en ese estado; y siendo todo el carácter de la relación matrimonial tal y como la ley establece, algo que

29. Ibídem, pág. 21.
30. Ibídem, pág. 23.

tanto ella como yo conscientemente desaprobamos, entre otras razones porque la ley confiere sobre una de las partes contratantes poder legal y control sobre la persona, la propiedad y la libertad de acción de la otra parte, sin tener en cuenta los deseos y la voluntad de ésta, yo, careciendo de los medios para despojarme legalmente a mí mismo de esos poderes odiosos, siento que es mi deber hacer que conste mi protesta formal contra la actual ley del matrimonio en lo concerniente al conferimiento de dichos poderes; y prometo solemnemente no hacer nunca uso de ellos en ningún caso o bajo ninguna circunstancia. Y en la eventualidad de que llegara a realizarse el matrimonio entre Mrs. Taylor y yo, declaro que es mi voluntad e intención, así como la condición del enlace entre nosotros, el que ella retenga en todo aspecto la misma absoluta libertad de acción y la libertad de disponer de sí misma y de todo lo que pertenece o pueda pertenecer en algún momento a ella, como si tal matrimonio no hubiera tenido lugar. Y de manera absoluta renuncio y repudio toda pretensión de haber adquirido cualesquiera derechos por virtud de dicho matrimonio.[31]

De esa unión extraordinaria quedó una obra extraordinaria. En 1832 publican *Los ensayos sobre el matrimonio y el divorcio*. En ellos indagan en una nueva manera de entender y vivir las relaciones de pareja que no supongan la esclavitud de la mujer, sino un contrato entre iguales. Como queda reflejado en la carta previa a su propio matrimonio, fueron consecuentes en su vida con las ideas que quedaron reflejadas en los ensayos.

Su matrimonio se produjo dos años después de la muerte de John Taylor, el marido de Harriet. Éste murió por un cáncer y Harriet le cuidó hasta el final. En la correspon-

31. Ibídem, pág. 40.

dencia quedó reflejado el respeto —mutuo—, con el que Harriet Taylor también había conseguido vivir ese primer matrimonio.

Harriet falleció en noviembre de 1858. A partir de la muerte de su esposa, fue su hija, Helen, a quien Mill consideraba también hija suya, la que le ayudó en su trabajo intelectual. Helen era digna heredera de su madre en ideas sociales y políticas y especialmente respecto a los derechos de las mujeres.

Mill, respetuoso en cuanto a las aportaciones que tanto Harriet como Helen hacían a su obra, se encargó de reseñar ese trabajo en su autobiografía e incluso en las introducciones de los propios textos. *La sujeción de la mujer* fue escrito en 1861, pero Mill lo publicó en 1869. En su autobiografía explica sobre este libro:

> Fue escrito por sugerencia de mi hija para dejar constancia de las que eran mis opiniones sobre esta gran cuestión, expresadas de la manera más completa y conclusiva de que fuese capaz. [...] Tal y como fue hecho público en última instancia, contiene importantes ideas de mi hija y pasajes de sus propios escritos que enriquecen la obra. Pero lo que en el libro está compuesto por mí y contiene los pasajes más eficaces y profundos pertenece a mi esposa y proviene del repertorio de ideas que nos era común a los dos y que fue el resultado de nuestras innumerables conversaciones y discusiones sobre un asunto que tanto ocupó nuestra atención.[32]

La trascendencia de *La sujeción de la mujer* fue excepcional. Se convirtió en el libro de referencia, algo así como la música de fondo de todo el sufragismo. Su tesis principal, que Mill desarrollará no sólo con argumentos racionales, sino también apelando a la emoción —pues, como él mismo explica, los

32. Ibídem, pág. 35.

prejuicios son difícilmente desmontables desde la lógica—, es la afirmación nítida de las mujeres como individuos libres.

Para los Mill, el matrimonio, tal como estaba regulado, era una forma de prostitución —«acto de entregar su persona por pan»— y defienden el cambio de la ley de matrimonio, el divorcio y la necesidad de que las mujeres recibieran una educación que permitiera su independencia económica y que sólo por amor decidieran la relación con un hombre.

El único punto sobre el que discrepan es sobre el derecho de las mujeres al trabajo. Para Mill no era deseable cargar el mercado laboral con un número doble de competidores. Esta controvertida afirmación de Mill fue muy discutida por Harriet Taylor. Para ella, las mujeres no deberían sufrir ningún límite en sus actividades. Harriet defiende que, si hubiera igualdad, no harían falta leyes sobre el matrimonio puesto que las mujeres se formarían para trabajar en lo que gustasen.[33]

Frente al argumento que se esgrimía en aquella época, a saber, que con la entrada de las mujeres en el mercado laboral bajarían los salarios, Harriet defiende que aunque así fuera y la pareja ganara menos que lo que podría ganar sólo el hombre, aún así, se produciría un cambio notable en el matrimonio: la mujer pasaría de sirvienta a socia. Para Harriet Taylor, la desigualdad de las mujeres es un prejuicio debido a la costumbre y mantenido por la ley del más fuerte —en sintonía con lo ya explicado por Poulain de la Barre y Mary Wollstonecraft—, pero Harriet añadía que, además, el sexo y el ámbito emocional hacen que la dominación del hombre sobre la mujer sea distinta a todas las demás.[34]

Quizá sea el desarrollo de esta idea en *La sujeción de la mujer* lo que proporciona la novedad y el punto de vista original a esta obra, «los sutiles matices» de los que le habla Elizabeth Cady Stanton a John Stuart Mill en su carta. Así, además

33. Ibídem, págs. 44-45.
34. Ibídem, págs. 63-65.

de subrayar la dificultad que tiene acabar con esta desigualdad por la relación íntima y sentimental que se da entre hombres y mujeres, Mill señala que el caso de las mujeres es diferente al de cualquier otra clase sometida, lo que hace muy difícil una rebelión colectiva de éstas contra los varones. La peculiaridad, según Mill, consiste en que sus amos no quieren sólo sus servicios o su obediencia, quieren además sus sentimientos: «no una esclava forzada, sino voluntaria». Para lograr este objetivo han encaminado toda la fuerza de la educación a esclavizar su espíritu:

Así, todas las mujeres son educadas desde su niñez en la creencia de que el ideal de su carácter es absolutamente opuesto al del hombre: se les enseña a no tener iniciativa y a no conducirse según su voluntad consciente, sino a someterse y a consentir en la voluntad de los demás. Todos los principios del buen comportamiento les dicen que el deber de la mujer es vivir para los demás; y el sentimentalismo corriente, que su naturaleza así lo requiere: debe negarse completamente a sí misma y no vivir más que para sus afectos.[35]

Para los Mill, los seres humanos son libres e iguales. Desde ese punto de vista su trabajo se esfuerza en criticar y desarticular todas las formas de dominio de las mujeres por parte de los hombres.

APARECEN MÁS MUJERES RARAS: LAS OBRERAS

Harriet Taylor y John Stuart Mill recogieron la herencia del feminismo de la primera ola, pero las voces de Mary Wollstonecraft, Olimpia de Gouges o Condorcet también provoca-

---

35. DE MIGUEL, Ana, *Deconstruyendo la ideología patriarcal*, op. cit., págs. 55-56.

ron una tremenda reacción. No fueron sólo la guillotina, el exilio y el Código napoleónico. Para acallar las demandas de libertad de las mujeres se construyó «el monumental edificio de la misoginia romántica», en palabras de Amelia Valcárcel.[36] Para levantarlo, las principales cabezas del siglo XIX teorizaron sobre porqué las mujeres debían estar excluidas. Así que a todo lo dicho por Rousseau, se sumaron las teorías de Hegel, Schopenhauer, Kierkegaard, Nietzsche... que además influyeron en todos los campos del saber que paradójicamente estaban comenzando una nueva época bajo la guía de la «razón».

Tanto se habían empeñado en construir en sus teorías —y probablemente en sus deseos— princesas domésticas, débiles, obedientes, pasivas y mujeres-madre que cuando las obreras comenzaron a reivindicar sus derechos, igual que ocurrió con las mujeres negras, que habían sido esclavas y trabajado y vivido como tales, no se sabía muy bien qué hacer con ellas.

Como señala Cristina Sánchez, las trabajadoras representaban una anomalía que no se sabía cómo tratar. Son un problema puesto que compatibilizan la feminidad y el trabajo asalariado y participan tanto en la reproducción y el ámbito privado como en la producción industrial, es decir, en el ámbito público. Con ellas nacen nuevos interrogantes: ¿Podía ser compatible el trabajo asalariado con las mujeres? ¿Había que poner límites? ¿Qué tipo de trabajador era una mujer? ¿Debía obtener el mismo salario que un hombre? A todas estas preguntas tendrían que darle respuesta tanto los misóginos, como los legisladores, como las propias feministas.[37]

36. VALCÁRCEL, Amelia, *La memoria colectiva y los retos del feminismo,* op. cit., pág. 15.

37. SÁNCHEZ, Cristina, citando a SCOTT, Joan, en *Historia de las Mujeres: El siglo XIX,* DUBY, Georges y PERROT, Michelle (dirs.), Taurus, Madrid, 1993, págs. 405 y ss.

Una de las primeras en responder a esas cuestiones fue Flora Tristán. «Todas las desgracias del mundo provienen del olvido y el desprecio que hasta hoy se ha hecho de los derechos naturales e imprescriptibles del ser mujer.»[38] Así de rotunda hablaba y escribía esta francesa, autodidacta y de orígenes peruanos. Aunque tradicionalmente a Flora Tristán se la ha enmarcado en el primer socialismo, el socialismo utópico, es una mujer de transición entre el feminismo ilustrado y el feminismo de clase.[39] Flora Tristán, precursora y avanzadilla de las nuevas feministas, las feministas socialistas, explica su situación de conflicto:

> Tengo casi al mundo entero en contra mía. A los hombres porque exijo la emancipación de la mujer; a los propietarios, porque exijo la emancipación de los asalariados.[40]

Tristán era hija de una parisina y de un noble peruano. El matrimonio de sus padres, celebrado en Bilbao, no tenía validez legal en Francia y éstos nunca se preocuparon por regularizarlo. Así, la muerte repentina del padre dejó a la familia en la ruina y a Flora como hija ilegítima. La gran herencia correspondió a Pío, hermano de Mariano Tristán, que vivía en Arequipa, Perú. Flora tenía diecisiete años cuando entró a trabajar como iluminadora en el taller de André Chazal. Un año

38. TRISTÁN, Flora, *Unión Obrera*, en DE MIGUEL, Ana y ROMERO, Rosalía, *Feminismo y socialismo. Flora Tristán. Antología*, Los Libros de la Catarata, Madrid, 2003, pág. 8.

39. DE MIGUEL, Ana, *El conflicto clase/sexo-género en la tradición socialista* en *Historia de la teoría feminista*, op. cit., pág. 89.

40. ROWBOTHAM, Sheila, «The Women's Movement and Organizing for Socialism» en ROWBOTHAM, S., SEGAL, L. y WAINWRIGHT, H. (eds.), *Beyond Fragments. Feminism and the Making of Socialism*, Merlin Press, Londres, 1979, citado en Cristina Sánchez, op. cit., pág. 57.

después, su madre la obliga a casarse con el patrón movida por la penuria económica en la que vivían. «Mi madre me obligó a casarme con un hombre al que yo no podía ni amar ni apreciar. A esa unión debo todos mis males; pero como después mi madre no dejó de manifestarme su más vivo pesar, la perdoné.»[41]

Las consecuencias de ese matrimonio para Flora fueron tremendas durante toda su vida. Sufrió agresiones de su marido, tanto en forma de maltratos psíquicos como físicos y sexuales. En la Francia de aquella época el divorcio no era legal así que Flora se separa —se esconde—, de su marido y trabaja como doncella, dama de compañía, traductora, niñera... desde 1826 hasta 1831. Sólo su hija Aline —la que sería madre del pintor Paul Gauguin—, viajará con Flora en algunas ocasiones puesto que Alexandre, el mayor, muere cuando tenía ocho años y su marido, apoyado por la justicia, consigue la custodia del otro hijo varón, Ernest.[42]

Nada amilanó a Flora Tristán. Ni siquiera la brutalidad de Chazal que llegó al extremo de intentar violar a su propia hija y de atentar contra la vida de Flora, atacándola con la intención de asesinarla en plena calle. En sus cuarenta y un años de vida, Flora Tristán pasó veinte meses en un viaje a Perú y cuatro estancias en Gran Bretaña, desde donde viajó también a Italia y a Suiza. Sus recorridos por Perú y Gran Bretaña le proporcionan el material para dos de sus obras más importantes, *Peregrinaciones de una paria* (1838) y *Paseos en Londres* (1840). En el prefacio de *Peregrinaciones de una paria*, Flora explica parte de su vida:

Tenía veinte años cuando me separé de mi marido. [...] Hacía seis años, en 1833, que duraba esta separación. Supe

41. TRISTÁN, Flora, *Peregrinaciones de una paria*, trad. de E. Romero del Valle, Istmo, Madrid, 1986, pág. 13.
42. DE MIGUEL, Ana y ROMERO, Rosalía, op. cit., pág. 15.

durante esos seis años de aislamiento todo lo que está condenada a sufrir la mujer que se separa de su marido por medio de una sociedad que, por la más aberrante de las contradicciones, ha conservado viejos prejuicios contra las mujeres en esta situación. [...] Al separarme volví a tomar el nombre de mi padre. Bien acogida en todas partes como viuda o como soltera, siempre era rechazada cuando la verdad llegaba a ser descubierta. Joven, atractiva y gozando en apariencia de una sombra de independencia, eran causas suficientes para envenenar las conversaciones y para que me repudiase una sociedad que soporta el peso de las cadenas que se ha forjado, y que no perdona a ninguno de sus miembros que trata de liberarse de ellas.

La actividad política de Flora Tristán y su compromiso con los movimientos obrero y feminista propician su obra *Unión Obrera* (1843). Fue Flora Tristán una de las primeras reporteras de la miseria: denunció y abogó por la abolición de la esclavitud en los continentes africano y americano y denunció la situación de los colectivos sociales pobres británicos, en pleno desarrollo del incipiente capitalismo, asegurando que era peor, por infrahumano, al sistema esclavista. Flora supo mirar y denunciar todas las formas de explotación, de exclusión, de sumisión y de miseria, y en sus trabajos habla de las prisiones, los prostíbulos, los asilos...[43]

Flora, como sus antecesoras en el feminismo, une vida, obra y denuncia. En su novela *Méphis* expresa que todo cuanto ahoga a la mujer o la reduce a sacrificarse es condenable y critica el corsé como artilugio que convierte a la mujer en «una muñequita». Flora pone en práctica sus teorías y no lleva corsé, adelantándose una vez más a su época, pues hasta 1912 no desaparecerá en un desfile de modas esta prenda que «mejora-

43. Ibídem, págs. 11-12.

ba la figura femenina» eso sí, a costa de dificultar la respiración.[44]

En *Unión Obrera*, Flora propone ideas para mejorar «la situación de miseria e ignorancia de los trabajadores»: la unión universal de los obreros y las obreras —de hecho, se la considera precursora del internacionalismo— o la construcción de edificios que ella llama «Palacios de la Unión Obrera» que casi parecen un embrión del estado del bienestar: «En ellos se educaría a los niños de ambos sexos, desde los 6 a los 18 años, y se acogería a los obreros lisiados o heridos y a los ancianos...»[45] Flora Tristán habla y escribe en masculino y en femenino —«a los obreros y a las obreras»— y en *Unión Obrera* lo explica en su capítulo titulado «Por qué menciono a las mujeres». En él describe la horrible situación en la que vivían las trabajadoras —aporta información de primera mano, la Flora reportera aparece a lo largo de todo el capítulo—, y asegura que si no se educa a las mujeres es porque económicamente es muy rentable para la sociedad:

> En lugar de enviarla a la escuela, se la guardará en casa con preferencia sobre sus hermanos, porque se le saca mejor partido en las tareas de la casa, ya sea para acunar a los niños, hacer recados, cuidar la comida, etc. A los doce años se la coloca de aprendiza: allí continuará siendo explotada por la patrona y a menudo también maltratada como cuando estaba en casa de sus padres.[46]

Flora Tristán defiende que «en la vida de los obreros la mujer lo es todo»[47] y por eso les insta a que hagan suya la lucha por la igualdad:

44. BLOCH-DANO, Evelyne, *Flora Tristán, la mujer mesías*, Maeva, Madrid, pág. 212, citado en DE MIGUEL, Ana y ROMERO, Rosalía, op. cit., pág. 17.
45. DE MIGUEL, Ana y ROMERO, Rosalía, op. cit., pág. 41.
46. Ibídem, pág. 54.
47. Ibídem, pág. 53.

A vosotros obreros, que sois las víctimas de la desigualdad de hecho y de la injusticia, a vosotros os toca establecer, al fin, sobre la tierra el reino de la justicia y de la igualdad absoluta entre el hombre y la mujer.[48]

FEMINISMO Y MARXISMO: UN MATRIMONIO MAL AVENIDO

Hay socialistas que se oponen a la emancipación de la mujer con la misma obstinación que los capitalistas al socialismo. Todo socialista reconoce la dependencia del trabajador con respecto al capitalista [...] pero ese mismo socialista frecuentemente no reconoce la dependencia de las mujeres con respecto a los hombres porque esta cuestión atañe a su propio yo.[49]

Son palabras de August Bebel, el hombre que procuró desarrollar las tesis marxistas sobre la «cuestión femenina». Con el socialismo se inaugura una nueva corriente de pensamiento dentro del feminismo. Y a mediados del siglo XIX comenzó a imponerse en el movimiento obrero el socialismo de inspiración marxista. La atracción inicial entre marxismo y feminismo fue mutua. Ambas son teorías críticas, que contemplan la realidad con disgusto y que todo lo que tocan, lo politizan. Por ejemplo, cuando el marxismo habla de clase social o plusvalía está politizando la realidad y poniendo las bases del sindicalismo internacional. El feminismo igual: cuando habla de acoso sexual o feminización de la pobreza está haciendo política.

El feminismo, en cuanto nace el marxismo, establece relación con él porque es la primera teoría crítica de la historia que

48. Ibídem, pág. 66.
49. ROWBOTHAM, Sheila, *Feminismo y revolución*, Debate, Madrid, 1978, pág. 188.

contempla las relaciones humanas en clave de dominación y subordinación, lo mismo que el feminismo... con una diferencia. El marxismo no tiene ninguna capacidad explicativa para analizar otro sistema de dominación: el patriarcado, la dominación de los hombres sobre las mujeres. De ahí que se sientan próximos y, al mismo tiempo, polemicen constantemente.[50]

Así, tanto Marx como Engels describen la opresión de la mujer como una explotación económica. A Marx, la emancipación de las mujeres no le lleva ni tiempo ni espacio en su obra y, cuando lo trata, tan sólo es un apéndice de la emancipación del proletariado. Engels sí lo intentó y fruto de sus esfuerzos es la obra *El origen de la familia, la propiedad privada y el Estado*. En ella, Engels señaló que el origen de la sujeción de las mujeres no estaría en causas biológicas, la capacidad reproductora o la constitución física, sino sociales. En concreto, en la aparición de la propiedad privada y la exclusión de las mujeres de la esfera de la producción social. Según este análisis, la emancipación de las mujeres irá ligada a su independencia económica.[51]

Bebel estimuló más que Marx y Engels la igualdad de derechos y el sufragio femenino aunque no llegó a dar el paso definitivo sobre la libertad de las mujeres. Aseguraba que en la futura sociedad socialista, las mujeres realizarían tareas adaptadas a sus capacidades, pero insistía mucho en que serían distintas de las de los hombres. Y es que Bebel tampoco se distanciaba demasiado de la idea aceptada socialmente sobre lo que eran y debían ser las mujeres y defendía que éstas estaban adaptadas *por naturaleza* a la maternidad y la crianza de los hijos y que, de hecho, las mujeres eran impulsivas y emocional y físicamente no eran aptas para el trabajo manual pesado, que destruía su «feminidad».[52]

50. COBO, Rosa, entrevista con la autora, julio 2004.
51. DE MIGUEL, Ana, *Feminismos*, op. cit., pág. 232.
52. MIYARES, Alicia, *Sufragismo*, op. cit., pág. 81.

Así que quien realmente puso las bases para un movimiento socialista femenino fue la alemana Clara Zetkin (1854-1933) quien dirigió la revista femenina *Igualdad* y organizó una Conferencia Internacional de Mujeres en 1907 que se mantiene viva hasta hoy —aunque en 1978 cambió el nombre por el de Internacional Socialista de Mujeres—. En aquella primera conferencia liderada por Zetkin se reunieron 58 delegadas de países europeos pero también de otras regiones del mundo como India o Japón.

Zetkin fue una activa militante comunista que tuvo mucha más importancia en la práctica que en la teoría feminista. Escribió sobre todo conferencias y panfletos, ya que su intención era persuadir a las masas, hacer una tarea de educación y proselitismo.[53]

Explica Ana de Miguel que para Zetkin, los problemas de la proletaria no tenían nada que ver con sus maridos ni con los hombres de su misma clase social, los obreros. Los problemas de las mujeres proletarias sólo tenían que ver con el sistema capitalista y la explotación económica. Sin embargo, la activista socialista defiende el apoyo a las reivindicaciones del movimiento feminista burgués, especialmente el derecho al voto. Y para ella, la aportación fundamental que hace el marxismo a las mujeres es defender que éstas deben entrar en el sistema de producción. Pero, como ya admitía Bebel, esto no era ni mucho menos compartido en las filas del movimiento obrero. De hecho, Clara Zetkin tuvo problemas incluso dentro de su propio partido como demuestra una regañina de Lenin que no tiene desperdicio:

Clara, aún no he acabado de enumerar la lista de vuestras fallas. Me han dicho que en las veladas de lecturas y discusión con las obreras se examinan preferentemente los pro-

---

53. DE MIGUEL, Ana, *El conflicto clase/sexo-género en la tradición socialista*, pág. 93.

blemas sexuales y del matrimonio. Como si éste fuera el objetivo de la atención principal en la educación política y en el trabajo educativo. No pude dar crédito a esto cuando llegó a mis oídos. El primer estado de la dictadura proletaria lucha contra los revolucionarios de todo el mundo... ¡Y mientras tanto comunistas activas examinan los problemas sexuales y la cuestión de las formas de matrimonio en el presente, en el pasado y en el porvenir![54]

Fue Heidi Hartmann quien describió la relación entre marxismo y feminismo como un matrimonio mal avenido,[55] pero son muchas las autoras que hablan de ello. De hecho, a pesar de la buena voluntad de Bebel, el divorcio entre sufragismo y socialismo en Europa a finales del siglo XIX era patente. Es cierto que tenían reivindicaciones comunes —educación, mejoras en el trabajo, igualdad de salarios, derecho al sufragio—, pero las estrategias políticas eran muy distintas. Todo ello, a pesar de los esfuerzos y la sagacidad de Zetkin para integrar a las mujeres dentro del partido con la Internacional Socialista de Mujeres.[56]

Quedaba claro que la «cuestión de la mujer» era más compleja que lo que los marxistas clásicos habían señalado. Sólo diciendo que la mujer estaba oprimida y que la causa de esa opresión era el sistema capitalista, como hacían Marx y Engels, ni se solucionaba nada, ni se llegaba al centro del problema y, además, las socialistas tenían dudas de fidelidad entre la ortodoxia de su partido y los intereses específicos de las mujeres.[57]

54. LENIN, V. I., «La emancipación de la mujer», Akal, 1974, pág. 101, citado en DE MIGUEL, Ana, op. cit. págs. 95-96.
55. HARTMANN, Heidi, «Un matrimonio mal avenido: hacia una unión más progresiva entre marxismo y feminismo», en *Zona Abierta*, n.º 24, 1980, págs. 85-113.
56. SÁNCHEZ, Cristina, op. cit., pág. 62.
57. Ibídem.

Así se desarrolló un feminismo de clase, socialista y comunista, junto al feminismo de las sufragistas y en ocasiones frente a él. Cuando las feministas socialistas tratan de empujar a sus camaradas a llevar sus promesas a la práctica, entonces sufren las ambivalencias y los conflictos. En ciertos momentos, incluso, las mujeres socialistas no se atreven a insistir demasiado en sus objetivos feministas por temor a perjudicar la causa socialista. Las mujeres continuaban siendo «la causa aplazada». Ahora, también por los marxistas para quienes lo importante era la revolución del proletariado y no la de las mujeres. Daban por hecho que, conseguida la primera, conseguida la segunda. Muchas mujeres sospechaban que no sería así tras tantas traiciones acumuladas ya a esas alturas. La historia les daría la razón.

ALEJANDRA KOLLONTAI: LA MUJER NUEVA

Fue Alejandra Kollontai quien dio un paso más allá dentro del marxismo y sus ideas se acercaron mucho a lo que sería el feminismo radical de los años setenta.

> Aunque mi corazón no aguante la pena de perder el amor de Kollontai, tengo otras tareas en la vida más importantes que la felicidad familiar. Quiero luchar por la liberación de la clase obrera, por los derechos de las mujeres, por el pueblo ruso.[58]

Es la carta que Alejandra Kollontai le escribe a su amiga Zoia desde el tren que la aleja de su noble y rica familia rusa, de su marido —su primo, ingeniero joven y sin fortuna con el que

---

58. KOLLONTAI, Alejandra, *Memorias*, Debate, Madrid, 1979, citado en DE MIGUEL, Ana, *Alejandra Kollontai (1872-1952)*, Ediciones del Orto, Biblioteca de Mujeres, Madrid, 2001, pág. 16.

se había casado por amor—, y de su hijo, rumbo a Zúrich para proseguir sus estudios marxistas en la universidad de la ciudad suiza. Kollontai había nacido en 1872 y cuando inicia ese primer viaje tiene 26 años. Ya no pararía. De vuelta a San Petersburgo ingresó en el partido socialdemócrata, en la facción menchevique, ilegal en aquellos momentos. Kollontai trabajaría como escritora y propagandista a favor de la clase obrera pero también ella comprobó el poco interés del partido por la liberación de las mujeres. Así que, como señala Ana de Miguel, asumió la doble misión que marcaría su vida: luchar contra el potente movimiento feminista de su época intentando atraer a las feministas al partido y, al mismo tiempo, contra la indiferencia de la clase obrera y sus dirigentes por la opresión específica de las mujeres.[59]

Kollontai abrió en 1907 el primer Círculo de Obreras y al año siguiente tuvo que huir de Rusia. Hasta 1917 vive exiliada en Europa y Estados Unidos; cuando regresa a Rusia, forma parte del primer gobierno de Lenin como comisaria del Pueblo para la Asistencia Pública. Tres años después, se une a Oposición Obrera, mostrando así sus discrepancias con la nueva política económica de Lenin. A partir de 1922 es enviada a la delegación diplomática de Oslo. Desde entonces, no deja de recorrer embajadas. La fuerza de Kollontai era tal que a pesar de sufrir una apoplejía en 1942, durante tres años dirigió la delegación diplomática de Oslo en silla de ruedas. Kollontai murió en 1952 en Moscú, pero unos años antes llegó a ser candidata al Premio Nobel de la Paz por sus esfuerzos para poner fin a la guerra ruso-finlandesa.

Lo más significativo de su discurso fue hacer suya la idea de Marx de que para construir un mundo mejor, además de cambiar la economía, tenía que surgir *el hombre nuevo*. Así, defendió el amor libre, igual salario para las mujeres, la legalización del aborto y la socialización del trabajo doméstico y del cuida-

59. Ibídem.

do de los niños, pero, sobre todo, señaló la necesidad de cambiar la vida íntima y sexual de las mujeres. Para Kollontai, era necesaria *la mujer nueva* que, además de independiente económicamente, también tenía que serlo psicológica y sentimentalmente.

Por estas razones, para muchas expertas como Ana de Miguel, Alejandra Kollontai fue quien articuló de forma más racional y sistemática feminismo y marxismo. Porque Kollontai no se limitó a incluir a la mujer en la revolución socialista, sino que definió qué tipo de revolución necesitaban las mujeres. Para ella, abolir la propiedad privada y que las mujeres se incorporaran al trabajo fuera de casa no era suficiente ni mucho menos. La revolución que necesitaban las mujeres era la revolución de la vida cotidiana, de las costumbres y, sobre todo, de las relaciones entre los sexos. Rotunda, para Kollontai no tiene sentido hablar de un «aplazamiento» de la liberación de la mujer, en todo caso, habría que hablar de un aplazamiento de la revolución. Con estas ideas, claro está, Kollontai tuvo muchos enfrentamientos con sus camaradas varones que negaban la necesidad de una lucha específica de las mujeres.[60] Como anécdota, en el local donde se iba a celebrar la primera asamblea de mujeres que Kollontai convocó, apareció el siguiente cartel: «La asamblea sólo para mujeres se suspende, mañana asamblea sólo para hombres.»[61]

EMMA GOLDMAN: MUJERES LIBRES

La arrestaron tan a menudo que cada vez que hablaba en público llevaba consigo un libro para leer en la cárcel. Era Emma Goldman y su delito doble: ser anarquista y feminista,

---

60. DE MIGUEL, Ana, *El conflicto clase/sexo-género en la tradición socialista*, op. cit., pág. 96.
61. DE MIGUEL, Ana, *Alejandra Kollontai (1872-1952)*, op. cit., pág. 17.

orgullosa representante de las mujeres que se autodesignaban «mujeres libres». Y eso que no fue el anarquismo un movimiento que teorizara sobre los derechos de las mujeres: incluso su máximo representante, Pierre J. Proudhom defendió posturas antiigualitaristas. Sin embargo, dentro del anarquismo fueron muchas las «mujeres libres» que como Goldman trabajaron y defendieron la igualdad. Consideraban que la libertad era el principio de todo y que las relaciones entre los sexos tenían que ser absolutamente libres. Siempre se mantuvieron en tierra de nadie. Por un lado, como estaban en contra de la autoridad y del estado, quitaban importancia a la reivindicación de las sufragistas sobre el derecho al voto, y por otro, para ellas, la propuesta comunista —que el estado regulara la procreación, la educación y el cuidado de los niños—, era una idea, cuanto menos, peligrosa.[62]

Goldman había nacido en 1869 en un gueto de la Rusia zarista, murió en 1940 en Canadá y fue enterrada en Chicago. Escapó de su país hacia Estados Unidos huyendo de «la pesadilla de mi infancia» —como se refería a su padre y a los golpes que le propinaba—. También abandonó en esa huida un matrimonio que su padre le había amañado cuando tenía 15 años. A esa edad, Goldman ya llevaba dos años trabajando en una fábrica donde se había sumado al feminismo de las mujeres revolucionarias que allí conoció. En Estados Unidos encontró trabajo en otra fábrica, se volvió a casar —y divorciar al poco tiempo—, con un compañero inmigrante y comenzó a interesarse por el anarquismo. A partir de entonces, en sus discursos y escritos, Emma siempre unirá anarquismo y feminismo.

El desarrollo de la mujer, su libertad, su independencia, deben surgir de ella misma y es ella quien deberá llevarlos a cabo. Primero, afirmándose como personalidad y no como una mercancía sexual. Segundo, rechazando el dere-

62. De Miguel, Ana, Feminismos, op. cit., pág. 235.

cho que cualquiera pretenda ejercer sobre su cuerpo; negándose a engendrar hijos, a menos que sea ella quien los desee; negándose a ser la sierva de Dios, del estado, de la sociedad, de la familia...[63]

El 28 de marzo de 1915, ante una audiencia mixta de seiscientas personas en el Sunrise Club de Nueva York, Goldman explicó, por primera vez en toda América, cómo se debía usar un anticonceptivo.[64] Relata Amparo Villar que fue arrestada de inmediato y, después de un juicio tormentoso y sensacional, se le dio a elegir entre pasar quince días en un taller penitenciario o pagar una multa de cien dólares. Eligió la cárcel y la sala entera la aplaudió. Desde los medios de comunicación se escribieron cosas como: «Emma Goldman fue enviada a prisión por sostener que las mujeres no siempre deben mantener la boca cerrada y su útero abierto.»

Goldman mantenía que, para las mujeres, el cambio no vendría de reformas como el derecho al voto. Para ella, lo importante era una revolución que surgiera de las propias mujeres, no tanto de la conquista del poder como de la «liberación» del peso de los prejuicios, las tradiciones y las costumbres. Su feminismo estaba mucho más próximo al de la década de los setenta que al de sus propias contemporáneas ya que su análisis sobre la condición oprimida de las mujeres se centraba en el problema sexual. Para Goldman, éste era el arma más importante que la sociedad esgrimía contra la mujer. Emma fue encarcelada durante dos años y deportada tras la Primera Guerra Mundial por sus denuncias del conflicto bélico y dedicó el resto de su vida a combatir por el anarquismo, primero en Rusia contra los bolcheviques y después en España, durante la Guerra Civil.

---

63. Citado en VILLAR, Amparo, *Andra*, julio-agosto de 2002.
64. Ibídem, pág. 28.

MORIR DE ÉXITO: EL VACÍO DE ENTREGUERRAS

Las inglesas consiguieron el voto tras la Primera Guerra Mundial (1914-1917). En ese mismo año, 1917, comienza la Revolución rusa. Cuando acabó la guerra se produjo el desmoronamiento del Imperio austro-húngaro (Alemania, Austria, Checoslovaquia y Polonia), lo que trajo reformas muy progresistas, el voto femenino entre ellas. En realidad, todo el orden europeo se descalabró antes de la Segunda Guerra Mundial (1939-1945). Cuando ésta concluyó, en la mayoría de las naciones desarrolladas y en aquéllas donde se habían dado los procesos de descolonización, el voto de las mujeres era una realidad.

Pero el período de entreguerras ya está marcado por la decadencia del feminismo. Conseguidos los objetivos, derecho al voto y a la educación superior, muchas mujeres abandonaron la militancia. Otras continuaron trabajando, fundamentalmente en los problemas económicos y las reformas de las leyes de la infancia y la maternidad. Como explica Alicia Miyares, las feministas no pudieron competir con los partidos políticos en un sistema tan institucionalizado. Además, con el triunfo del bolchevismo en la revolución de Rusia y Europa Central, el «miedo rojo» se extendió entre las clases medias de muchos países y las feministas se vieron afectadas, acusadas de ser subversivas.

A todo esto hay que sumarle que la natalidad estaba descendiendo desde los primeros años del siglo XX. De esa caída, en los países industrializados, se culpabilizó a la independencia cada vez mayor de las mujeres. A las feministas se las acusaba de socavar los cimientos de la nación y destruir a la familia.[65] El hecho fue que durante décadas, al feminismo se le dio por muerto. La segunda ola estaba concluyendo. Fue Simone de

65. MIYARES, Alicia, «Sufragismo», en AMORÓS, Celia (coord.), *Historia de la teoría feminista*, op. cit., pág. 85.

Beauvoir, concretamente en su libro *El segundo sexo*, quien puso la base teórica para una nueva etapa.

SIMONE DE BEAUVOIR: «NO SE NACE MUJER, SE LLEGA A SERLO»

El segundo sexo hizo feminista a la mismísima Simone de Beauvoir. Cuando la filósofa francesa publicó este libro, en 1949, ni se consideraba feminista, ni albergaba ninguna intención política ni reivindicativa con él. A esas alturas de su vida —Simone de Beauvoir tenía 41 años—, ya era una mujer conocida y reconocida tanto como filósofa como por escritora.

Nacida en París en 1908, había sido una joven brillante —su padre solía decir de ella que «tenía la inteligencia de un hombre»—.[66] Esa inteligencia le hizo acabar sus estudios con precocidad y poder independizarse muy joven de su familia. Cuando Simone tenía 21 años y estaba preparando sus últimos exámenes —se licenció en Filosofía en la Sorbona—, conoció a Sartre, el padre del existencialismo, que era apenas tres años mayor que ella y también estaba estudiando para el examen de fin de carrera que había suspendido el año anterior.[67] Simone y Sartre desde entonces mantendrán una relación peculiar —que le valió no pocas críticas a Simone, incluso desde algunos sectores del feminismo, que la consideraban supeditada a él—. Esa relación duró hasta la muerte del filósofo aunque nunca se casaron ni vivieron bajo el mismo techo.[68]

Explica la propia Simone en su autobiografía que, hablan-

66. LÓPEZ PARDINA, Teresa, *Simone de Beauvoir (1908-1986)*, Ediciones del Orto, Biblioteca Filosófica, Madrid, 1999, pág. 18.

67. Ibídem, pág. 15.

68. Ibídem, pág. 22.

do con mujeres que habían cumplido los 40 años, todas tenían el sentimiento de haber vivido como «seres relativos», lo que le hizo pensar en las dificultades, las trampas y los obstáculos que la mayoría de las mujeres encuentran en su camino. Así, cuando cumplió los 40 y sintió ganas de escribir sobre ella misma, antes de hacerlo, se planteó la pregunta de «¿qué ha supuesto para mí el hecho de ser mujer?» Al principio, se respondió que nada: «Nunca había tenido sentimientos de inferioridad por ser mujer. [...] La feminidad nunca había sido una carga para mí.» Simone reconoce que al hablarlo con Sartre, éste le indicó que no había sido educada como un hombre, lo que le hizo volver a plantearse la cuestión.[69]

De ese «replanteamiento» nace *El segundo sexo*, un libro que consta de dos tomos —el primero titulado «Los hechos y los mitos» y el segundo «La experiencia vivida»—, y que constituye uno de los textos clásicos del feminismo. Aún más. Para Celia Amorós, buena parte del feminismo de la segunda mitad del siglo XX, o todo, puede ser considerado comentarios o notas a pie de página de *El segundo sexo* y para Teresa López Pardina este famoso ensayo marca un hito en la historia de la teoría feminista. No sólo porque vuelve a poner en pie el feminismo después de la Segunda Guerra Mundial, sino porque es el estudio más completo de cuantos se han escrito sobre la condición de la mujer.[70]

Efectivamente, cuando Simone de Beauvoir escribe *El segundo sexo* el feminismo estaba desarticulado, parecía que no tenía ya razón de ser, una vez conseguidos los objetivos del sufragismo. Explica Amelia Valcárcel que por eso nunca se sabe dónde colocar esta obra, si como colofón del sufragismo o como pionera de la tercera ola del feminismo. Quizás ahí reside su éxito. Simone de Beauvoir no escribe para un público militante, su libro no es una obra de consignas, sino «un traba-

69. Ibídem, pág. 110.
70. Ibídem, pág. 109.

jo explicativo sin pausas».[71] Simone comparte con las sufragistas una gran paciencia, pero lejos de reivindicar, como había hecho el feminismo hasta entonces, la filósofa explica y... convence. Aunque no inmediatamente. El ensayo no fue demasiado reconocido en Francia hasta que, traducido al inglés, las feministas norteamericanas se entusiasmaron con él. En poco tiempo se vendieron dos millones de ejemplares y se tradujo a otros dieciséis idiomas. Convenció hasta a la propia Beauvoir, que cuando escribió el libro hablaba de las mujeres como «ellas» pero que en los años siguientes, según fue recibiendo cartas de lectoras de todo el mundo dándole las gracias y contándole sus experiencias, cambió de idea.[72] Así fue cómo *El segundo sexo* hizo feminista a su propia autora.

Pero ¿qué dice *El segundo sexo*? En este libro se recoge buena parte de los temas que el feminismo trabajará desde entonces y hasta la actualidad. Simone expone la teoría de que la mujer siempre ha sido considerada *la otra* con relación al hombre sin que ello suponga una reciprocidad, como ocurre en el resto de los casos. Por ejemplo, si para un pueblo *los otros* son los «extranjeros», para esos «extranjeros», *los otros* serán quienes les llaman así. Es decir, el sentimiento de *los otros* es recíproco. Con la mujer no ocurre eso. El hombre en ningún caso es *el otro*. Todo lo contrario, el hombre es el centro del mundo, es la medida y la autoridad —esta idea será la que el feminismo posterior llame androcentrismo: el varón como medida de todas las cosas—. Beauvoir utiliza la categoría de *otra* para describir cuál es la posición de la mujer en un mundo masculino porque es un mundo donde son los hombres los detentadores del poder y los creadores de la cultura. Esa categoría es universal puesto que está en todas las culturas. Las mujeres son con-

71. VALCÁRCEL, Amelia, *50 aniversario de El segundo sexo de Simone de Beauvoir*, Tertulia Feminista Les Comadres, Gijón, 2002, pág. 91.
72. LÓPEZ PARDINA, Teresa, *Simone de Beauvoir (1908-1986)*, op. cit., pág.14.

sideradas *otras* por los varones sin connotación de reciprocidad.[73] *El segundo sexo* ve el mundo dominado por los varones
como generador de mala fe, donde las libertades —las de las
mujeres al menos— no tienen su oportunidad.[74]

Simone de Beauvoir llega a la conclusión de que la mujer ha
de ser ratificada por el varón a cada momento, el varón es lo
esencial y la mujer siempre está en relación de asimetría con él.[75]
Y desarrolla el concepto de la heterodesignación ya que considera que las mujeres comparten una situación común: los varones les imponen que no asuman su existencia como sujetos, sino
que se identifiquen con la proyección que en ellas hacen de sus
deseos.[76] Pero la filósofa no se queda ahí. Todo el primer volumen del ensayo es una investigación sobre estos conceptos. Y
con ella, también inaugura una forma de trabajar que será característica del feminismo de la tercera ola, el carácter interdisciplinar del mismo. El feminismo posterior ya no se dedicará sólo a
la reivindicación sino que indagará en todas las ciencias y disciplinas de la cultura y el conocimiento como hizo Simone de
Beauvoir. Para llegar a las conclusiones del primer volumen, la
filósofa estudia las ciencias naturales y humanas: biología, psicología, materialismo histórico..., y luego hace un recorrido por
la historia de Occidente y por los mitos de la cultura. Su conclusión es que no hay nada biológico ni natural que explique esa
subordinación de las mujeres, lo que ha ocurrido es que la cultura —desde la Edad del Bronce— dio más valor a quien arries-
gaba la vida —que es lo que hacían los hombres en las guerras y
conquistas de nuevos territorios— que a quienes la daban —que
es lo que hacían las mujeres con su poder de concebir.[77]

73. Ibídem, pág. 41.
74. AMORÓS, Celia, *Tiempo de feminismos,* op. cit., pág. 385.
75. LÓPEZ PARDINA, Teresa, *Simone de Beauvoir (1908-1986),* op. cit.,
pág. 42.
76. AMORÓS, Celia, op. cit., pág. 383.
77. LÓPEZ PARDINA, Teresa, *Simone de Beauvoir (1908-1986),* op. cit.,
pág. 43.

Después de este trabajo de análisis e investigación del primer volumen, el segundo se inicia con la famosa frase «No se nace mujer, se llega a serlo». Porque para la filósofa «se trata de saber lo que la humanidad ha hecho con la hembra humana».[78] Ésta es la base sobre la que el feminismo posterior construirá la teoría del género. Desde Poulain de la Barre hasta Wollstonecraft o Harriet Taylor ya habían hecho hincapié en que no hay nada biológico que justifique la discriminación de las mujeres y que una cosa era el sexo —diferencias biológicas— y otra lo que la cultura decía que tenían que ser y cómo comportarse un hombre y una mujer. Ninguno lo había expuesto de manera tan profunda, sencilla y resumida como lo haría Beauvoir: «No se nace mujer, se llega a serlo.» La filósofa insiste en separar naturaleza de cultura y profundiza en la idea de que el género es una construcción social —aunque ella aún no utilice la palabra género.

Para Valcárcel, la excepcionalidad de Beauvoir surge de su potencia filosófica: una combinación exitosa de existencialismo, hegelianismo y filosofía de la sospecha[79] y por lo que Beauvoir pasa a la historia y será siempre digna de alabanza es precisamente por su valentía al declararse mujer sujeta a todos y los mismos lazos y cadenas que humillan a las demás.[80] En la segunda parte, *La experiencia vivida*, se muestra cómo viven las mujeres su papel de *otras* desde la infancia hasta la vejez; cómo se sienten vivir «a partir de lo que otros han hecho de ellas». Al final de *Hacia la libertad*, se citan las vías para alcanzar la liberación. Los primeros requisitos, según Beauvoir, son la independencia económica y la lucha colectiva. Lo fundamental, antes que ninguna otra cosa, haber sido educada para la autonomía.[81]

78. VALCÁRCEL, Amelia, *50 aniversario de El segundo sexo de Simone de Beauvoir*, op. cit., pág. 91.
79. Ibídem, pág. 89.
80. Ibídem, pág. 90.
81. LÓPEZ PARDINA, Teresa, op. cit., págs. 43-44.

Quizá lo más fascinante de Simone de Beauvoir tras haber escrito *El segundo sexo* sea su propio descubrimiento al verse como un eslabón más dentro de la larga cadena de la tradición feminista. De hecho, el primer tomo se abre con dos citas. La primera corresponde a Pitágoras: «Hay un principio bueno que ha creado el orden, la luz y el hombre, y un principio malo que ha creado el caos, las tinieblas y la mujer»; y la segunda... a Poulain de la Barre: «Todo cuanto ha sido escrito por los hombres acerca de las mujeres debe considerarse sospechoso, pues ellos son juez y parte a la vez.»

El poso de *El segundo sexo* cala a lo largo de los años cincuenta y se convierte en un libro muy leído por la nueva generación feminista, la constituida por las hijas, ya universitarias, de las mujeres que obtienen después de la Segunda Guerra Mundial el voto y los derechos educativos.[82] Hijas universitarias que serán quienes inicien la tercera ola del feminismo.

82. VALCÁRCEL, Amelia, op. cit., pág. 95.

4

LA TERCERA OLA

Del feminismo radical al ciberfeminismo

Los mismos problemas que mutan sin desaparecer.

DIANA BELLESI

Los Ángeles (EE.UU.), 1951. Laura Brown prepara un pastel de cumpleaños para su marido. No le está quedando muy apetecible. A punto de terminar, recibe la visita de su vecina Kitty.

—*Todo el mundo puede hacerlo* —le dice Kitty, guapa y bien arreglada, como siempre—. *¿Por qué lo ves todo tan difícil?*

Laura cambia de conversación y pregunta a Kitty por su esposo, ésta le responde que está bien y añade suspirando:

—*Esos chicos son fenomenales.*

—*Y que lo digas. Al volver de la guerra creo que se lo merecían, lo habían pasado tan mal...* —dice Laura.

—*¿Qué? ¿Qué se merecían?* —pregunta Kitty.

—*A nosotras, supongo... Y todo esto.* —Mientras contesta, Laura mira a su alrededor. Sus ojos recorren una cocina amplia, moderna y soleada, equipada con todo tipo de electrodomésticos.

Laura Brown es una de las protagonistas de la película *Las horas*.[1] En el largometraje, tras aquella conversación en la cocina de su casa, Laura planea suicidarse, pero no se atreve. Tiene un niño pequeño, Richard, y está embarazada.

Al final de la película, ese niño es un hombre enfermo que resuelve acabar con su propia vida. Laura viaja a Nueva York, donde vivía Richard, nada más enterarse de su muerte. Allí, esta vez en casa de Clarissa Vaughan, la editora de los libros de su hijo, las dos mujeres hablan:

—*Es natural que me sienta indigna, que me sienta como algo sin valor. Tú sobrevives y ellos no* —dice Laura, como para sí misma, mirando una foto de su hijo.

—*¿Ha leído los poemas?* —le pregunta Clarissa refiriéndose a los libros que Richard había publicado.

—*Sí, y también la novela. La gente dice que la novela es muy dura. Me hizo morir en la novela. Ya sé por qué lo hizo. Me dolió, no puedo decir que no me doliera, pero sé por qué lo hizo.*

—*Usted dejó a Richard cuando era un niño* —le reprocha Clarissa.

—*Dejé a mis dos hijos. Les abandoné. Es lo peor que puede hacer una madre.* —Laura decide confiarse a Clarissa—. *Hay momentos en que estás perdida y crees que lo mejor es suicidarte. Una vez fui a un hotel. Esa misma noche tracé un plan. Planeé dejar a mi familia cuando naciese mi segundo hijo y eso hice. Me levanté una mañana, hice el desayuno, fui a la parada del autobús y subí a él. Había dejado una nota. Conseguí un empleo en una biblioteca en Canadá. Quizá sería*

1. *Las horas*, 2002. Dirigida por Stephen Daldry e interpretada por Nicole Kidman, Julianne Moore y Meryl Streep. Guión de David Hare basado en la novela de Michael Cunningham. El argumento recrea la vida de tres mujeres en épocas y lugares diferentes: Virginia Woolf en Inglaterra en 1923, Laura Brown, en Los Ángeles en 1951 y Clarissa Vaughan en el Nueva York de 2001.

maravilloso decir que te arrepientes. Sería fácil, pero ¿tendría sentido? ¿Acaso puedes arrepentirte, cuando no hay alternativa? No pude soportarlo. Y ya está. Nadie va a perdonarme. Era la muerte. Yo elegí la vida.

EL PROBLEMA QUE NO TIENE NOMBRE

En ese breve diálogo, Laura Brown consigue transmitir lo que era la vida de las mujeres en Norteamérica durante los años cincuenta. El fascismo y el estallido de la Segunda Guerra Mundial redujeron de forma dramática, a pesar de los grandes logros de las sufragistas, la presencia y el reconocimiento del movimiento de las mujeres. Prácticamente desaparecieron, el movimiento y su historia. En 1969, la capilla metodista de Seneca Falls era un puesto de gasolina señalado con un rótulo junto a la carretera.[2] Las mujeres se movilizaron masivamente durante la contienda, pero una vez la guerra terminó, se tuvieron que replegar a casa. Hitler había sido vencido, pero el discurso nazi sobre las mujeres, las célebres tres K alemanas (kinder, Kirche, Kürchen, que significan niños, iglesia, cocina, traducidas en España por las tres C: casa, calceta y cocina), se extendió prácticamente por todo el mundo.

De nuevo reinaba la domesticidad obligatoria. Parece que los soldados tras la dura guerra quisieron hacer realidad el mito del reposo del guerrero y consiguieron vivir aquello con lo que soñaban durante las sangrientas batallas: casas grandes con mujeres amorosas pendientes de sus deseos y de un montón de hijos que tanto se necesitaban en todos los países después de los millones de muertos. También había que revitalizar la economía. Se echó a las mujeres de los trabajos que habían tenido, su lugar lo ocuparon los varones y se desarrollaron electrodomésticos y bienes de consumo. Con-

2. MILLETT, Kate, *Política sexual*, op. cit., págs. 150-160.

sumo, mucho consumo que necesitaba a muchas mujeres dispuestas a comprar. Todas perfectas amas de casa.

«Era la muerte», decía Laura Brown. Efectivamente, había un grave problema y fue Betty Friedan quien lo detectó, investigó, desentrañó y puso nombre. La tercera ola del feminismo comienza nombrando «el problema que no tiene nombre». No tenía nombre pero estaba arrastrando a miles de mujeres a una profunda insatisfacción consigo mismas y con su vida. Todo eso se traducía en problemas personales y patologías autodestructivas: ansiedad, depresión, alcoholismo... El problema que no tenía nombre hasta que Friedan se lo puso era el motivo por el que Laura Brown, embarazada, madre de un niño pequeño, casada, joven, formada, guapa, y con una casa hermosa y amplia, sin problemas económicos, abandonó todo aquello. «Era la muerte. Yo elegí la vida.»

LA MÍSTICA DE LA FEMINIDAD

Betty Friedan fue una joven brillante que desde niña supo lo que era ser «diferente». Nació en 1921, en Peoria (EE.UU.), en una familia judía. Cuando comenzó sus estudios universitarios escribió: «En Smith no sólo sacaba sobresalientes, sino que las demás muchachas —supongo que también habrían sufrido por ser demasiado inteligentes "para ser chicas" en sus institutos— me aceptaban. En mi pueblo yo era un ser solitario, muy a mi pesar.» La muchacha «diferente» se graduó en psicología social con las mejores notas, con experiencia de liderazgo entre sus compañeras y con un premio literario universitario por sus editoriales en el periódico. Pero tras aquel extraordinario comienzo, renunció a una beca de investigación y eligió ponerse a trabajar y formar una familia.

Pasó sus estrecheces, pero todo iba más o menos bien hasta que, recuerda: «En el quinto mes de embarazo, me anunciaron que me despedían del trabajo del periódico sindical.

No me dieron ninguna razón. Finalmente, un compañero me explicó que no estaban dispuestos a dejar que me tomara otro permiso de maternidad, como había hecho la primera vez. Estaba furiosa. No era justo. Pero Jule, nuestro jefe de redacción me dijo: "Tuya es la culpa, por haberte quedado embarazada otra vez." Entonces no había una expresión para designar la discriminación por razón de sexo, ninguna ley para evitarla.»[3]

Expulsada del mundo laboral, Betty comenzó a trabajar por libre, desde su casa: «Me embarqué en una carrera clandestina y no reconocida como escritora *freelance*.»[4] Betty reconoce en su autobiografía que su vida se parecía bastante a lo que había soñado... aunque comenzó a detectar algunos síntomas: «Lo que de verdad quería era ser una ama de casa feliz y realizada, afincada en un barrio residencial y muy pronto madre de tres hijos. Pero recuerdo que un domingo que salimos de excursión en familia con algún grupo de feligreses y luego, otra vez, en el aparcamiento de un supermercado, sentí un ataque de pánico repentino, inexplicable y aterrador. Aquello era peor que el asma.»[5] También, con la distancia de los años, Betty analiza su matrimonio: «Había llegado a un punto en el que dependía casi por completo de Carl [su marido] para relacionarme con otros adultos y gozar de su apoyo. Y además, tenía que escribir aquellos artículos a la fuerza, para contribuir a pagar nuestros gastos. Debí mostrarme menos indulgente con los negocios de Carl —pues teníamos un montón de pagos pendientes— y también con que no viniera a casa a cenar. Creo recordar una impresión de horror, de miedo indecible; me sentía aturdida, hasta que una noche me pegó. Y después lloró, aquella primera vez.»[6]

3. FRIEDAN, Betty, *Mi vida hasta ahora*, Cátedra, col. Feminismos, Madrid, 2003, pág. 103.
4. Ibídem, pág. 105.
5. Ibídem, pág. 112.
6. Ibídem, págs. 114-115.

Betty Friedan era el prototipo de la mujer norteamericana de su época, la década de los cincuenta. Pero una serie de circunstancias la empujaron a profundizar tanto en sus sensaciones como en el mundo que la rodeaba. Así, ante una reunión de antiguas alumnas de la universidad, los organizadores pidieron a Betty que realizara un cuestionario. Era 1957. A partir de ahí, una serie de cabreos consecutivos llevaron a la publicación de su primer libro. Betty aceptó realizar el cuestionario por varias razones: por un lado, se sentía culpable de no haber hecho las grandes cosas que todo el mundo esperaba de ella tras su brillante expediente académico. Al final, su currículum decía: renunció a una beca en psicología, fue expulsada de su trabajo por estar embarazada y se dedica a escribir artículos superficiales para revistas femeninas. Pero además, hacía escasas semanas que había leído un libro recién publicado y que había suscitado amplio debate, *Modern Women. The Lost Sex*, de Marynia Farnham y Ferdinand Lundberg. Estos dos psicoanalistas freudianos sostenían la siguiente tesis con respecto a las mujeres norteamericanas: «Éstas tenían un nivel educativo demasiado alto, lo que les impedía adaptarse a su rol como mujeres.»[7] Poco más o menos decían que de aquellos barrios residenciales ideales, en los que entre nueve de la mañana y cinco de la tarde no se movía nada que midiera más de un metro de alto, empezaba a surgir un rumor de desasosiego, de descontento y de ira. Si las amas de casa estadounidenses de los barrios residenciales no se sentían «felices» cuidando de sus hijos y utilizando los electrodomésticos con los que soñaban otras mujeres, el problema debía de residir en su educación.

«Aquello me puso furiosa», recuerda Friedan: «Por supuesto, había aceptado sin cuestionarlo todo aquel rollo freudiano sobre el papel de las mujeres. Al fin y al cabo ¿acaso no había renunciado también yo a mi carrera para realizarme como esposa y madre? Pero la idea de que educar a las mujeres

7. Ibídem, pág. 128.

tenía consecuencias negativas para ellas mismas y sus familias sobrepasaba los límites.»[8] Betty decidió entonces hacer el cuestionario y luego aprovecharlo para escribir un reportaje, oponiéndose a las tesis de aquel libro y demostrar que la educación no era la causa de la frustración de las mujeres. Pero una vez realizado, las respuestas que le enviaron doscientas mujeres suscitaban aún más preguntas que las que ella les había hecho: «Las mujeres que aparentemente valoraban más su educación, que se mostraban más alegres y positivas con respecto a su vida, eran las que no encajaban exactamente en el "rol de las mujeres", en el sentido en que se definía entonces —esposa, madre, ama de casa, entregada a su marido, a sus hijos, al hogar—. Las que manifestaban dedicarse únicamente a ello estaban deprimidas o totalmente frustradas. Tal vez el problema que impedía que las mujeres estadounidenses "se adaptaran a su rol como mujeres" no fuera la educación, sino aquella obtusa definición del "rol" de las mujeres. El "problema femenino", como se le llamaba entonces. Las mujeres acudían al médico aquejadas de enfermedades extrañas, sin diagnóstico; y los facultativos no daban con el motivo o el remedio de su "síndrome de fatiga crónica".»[9]

Betty decidió entonces escribir el artículo y con él llegó el segundo gran cabreo. Por primera vez en su vida de *freelance*, ninguna revista quiso publicárselo. A grandes males, grandes remedios: si nadie quería publicar su reportaje, escribiría un libro. El contenido quedó definido una mañana de abril de 1959, cuando Betty escuchó a una madre de cuatro hijos, que estaba tomando café con otras madres, en tono de resignada desesperación: «Es el problema. Soy la esposa de Jim y la mamá de Janey, especialista en poner pañales y monos de nieve, en servir comidas, en hacer de chófer. ¿Pero yo quién soy como persona? Es como si el mundo siguiera adelante sin mí.»

8. Ibídem, pág. 129.
9. Ibídem, pág. 133.

Así fue como Friedan identificó lo que más tarde llamaría «el problema que no tiene nombre».[10]

Según Betty Friedan, en aquella época se achacaba a las mujeres la responsabilidad de todo tipo de «problemas»: que los niños se hicieran pis en la cama, que sus maridos tuvieran úlcera, que el fregadero no reluciera, que las camisas no estuvieran bien planchadas, incluso que ellas no tuvieran orgasmos. «Si una mujer tenía un problema en las décadas de 1950 y 1960 sabía que algo debía de ir mal en su matrimonio, o que algo le pasaba a ella. ¿Qué clase de mujer era si no se sentía misteriosamente realizada sacando brillo al suelo de la cocina?»

Friedan se planteó escribir el libro en un año, pero tardó cinco. Ella misma estaba inmersa en la mística de la feminidad. Y le costó muy caro salir. En su autobiografía, Betty cuenta que sufrió malos tratos psíquicos y físicos por parte de su marido y que tardó muchos, demasiados años, en divorciarse. Prácticamente, lo hizo cuando pensaba que le quedarían marcas en la cara para toda la vida de las palizas que recibía. De hecho, reconoce que tiene alguna cicatriz.

Pero en los cinco años que tardó en escribir el libro aprendió y reflexionó todo lo que había alrededor de aquel vacío vital que bautizó con el título de su libro: «La mística de la feminidad. ¿Qué hacía que la mística pareciera inevitable, absolutamente irreversible y que cada mujer pensara que estaba sola ante "el problema que no tiene nombre", sin darse cuenta jamás de que había otras mujeres a las que no les producía el menor orgasmo sacar brillo al suelo del cuarto de estar?»[11]

La mística de la feminidad se publicó en 1963 y como le había ocurrido a Simone de Beauvoir, el libro cambió la vida de miles de mujeres en todo el mundo y, al mismo tiempo, la vida de su propia autora. Recibió «un reguero de cartas, que luego

10. Ibídem, pág. 137.
11. Ibídem, pág. 175.

se convirtió en un auténtico mar, que procedía de mujeres que estaban hartas de sentirse "como un electrodoméstico" o "descerebradas", o "con una depresión mortal". [...] Cuando tuve el primer ejemplar del libro en mis manos, lo único que sabía era que, de repente, era capaz de volar».[12]

El libro se convirtió en un *best-seller*. Friedan había dado en el clavo:

> La mística de la feminidad afirma que el valor más alto y la única misión de las mujeres es la realización de su propia feminidad. Asegura que esta feminidad es tan misteriosa e intuitiva y tan próxima a la creación y al origen de la vida que la ciencia creada por el hombre tal vez nunca llegue a entenderla. Pero por muy especial y diferente que sea, no es en manera alguna inferior a la naturaleza del hombre; incluso puede que sea, en algunos aspectos, superior. El error, afirma esta mística, la raíz de los problemas de la mujer en el pasado, estriba en que las mujeres envidiaban a los hombres, intentaban ser iguales que ellos, en vez de aceptar su propia naturaleza, que sólo puede encontrar su total realización en la pasividad sexual, en el sometimiento al hombre y en consagrarse amorosamente a la crianza de los hijos.[13]

El libro se centraba sólo en las mujeres privilegiadas de la clase media de Estados Unidos, no daba una teórica explicativa ni del patriarcado ni del privilegio masculino y tampoco presentaba estrategias alternativas de vida, pero en todo el mundo, a través de sucesivas traducciones, se convirtió en un clásico del feminismo. Su importancia estuvo en descifrar con lucidez el rol opresivo y asfixiante que se había impuesto a las

12. Ibídem, pág. 189-192.
13. FRIEDAN, Betty, *La mística de la feminidad*, Sagitario, Barcelona, 1965, pág. 57.

mujeres de medio mundo y analizar el malestar y el descontento femenino. Friedan afirmaba de forma clara que la nueva *mística* convertía el modelo ama-de-casa-madre-de-familia, en obligatorio para ¡todas! las mujeres.

No era un libro complejo, tenía un lenguaje claro y analizaba la vida cotidiana, su propia vida. Friedan escrutaba todo lo que le parecía significativo, incluso las revistas femeninas o las heroínas de Hollywood. Por eso facilitó a millones de amas de casa, en distintos países, referentes comunes con otras mujeres y les permitió identificar su situación de opresión como experiencia ya no personal, sino colectiva. *La mística de la feminidad* fue un revulsivo en un nuevo proceso de concienciación feminista al crear una identidad colectiva capaz de generar un movimiento social liberador.[14]

Además, para Friedan, el *problema* era político: «la mística de la feminidad, que en realidad era la reacción patriarcal contra el sufragismo y la incorporación de las mujeres a la esfera pública durante la Segunda Guerra Mundial, identifica mujer con madre y esposa, con lo que cercena toda posibilidad de realización personal y culpabiliza a todas aquellas que no son felices viviendo solamente para los demás».[15]

ACCIONES, NO PALABRERÍA

«Mi "segundo libro" de verdad fue el movimiento de mujeres que hizo posible la aparición de nuevos modelos.»[16] No le falta razón a Betty Friedan cuando explica así lo que fue su vida a partir de *La mística de la feminidad*. Metida en un continuo ajetreo de ir y venir dando conferencias por Estados Unidos, Europa e incluso países como Irán, también fue re-

14. NASH, Mary, op. cit., pág. 167.
15. DE MIGUEL, Ana, *Feminismos*, op. cit., pág. 237.
16. FRIEDAN, Betty, *Mi vida hasta ahora*, op. cit., pág. 210.

querida para organizar lo que sería el comienzo del más amplio movimiento de mujeres que conocería la historia. Ella contribuyó a poner la primera piedra creando la Organización Nacional para las Mujeres cuyas siglas (NOW) en inglés, significan «ahora, ya».

La mística de la feminidad había contribuido a la conciencia de las mujeres de su propia opresión, pero no veían cuáles eran los caminos para ir cambiando las cosas. Así que un puñado de mujeres creó —basándose sobre todo en la amistad y en las continuas decepciones— lo que Friedan llama una «organización clandestina». Muchas de aquellas mujeres trabajaban en la Administración, precisamente encargándose de los nuevos organismos públicos a favor de las mujeres. Algunas de estas funcionarias habían comprendido que eran sólo un medio para callarles la boca, pero detrás no había ningún tipo de voluntad política para cambiar la realidad. Cuando a Franklin Roosevelt, Jr. le preguntaron en una rueda de prensa en la Casa Blanca, en 1965, lo que pensaba hacer con respecto a la discriminación por razón de sexo, contestó: «¡Ah, ya! ¡Discriminación sexual! Supongo que tendremos que empeñarnos en que los chicos puedan ser conejitos de *Playboy*.»[17]

No sabemos si los «conejitos» de *Playboy* fueron el detonante, pero unos meses más tarde arrancaba una nueva Revolución, con mayúsculas. El movimiento de mujeres nació en una comida que se celebró el 29 de junio de 1966. Aquel día, en dos mesas contiguas, quince mujeres que hablaban en voz baja y con gran animación y agitación, se pasaban notas escritas en las servilletas de papel. Se creó durante la tercera conferencia anual de las distintas comisiones sobre el estatus de las mujeres que se celebraba en Washington.

17. Ibídem, pág. 230.

Estábamos preparando el terreno para una de las revoluciones sociales más profundas del siglo XX. Teníamos que darnos mucha prisa, porque la mayoría habíamos reservado avión para aquella misma tarde. Había que hacer la cena y preparar a los niños para ir al colegio el lunes. Decidimos que el nombre del movimiento de mujeres moderno sería National Organization for Women. No se trataba de enfrentar a las mujeres contra los hombres; los hombres formarían parte de la organización, aunque serían las mujeres las que llevarían la voz cantante.[18]

Friedan, quien sería su primera presidenta, escribió la frase fundacional de la Declaración de Principios de NOW en una servilleta de papel. «Acometer las acciones necesarias para que se incluya a las mujeres en la corriente general de la sociedad norteamericana ya, ejerciendo todos los privilegios y responsabilidades que de ella se derivan, en una asociación auténticamente igualitaria con los hombres.» «Acciones, no palabrería», repetiría Friedan.[19]

NOW empezó oficialmente el 29 de octubre de 1966 con unos trescientos afiliados. Entre sus miembros se contaban dos monjas, mujeres sindicalistas, empresarias y algunos hombres. «Había un sentimiento de estar haciendo historia que todos percibíamos cuando pusimos aquello en marcha. Las mujeres llevábamos muchos años haciendo labor de voluntariado, colaborando en la organización y el apoyo a las causas contra el fascismo, o en la lucha contra la pobreza, organizando cosas para todo el mundo menos para nosotras mismas. [...] La palabra "liberación" estaba en el aire, y hubiera sido sorprendente que las mujeres no se la hubiesen aplicado a sí mismas.»[20]

18. Ibídem, pág. 234.
19. Ibídem, pág. 235.
20. Ibídem, págs. 236-237.

En la Declaración de Principios de NOW sólo el aborto se quedó fuera de las reivindicaciones que quería Friedan. «Me recomendaron que no lo incluyera porque resultaba excesivamente polémico (no lo planteamos hasta el segundo año de NOW)», recuerda. La declaración reivindicaba la igualdad de oportunidades y que se pusiera fin a la discriminación de las mujeres y de otros grupos marginados frente al empleo, que en las instituciones de educación superior dejaran de existir las cuotas de acceso para mujeres, que hubiera igual número de mujeres que de hombres en las comisiones y las direcciones de los partidos políticos, que se pusiera fin a la falsa imagen que de la mujer daban los medios de comunicación y a las políticas y prácticas proteccionistas que negaban oportunidades a las mujeres.[21]

Friedan asegura que la ideología de las personas que iniciaron el movimiento de las mujeres no era ni sexual ni política. Trabajaban bajo la idea de igualdad, de democracia: «No se trataba en absoluto de un grupo oprimido que se hace con el poder y se dedica a oprimir a sus antiguos opresores. Aquello era una revolución y un concepto totalmente nuevo. Un movimiento de mujeres que luchaba por la igualdad en una asociación auténticamente igualitaria con los hombres.»[22]

Betty Friedan hizo su propia revolución y en 1969 se divorció: «Al fin, reuní el coraje para divorciarme de Carl. Tan importantes acontecimientos tenían lugar en mi vida pública, en tanto que en mi vida privada mi marido no dejaba de pegarme. Ya no podía seguir siendo la mujer de dos cabezas.»[23] A esas alturas, se había hecho una mujer pragmática y sus consignas nacían a pie de obra: «Si no hay guarderías, lo demás es palabrería.» «Si las mujeres necesitan leyes de protección [en el trabajo], también se deben aplicar a los hombres. Después de

21. Ibídem, pág. 238.
22. Ibídem, pág. 251.
23. Ibídem, pág. 267.

todo, los hombres también se lesionan la espalda y tienen hernias por levantar pesos. Partiendo de esto, las leyes debían tener en cuenta la salud y no el sexo. En lugar de proteger a las mujeres, lo que hacían esas leyes era mantenerlas alejadas de los buenos puestos de trabajo.»[24]

La autora de *La mística de la feminidad* ya ha dejado escrito cuál le gustaría que fuese su epitafio: «Contribuyó a construir un mundo en el que las mujeres están satisfechas de ser mujeres y se sienten libres de poder amar de verdad a los hombres.»[25]

No le falta razón. Además de escribir *La mística de la feminidad*, y contribuir a fundar NOW, Friedan y su organización han llegado a ser las máximas representantes del feminismo liberal. NOW se constituyó en una de las organizaciones feministas más poderosas de EE. UU. En el año 2003 ya tenía 500.000 afiliadas.[26] El feminismo liberal se caracteriza por definir la situación de las mujeres como una desigualdad —y no una opresión o una explotación—. Por ello, defienden que hay que reformar el sistema hasta lograr la igualdad entre los sexos. Las liberales definieron el problema principal de las mujeres como su exclusión de la esfera pública, y propugnaron reformas relacionadas con la inclusión de las mismas en el mercado laboral. También, desde el principio tuvieron una sección destinada a formar y promover a las mujeres para ocupar cargos políticos.

Muy poco tiempo después de crearse NOW, la influencia del feminismo radical empujó a las más jóvenes a sumarse a él y a abandonar a las liberales. Pero años después, cuando le llegó el declive al feminismo radical, el liberal se había reciclado y así cobró un importante protagonismo hasta llegar a convertirse en la voz del feminismo como movimiento político. Fue,

24. Ibídem, pág. 275.
25. Ibídem, pág. 510.
26. NASH, Mary, op. cit., pág. 184.

sin embargo, al feminismo radical, caracterizado por su aversión al liberalismo, a quien correspondió el verdadero protagonismo en las décadas de los sesenta y setenta.

«¿Y ESTO ERA TODO?»

La pregunta que se hacían las amas de casa era idéntica a la que se hacían las militantes de los nuevos movimientos sociales. Los años sesenta fueron intensos en cuanto a agitación política. El «sueño americano» se había convertido en pesadilla tras el asesinato del presidente Kennedy y las protestas juveniles se generalizaron a raíz de la guerra de Vietnam. El sistema tenía contradicciones profundas, era sexista, racista, clasista e imperialista aunque se presentara como el mejor de los posibles.

Todo esto motivó la formación de la Nueva Izquierda y el resurgir de diversos movimientos sociales radicales como el movimiento antirracista, el estudiantil, el pacifista y el feminista, claro. A todos les unía su carácter contracultural. No eran reformistas, no estaban interesados en la política de los grandes partidos, querían nuevas formas de vida. Muchas mujeres entraron a formar parte de este movimiento de emancipación.[27] Pero, una vez más, aparecieron las contradicciones en esa Nueva Izquierda. Robin Morgan escribió lo que hacían en aquellas *revolucionarias* reuniones:

> Como quiera que creíamos estar metidas en la lucha por construir una nueva sociedad, fue para nosotras un lento despertar y una deprimente constatación descubrir que realizábamos el mismo trabajo en el Movimiento que fuera de él: pasando a máquina los discursos de los varones, haciendo café pero no política, siendo auxiliares de los

27. DE MIGUEL, Ana, *Feminismos*, op. cit., págs. 238-239.

hombres, cuya política, supuestamente, reemplazaría al viejo orden.

Lidia Sargent parafraseaba a Betty Friedan: «Después de limpiar y decorar las oficinas, preparar las cenas de los activistas, fotocopiar panfletos, contestar teléfonos, etc., no podían dejar de preguntarse: ¿Y esto era todo?» Además, las mujeres se enfrentaban a su invisibilización como líderes, a que los debates estuviesen dominados por los hombres y a que sus voces no fuesen escuchadas. La opresión sólo se analizaba teniendo en cuenta la clase social. El sexismo o era objeto de bromas o no entraba en los debates teóricos. Así las cosas, aunque las mujeres sentían que las cuestiones que afectaban de manera más directa a sus vidas (la sexualidad, el reparto de las tareas domésticas, la opresión...) debían pasar a formar parte de la discusión política, no lo conseguían.[28]

En palabras de Ana de Miguel, «puesto que el hombre nuevo se hacía esperar demasiado, la mujer nueva —de la que tanto hablaba Kollontai a principios de siglo— optó por tomar las riendas. La primera decisión política del feminismo fue la de organizarse de forma autónoma, separarse de los varones. Así se constituyó el Movimiento de Liberación de la Mujer».[29]

FEMINISMO RADICAL

Fueron tan espectaculares en sus acciones públicas de protesta como en su destreza intelectual o en su nueva manera de hacer política. El feminismo radical se desarrolló entre 1967 y 1975 y puso patas arriba tanto la teoría como la práctica feminista y, de paso, la sociedad, que era lo que pretendían. Las radicales consiguieron la famosa revolución de las mujeres del

28. SÁNCHEZ, Cristina, op. cit., pág. 78.
29. DE MIGUEL, Ana, *Feminismos*, op. cit., pág. 239.

siglo XX cambiando el día a día, desde la calle hasta los dormitorios.

Estas jóvenes feministas llegaban tremendamente preparadas y armadas de herramientas como el marxismo, el psicoanálisis, el anticolonialismo o las teorías de la Escuela de Frankfurt. El feminismo radical tuvo dos obras fundamentales: *Política sexual* de Kate Millett, publicada en 1969, y *La dialéctica del sexo* de Sulamith Firestone, editada al año siguiente. Fue Sulamith Firestone quien formuló el feminismo como un proyecto radical —como explica Celia Amorós—, en el sentido marxista de «radical». Radical significa tomar las cosas por la raíz y, por lo tanto, irían a la raíz misma de la opresión.[30]

En estas obras se definieron conceptos fundamentales para el análisis feminista como el de patriarcado, género y casta sexual. El patriarcado se define como un sistema de dominación sexual que es, además, el sistema básico de dominación sobre el que se levantan el resto de las dominaciones, como la de clase y raza. El patriarcado es un sistema de dominación masculina que determina la opresión y subordinación de las mujeres. El género expresa la construcción social de la feminidad y la casta sexual se refiere a la experiencia común de opresión vivida por todas las mujeres.

El interés por la sexualidad es lo que diferencia al feminismo radical tanto de la primera y segunda ola como de las feministas liberales de NOW. Para las radicales, no se trata sólo de ganar el espacio público (igualdad en el trabajo, la educación o los derechos civiles y políticos) sino también es necesario transformar el espacio privado. Son herederas de la «revolución sexual» de los años sesenta, pero desde una actitud crítica. Ya no son las puritanas del siglo XIX, pero tampoco se de-

30. AMORÓS, Celia, «La dialéctica del sexo» de Shulamith Firestone: modulaciones en clave feminista del freudo-marxismo, en *Historia del pensamiento feminista*, op. cit., pág. 155.

jan engañar por la retórica de una revolución sexual que «traía carne fresca al mercado del sexo patriarcal».[31]

Con el eslogan de «lo personal es político», las radicales identificaron como centros de la dominación áreas de la vida que hasta entonces se consideraban «privadas» y revolucionaron la teoría política al analizar las relaciones de poder que estructuran la familia y la sexualidad. Consideraban que los varones, todos los varones y no sólo una elite, reciben beneficios económicos, sexuales y psicológicos del sistema patriarcal.[32] Así, problemas tan enraizados y silenciados en la sociedad que aún hoy no se han solucionado como la violencia de género, fueron puestos encima de la mesa por las radicales. Si lo personal es político, las leyes no se pueden quedar a la puerta de casa.

Además de revolucionar la teoría política y feminista, las radicales hicieron tres aportaciones, como mínimo, igual de importantes: las grandes protestas públicas, el desarrollo de los grupos de autoconciencia y —menos espectaculares pero enormemente beneficiosos para las mujeres— la creación de centros alternativos de ayuda y autoayuda. Las feministas no sólo crearon espacios propios para estudiar y organizarse, también desarrollaron una salud y ginecología fuera de las normas del patriarcado, animando a las mujeres a conocer su propio cuerpo, y fundaron guarderías, centros para mujeres maltratadas, centros de defensa personal...[33]

El primer acto que convirtió el Movimiento de Liberación de la Mujer en noticia en Estados Unidos fue en septiembre de 1968, cuando un grupo radical realizó una marcha de protesta contra la celebración del concurso de Miss América. En la

31. PULEO, Alicia H., «El feminismo radical de los setenta, Kate Millett», en AMORÓS, Celia (coord.), *Historia del pensamiento feminista*, op. cit., pág. 141.

32. DE MIGUEL, Ana, *Feminismos*, op. cit., pág. 242.

33. Ibídem, pág. 244.

manifestación contra la presentación de la mujer como objeto sexual estereotipado, las feministas tiraron cosméticos, zapatos de tacón alto y sujetadores en lo que llamaban un «basurero de la libertad». Querían romper con el tradicional modelo de feminidad y reivindicar la diversidad de las mujeres y de sus cuerpos.

En Gran Bretaña, dos años después, en noviembre de 1970, el Movimiento de Liberación de la Mujer ocupó las primeras páginas de las noticias nacionales cuando las activistas invadieron la celebración del concurso de Miss Mundo, con sacos de harina, tomates y bombas fétidas, entonando la consigna «No somos hermosas, no somos feas, estamos enfadadas».

Ese mismo año, las francesas en otro acto cargado de simbolismo y de audacia por lo que suponía de ruptura del poder patriarcal, atrajeron todas las miradas. Depositaron una corona en uno de los monumentos nacionales más emblemáticos de París, la tumba del soldado desconocido situada en el Arco de Triunfo... en honor a su esposa desconocida.

Otra campaña espectacular fue la desarrollada en Gran Bretaña y Alemania del oeste en 1977 y en Italia en 1978. En los tres países se organizaron movilizaciones denominadas «Reclamar la noche», que consistieron en marchas nocturnas con antorchas para reivindicar espacios seguros de noche para las mujeres, así como su derecho a la libre movilidad.

Explica Mary Nash, tras relatar todos estos actos, que esta forma de desobediencia civil se convirtió en la nueva modalidad de protesta feminista. Su objetivo era obvio, querían sacar a la luz todos los mecanismos que ayudaban a mantener la opresión femenina y que hasta entonces estaban ocultos porque se consideraban «naturales» y, desde luego, nada dañinos para las mujeres. Además, las radicales querían extender sus análisis y con estos actos conseguían sensibilizar a toda la población sobre sus reivindicaciones.

El feminismo radical nació en Estados Unidos, pero las protestas se extendieron por todo el mundo. Especialmente, en los temas más difíciles de cambiar como eran los derechos sexuales y reproductivos. Entre las movilizaciones más destacadas estuvieron aquéllas en las que las mujeres se autoinculpaban de actuaciones que eran juzgadas como delitos y que ellas estaban convencidas de que, lejos de poder ser sancionadas, eran derechos arrebatados. Así, en 1971, se publicó en Francia el «Manifiesto de las 343 Salopes» donde otras tantas mujeres ratificaban una confesión abierta: «Yo he abortado.» En la declaración firmaban mujeres de renombre como Simone de Beauvoir o la actriz Catherine Deneuve, cuando aún existía la penalización del aborto por ley.

En 1973 se realizó un acto parecido en Alemania occidental. También España se sumó a este tipo de protestas. Una de las primeras fue el acto masivo de desobediencia civil, que tuvo una enorme repercusión en los medios, en el que, al igual que las francesas, un montón de mujeres españolas firmaban una confesión: «Yo también soy adúltera.» El objetivo, la despenalización del adulterio y el fin del trato jurídico discriminatorio para las mujeres.

Estas movilizaciones tuvieron un fuerte impacto en la opinión pública. Las feministas consiguieron convertir en político aquello que tenía que ver con la subordinación de las mujeres y hasta entonces era considerado «natural». Todo era nuevo, tanto las formas de protesta como las ideas. Por eso las movilizaciones, aparentemente realizadas de forma espontánea y seguidas masivamente en tantos países, estaban cuidadosamente planificadas y eran tremendamente simbólicas y subversivas. Todo iba encaminado a acabar con esa posición de subalternas que tenían las mujeres en la sociedad.[34]

Pero si las movilizaciones consiguieron cambiar opiniones y puntos de vista en la opinión pública, los grupos de autoconciencia cambiaron realmente a las mujeres. La mayoría de las historiadoras considera que la formación y el desarrollo inter-

34. NASH, Mary, op. cit., pág. 182.

nacional de los miles de grupos de autoconciencia en los países europeos, latinoamericanos y en Estados Unidos fue una nueva forma política y de organización de la práctica feminista y una de las aportaciones más significativas del movimiento feminista radical.

En 1967 se crea en Chicago el primer grupo independiente y en la misma época el New York Radical Women, fundado por Sulamith Firestone y Pam Allen. Se trataba de que cada mujer participante explicara cómo sentía ella su propia opresión. Se pretendía propiciar «la reinterpretación política de la propia vida y poner las bases para su transformación».[35] Los grupos fomentaban la autoestima de las mujeres, de cada una de las mujeres; daban valor a la palabra de la mujer, tantos siglos silenciada y despreciada, y a las palabras de las mujeres individualmente. En ellos, cada mujer se iba reconociendo como persona con identidad propia. Era importante lo que cada una sentía, lo que cada una pensaba. No se trataba de cómo debían ser, sino de cómo eran realmente.

Como dice Mary Nash, ese proceso fue decisivo para crear el camino de liberación, independencia y autonomía personal y, por tanto, colectiva. A través de estos grupos de discusión, las reflexiones teóricas sobre la política sexual se convirtieron en práctica feminista, desafiando la idea predominante acerca de que las relaciones entre hombres y mujeres eran de índole natural. No se hablaba de normas, sino de las realidades cotidianas de las mujeres y de cómo ellas vivían las relaciones de pareja. Al contar, explicar y debatir esas experiencias personales, las mujeres pusieron en evidencia que se trataba de relaciones políticas de poder.

«A diferencia del feminismo histórico, que cuestionó las prácticas de poder formal discriminatorio, de instituciones y de gobiernos, el Movimiento de Liberación de la Mujer identificó al varón como el opresor, que por tanto, estaba en casa.

35. DE MIGUEL, Ana, *Feminismos*, op. cit., págs. 242-243.

Este enfoque significaba que se entendía que el ejercicio del predominio masculino patriarcal se ubicaba en el hogar y a través de relaciones estrechas y afectivas de la mujer con su opresor. Se trataba del marido o el padre al cual las mujeres se sentían unidas con lazos amorosos y afectivos.»[36]

La rebelión fue compleja porque al ponerse las gafas violetas, todos esos análisis significaban cambios en las relaciones familiares y de pareja. Por eso los grupos también fueron una red de apoyo para las mujeres que comenzaron a cambiar su «rol», a cambiar sus familias y sus parejas, a sentirse libres y ejercer como tales. Y en muchos casos eso implicaba, más que cambios, rupturas. Las radicales hicieron todo al mismo tiempo: desarrollar la teoría que dejaba en evidencia las relaciones de poder entre hombres y mujeres, ponerle nombre a la raíz de la desigualdad, sacarlo a la luz pública y manifestarse subversivamente contra el orden establecido; crear los medios para que cada mujer hiciera un proceso personal de liberación, apoyarla y, además, proveer los recursos materiales (guarderías, casas de acogida...) que esa libertad recién estrenada necesitaba.

Esas mujeres *liberadas* no se olvidaron de su cuerpo. La libertad sexual fue el centro del debate. Se desvinculó la maternidad y la procreación de la práctica sexual y ahí se abrió el camino decisivo para las mujeres. El matrimonio se identificó nuevamente como fuente de opresión, pero no ya como lo habían hecho feministas anteriores —desde Mary Wollstonecraft, las sufragistas o Harriet Taylor—, cuestionando las leyes que lo regían, sino como una opresión cotidiana, de tú a tú entre marido y mujer. El poder masculino fue desafiado en su propia casa. La libertad sexual y la autonomía de las mujeres en las relaciones de pareja fue una de las luchas principales. Estas aportaciones en el terreno de la sexualidad y los derechos reproductivos tuvieron un impacto social duradero y modifica-

36. NASH, Mary, op. cit., págs. 180-181.

ron realmente los valores y las prácticas públicas y personales en la sociedad. El Movimiento de Liberación de la Mujer consiguió romper el tabú sobre la sexualidad femenina y tradujo en derecho irrenunciable el placer sexual de las mujeres, negado hasta entonces.[37]

La mayoría de las mujeres vivían en países donde los medios de planificación familiar y los métodos anticonceptivos eran penalizados por la ley. Apenas circulaba información sobre educación sexual. La demanda del derecho a la maternidad libre también quedó expresada en términos de maternidad deseada como pone de manifiesto esta consigna del feminismo francés: «Es mucho más bonito vivir cuando uno es deseado.» Además, la mayoría de las mujeres sólo tenía conocimientos rudimentarios sobre el funcionamiento de la sexualidad femenina. Los patrones culturales tradicionales conllevaban una mutilación sexual simbólica de las mujeres al negar su sexualidad y anestesiar cualquier expresión de placer sexual femenino por considerarse antinatural y pecaminosa. El descubrimiento y la publicidad dada al orgasmo a través del clítoris respecto al vaginal fue una ruptura extraordinaria en la práctica sexual.[38]

Política sexual de Kate Millett fue uno de los libros que más contribuyó intelectualmente a todo este cambio real en la vida de las mujeres y, como consecuencia, de toda la sociedad. Cuando se publicó, en 1970, el periódico *New York Times* comentó: «De lectura sumamente placentera, brillantemente concebido, irresistiblemente persuasivo, da testimonio de un manejo de la historia y de la literatura que deja sin aliento.»[39] Efectivamente, *Política sexual*, tiene un comienzo arrollador e impactante que es sólo el anuncio de una serie de teorías deslumbrantes tanto por la claridad de sus planteamientos como

37. Ibídem, pág. 192.
38. Ibídem, pág. 194.
39. PULEO, Alicia H., *El feminismo radical de los setenta: Kate Millett*, op. cit., pág. 142.

por la forma en la que están expuestas. De hecho, a pesar de los años transcurridos desde su publicación, *Política sexual* no ha perdido fuelle y continúa «dejando sin aliento» en la actualidad.

El libro fue la tesis doctoral de Kate Millett, que leyó en la Universidad de Oxford en 1969. Fue la primera tesis doctoral sobre género que se hizo en el mundo y, cuando se publicó, se convirtió en un best-seller. Millett había nacido en Minnesota en 1934, en una familia católica de origen irlandés. Al año siguiente de graduarse en Oxford, en 1959, inició su actividad como escultora, pintora y fotógrafa y se trasladó a Tokio donde fue profesora de inglés al tiempo que estudiaba escultura. En Tokio conoció a su marido, Fumio Yosimura, también escultor —con quien estuvo casada veinte años, desde 1965 hasta 1985—, y al que dedicó este libro. Millett regresó a Estados Unidos en 1963 y allí se implicó en el Movimiento de Liberación de la Mujer desde sus comienzos.[40]

La intención de *Política sexual* era combatir los prejuicios patriarcales arraigados incluso entre la izquierda e impulsar líneas de actuación más radicales y renovadoras.[41] La propia Millett considera que la parte más importante de su libro es el capítulo 2, titulado «Teoría de la política sexual». En él afirma que «el sexo es una categoría social impregnada de política»,[42] y añade:

Un examen objetivo de nuestras costumbres sexuales pone de manifiesto que constituyen y han constituido, en el transcurso de la historia, un claro ejemplo de relación de dominio y subordinación. [...] Se ha alcanzado una ingeniosísima forma de «colonización interior», más resistente que cualquier tipo de segregación. Aun cuando hoy día resulte casi imperceptible, el dominio sexual es tal vez la

40. MORENO, Amparo, *Introducción,* en MILLETT, Kate, *Política sexual,* op. cit., pág. 8.
41. Ibídem, pág. 13.
42. MILLETT, Kate, *Política sexual,* op. cit., pág. 68.

ideología más profundamente arraigada en nuestra cultura, por cristalizar en ella el concepto más elemental de poder. Ello se debe al carácter patriarcal de nuestra sociedad y de todas las civilizaciones históricas. Recordemos que el ejército, la industria, la tecnología, las universidades, la ciencia, la política y las finanzas —en una palabra, todas las vías del poder, incluida la fuerza coercitiva de la policía—, se encuentran por completo en manos masculinas. Y como la esencia de la política radica en el poder, el impacto de ese privilegio es infalible. Por otra parte, la autoridad que todavía se atribuye a Dios y a sus ministros, así como los valores, la ética, la filosofía y el arte de nuestra cultura —su auténtica civilización, como observó T. S. Eliot—, son también de fabricación masculina. [...] La supremacía masculina, al igual que los demás credos políticos, no radica en la fuerza física, sino en la aceptación de un sistema de valores cuya índole no es biológica. La robustez física no actúa como factor de las relaciones políticas. La civilización siempre ha sabido idear métodos (la técnica, las armas, el saber) capaces de suplir la fuerza física, y ésta ha dejado de desempeñar una función necesaria en el mundo contemporáneo. De hecho, con elevada frecuencia el esfuerzo físico se encuentra vinculado a la clase social, puesto que los individuos pertenecientes a los estratos inferiores realizan las tareas más pesadas, sean o no fornidos.[43]

Millett no ahorra críticas a nadie. Explica la situación económica de las mujeres:

Uno de los instrumentos más eficaces del gobierno patriarcal es el dominio económico que ejerce sobre las mujeres. [...] Ya que en las sociedades patriarcales la mujer siempre ha trabajado, realizando con frecuencia las ta-

43. Ibídem, págs 69-70-73.

reas más rutinarias o pesadas, el problema central no gira en torno al trabajo femenino, sino a su retribución económica.[44]

Y a continuación, escribe sobre el sindicalismo:

Aunque las reformas (laborales) beneficiaron por igual a los hombres, las mujeres y los niños, los varones fueron los únicos favorecidos por el movimiento sindicalista. Los sindicatos eran, para la mujer asalariada, una necesidad mucho más apremiante que el voto. Sin embargo, el movimiento sindicalista demostró (y sigue demostrando) un interés ínfimo por ella. Por ello, las mujeres representaban una mano de obra desorganizada y escandalosamente barata, a la que se podía explotar con mayor facilidad que a los hombres, y despedir, dejar en paro o denegar trabajo siempre que resultase conveniente. La situación no ha cambiado mucho desde entonces.[45]

También cuestiona Millett, paso a paso, las teorías freudianas e inaugura la irreverencia sistemática a los «dioses» del conocimiento. Antes que ella, lo habían hecho otras feministas como Wollstonecraft con Rousseau, por ejemplo, pero Millett no deja títere con cabeza. Ella es la primera que lleva las relaciones de poder entre hombres y mujeres a una tesis doctoral, pero además, es tremendamente *impertinente* y pone nombre a las grandes mentiras o a las grandes exclusiones que todavía hoy los niños y las niñas estudian en el colegio: son las «falacias viriles», dice Millett. Amparo Moreno lo explica como experiencia personal en su introducción a la edición española de *Política sexual*.

44. Ibídem, pág. 94.
45. Ibídem, pág. 169.

Obligado es que reconozca mi deuda con Kate Millett en la reducción de esa inseguridad femenina que nos invade en la medida en que nos adentramos en un sistema escolar construido históricamente para ensalzar el predominio viril a base de menospreciar a las mujeres, por tanto, en una actitud irreverente hacia los padres del saber académico. [...] Probablemente, los primeros y decisivos pasos en la crítica al orden androcéntrico [...] se lo debo a sus reflexiones sobre las falacias viriles.

Y LAS AGUAS SE DESBORDARON

A partir de 1975, el feminismo ya no volvió a ser uno, singular. El feminismo radical abrió las compuertas. A partir de su teoría y su práctica —de «lo personal es político» y los grupos de autoconciencia—, las aguas se desbordaron. Cada feminista comenzó a trabajar sobre su propia realidad. Las semillas echaron raíces, con lo que el feminismo fue floreciendo en cada lugar del mundo con sus características, tiempos y necesidades propias.

Las críticas a la cultura patriarcal de las radicales norteamericanas les hicieron profundizar en una cultura propia de las mujeres, alejada de la que habían construido los hombres. De ahí nacería el feminismo cultural que, cuando se importó a Europa y fue traducido y asimilado, se convirtió en el feminismo de la diferencia. Éste tiene sus máximos exponentes en Francia e Italia y también presentan características distintas entre ellos. El respeto a la opción sexual trajo consigo el nacimiento de un feminismo lesbiano con identidad propia. Lo mismo que ocurrió con la raza. El feminismo de las mujeres negras ha tenido un desarrollo y una presencia específica extraordinariamente potente en las últimas décadas. Un nuevo feminismo, el feminismo institucional, se desarrolló a partir de las conferencias internacionales de la mujer auspiciadas por la ONU y la entrada en los distintos gobiernos de las reclamaciones políticas de las feministas y, más recientemente, con la llegada de mujeres políticas surgidas del feminismo. También el feminismo académico, nacido en las universidades, ha tenido su particular personalidad (en España, especialmente relevante), así como el desarrollo de las nuevas tecnologías ha hecho florecer el ciberfeminismo. La realidad de las mujeres del tercer mundo y su implicación con la tierra alumbró el ecofeminismo y las feministas latinoamericanas al igual que las árabes y musulmanas han desarrollado sus propias teorías y dado una impronta personal a lo que ya se conoce como feminismo latinoamericano y feminismo árabe.

Así, a partir de los años setenta, el feminismo nunca más ha vuelto a ser uno. La explosión del feminismo radical, en todos los sentidos, para bien y para mal, tuvo varias causas. Además de la ya dicha —una vez puesta la semilla de «lo personal es político» cada grupo se puso a hacer política desde su propia realidad vital—, una característica común de los grupos radicales fue ser antijerárquicos y absolutamente igualitaristas. Fue otro concepto clave de las radicales, la «política de la experiencia», es decir, el análisis de la sociedad desde la experiencia personal. Con esto dieron un giro definitivo a las reuniones políticas de los partidos. Las radicales rompieron el concepto de jerarquía y sustituyeron la representación por la participación y el reparto de poder.

Ninguna mujer tenía más poder o más peso que otra. Y, como dice Ana de Miguel, esa forma de entender la igualdad trajo muchos problemas. Tantos, como que la mayor parte de las líderes fueron expulsadas de los grupos que ellas mismas habían creado. Jo Freeman supo reflejar esta experiencia personal en su obra *La tiranía de la falta de estructuras*.[46] Por otro lado, lo que había sido la fuerza del feminismo radical fue también causa de su desaparición. Éste se basaba en la hermandad

46. DE MIGUEL, Ana, *Feminismos,* op. cit., págs. 244-245.

o sororidad de todas las mujeres, *La hermandad de las mujeres es poderosa*,[47] rezaba otro eslogan de la época. Pero ese afán de unidad no se pudo mantener en cuanto entraron en cuestión diferencias como las ya mencionadas de raza, religión u opción sexual.

El hecho de que el feminismo ya no se pueda nombrar en singular, de que nunca más haya vuelto a mantener la unidad de las sufragistas o de las radicales, no quiere decir que esté enfrentado, aunque en ocasiones así ha sido. Las feministas de la diferencia, en sus comienzos, atacaron tanto al sistema y cultura patriarcales como a las feministas «de la igualdad», como se comenzaron a denominar a aquellas que mantenían sus orígenes en la Ilustración y se sentían herederas de toda la historia (Revolución francesa, sufragismo y lucha por los derechos políticos y sociales). Fue un enfrentamiento importante y doloroso que duró casi dos décadas y que ya parece estar superado.

Así lo explica Victoria Sendón de León, echando la vista atrás: «... me pregunto y me respondo a la vez por qué en los primeros setenta, las hijas del 68 nos encaminamos hacia dos feminismos diversos que, estoy convencida, se complementan por más que se empeñen en excluirse. Si uno u otro no existieran habría que inventarlos. Unas eligieron lo urgente y otras nos encaminamos hacia lo importante. Creo que ni unas ni otras estábamos dispuestas a ser una generación perdida. De modo más o menos consciente sabíamos que estábamos transformando el mundo (Marx) y cambiando la vida (Rimbaud). Y todas, sin duda, hacíamos historia. Más de lo que imaginábamos, pues el feminismo, de modo diluido o light, ha impregnado ya todos los rincones de la sociedad del dos mil. Y un plus: ha sido el movimiento político más importante de las últimas décadas».[48]

---

47. Título en español del libro *Sisterhood is Powerful* publicado en 1970 por Robin Morgan.

48. SENDÓN DE LEÓN, Victoria, *Marcar las diferencias. Discursos feministas ante un nuevo siglo*, Icaria, Barcelona, 2002, págs. 12-13.

Como señala Sendón de León, y subraya Ana de Miguel «es más lo que nos une que lo que nos diferencia». La gran fuerza del feminismo y su ya larga historia nace, en primer lugar, de ser una teoría de justicia, legítima, que brota de la vida y, en segundo lugar, de ser una teoría crítica. «El feminismo, todo lo que toca, lo politiza», que dice Rosa Cobo. Cuestiona y recuestiona, piensa y repiensa, propone y hace, insólito sería entonces, que no fuese crítico consigo mismo. Pero no sólo eso.

Sistemáticamente, tras una época de expansión y éxitos de las mujeres, viene a continuación una virulenta reacción patriarcal. Contra el nacimiento del feminismo en la Revolución francesa, se alzaron la guillotina y el código napoleónico; frente a la victoria, tan trabajada, de las sufragistas y la obtención del derecho al voto y por lo tanto la expansión de la democracia con el sufragio universal, se alzó la *mística de la feminidad* con toda su parafernalia. Tras la sacudida del feminismo radical, se alzó la reacción conservadora de los años ochenta liderada por Ronald Reagan en Estados Unidos y Margaret Thatcher en Inglaterra. Fue en ese momento cuando apareció la moda de la supermujer (*superwoman*), escondiendo, tras ese nombre tan rimbombante, la explotación que supone la doble jornada —trabajar fuera y dentro de casa— y además, ser una madre perfecta, amante excepcional y siempre guapa, por supuesto. Simultáneamente, se desarrollaron las teorías de que tanto esfuerzo no merecía la pena, así que era mejor volver a casa. «La última reacción antifeminista no se desencadenó porque las mujeres hubieran conseguido plena igualdad con los hombres, sino porque parecía posible que llegaran a conseguirla.»[49]

Mientras todo eso flotaba en el ambiente, el feminismo se hacía realmente mundial. Así el feminismo no ha desaparecido, pero ha conocido profundas transformaciones en las últi-

---

49. FALUDI, Susan, *Reacción. La guerra no declarada contra la mujer moderna*, Anagrama, Barcelona, 1993, pág. 21.

mas décadas. Tantas que hay autoras que hablan de postfeminismo para referirse a toda la diversidad surgida a partir de los años ochenta. En esas transformaciones han influido tanto los enormes éxitos cosechados como la profunda conciencia de lo que queda por hacer, si comparamos la situación de varones y mujeres en la actualidad.[50]

Los logros son muchos y las mujeres aprendieron a superar el victimismo histórico y a reconocer los avances producidos. Pero son aún enormes los problemas, discriminaciones y opresiones que se padecen en todo el mundo. Aún no se han consolidado la igualdad ni la equidad entre hombres y mujeres. En el siglo XXI la violencia de género es común a las mujeres, como también la discriminación sexista o racista en los ámbitos laboral y educativos y la continua marginación en los puestos relevantes de toma de decisión política, militar y económica.[51]

Por eso, tras la explosión de los años setenta, la reacción de los ochenta y la escisión de los feminismos de los últimos años, la propuesta de todo el feminismo continúa siendo muy simple: exige que las mujeres tengan libertad para definir por sí mismas su identidad, en lugar de que ésta sea definida, una y otra vez, por la cultura de la que forman parte y los hombres con los que conviven.[52] Y dos ejes de lucha recorren su trabajo: la erradicación de la violencia y la pobreza. Ésa es la esencia del patrimonio común, vamos a ver «lo que nos diferencia».

FEMINISMO DE LA DIFERENCIA

El concepto de diferencia ha sido polémico por varias razones. La primera, por su propio nombre. Desde el modelo patriarcal y androcéntrico, con el varón como medida de lo

50. DE MIGUEL, Ana, *Feminismos*, op. cit., pág. 252.
51. NASH, Mary, op. cit., pág. 301.
52. FALUDI, Susan, op. cit., pág. 25.

humano, que incluso se apropia de lo neutro y lo considera masculino, la diferencia de género se entiende como negativa e inferior. Sin embargo, el feminismo de la diferencia toma la palabra y le da un sentido completamente distinto. Reivindica el concepto y se centra precisamente en la diferencia sexual para establecer un programa de liberación de las mujeres hacia su auténtica identidad, dejando fuera la referencia de los varones.[53] «No queríamos ser mujeres emancipadas. Queríamos ser mujeres libres porque sí, por derecho propio.»[54] Así, para este feminismo el camino hacia la libertad parte precisamente de la diferencia sexual. «Descubrimos lo que era la amistad y la complicidad entre mujeres en un ambiente sin jefes, sin novios, sin maridos, sin secretarios generales que mediaran entre nosotras y el mundo.»[55]

Una de sus ideas clave es señalar que diferencia no significa desigualdad y subraya que lo contrario de la igualdad no es la diferencia, sino la desigualdad. El feminismo de la diferencia plantea la igualdad entre mujeres y hombres, pero nunca la igualdad con los hombres porque eso implicaría aceptar el modelo masculino.[56] Entre sus propuestas destacan la importancia de lo simbólico: «Las cosas no son lo que son, sino lo que significan.»[57] Y reivindican que lo que hacen las mujeres puede ser significativo y valioso, sea igual o no a lo que hacen los hombres. Entre las fórmulas para crear otro «orden simbólico» se da mucha importancia al arte: el cine, la literatura, la música, las plásticas diversas utilizan símbolos que van al corazón del problema.

Fue el feminismo radical el que dio paso al feminismo cul-

53. CAVANA, María Luisa, «Diferencia», en AMORÓS, Celia (coord.), *10 palabras clave sobre mujer*, op. cit., págs. 85-86.
54. SENDÓN DE LEÓN, Victoria, *Marcar las diferencias*, op. cit., pág. 14.
55. Ibídem, pág. 13.
56. Ibídem, pág. 19.
57. Ibídem, pág. 28.

tural y al de la diferencia en Europa. Explica Sendón de León que aunque la falta de estructuras y la ausencia de lideresas —puesto que no querían ni profesionalizar la política ni repetir los esquemas de siempre—, causaron la desaparición del movimiento radical, de todo aquello surgió el sentimiento de la sororidad, que iba más allá de la camaradería. La sororidad se había fraguado en los grupos de autoconciencia, en los que se reflexionaba sobre la propia vida de las mujeres, creando así una conciencia de género que perviviría en las décadas posteriores. Para 1975, la mayoría de los grupos de autoconciencia se había disuelto.[58]

¿Cómo se dio el salto del feminismo radical al cultural? Quizá la última conclusión de *Política sexual* de Kate Millett da la pista:

> El profundo cambio social que implica una revolución sexual atañe sobre todo a la toma de conciencia, así como a la exposición y eliminación de ciertas realidades, tanto sociales como psicológicas subyacentes a las estructuras políticas y culturales. Supone, pues, una revolución cultural que, si bien ha de llevar consigo esa reestructuración política y económica a la que suele aplicar el término revolución, tiene que trascender necesariamente dicho objetivo.

La pionera en el feminismo de la diferencia es Luce Irigaray, filósofa y psicoanalista belga que se instaló en París y formó parte de L'École Freudienne. En 1969, comenzó a enseñar en la Universidad de Vicenns en el departamento de psicoanálisis pero, después de la publicación de su obra *Speculum*, fue expulsada tanto de la Escuela Freudiana como de la Universidad.

Junto a Irigaray, Annie Leclerc y Hélène Cixous son las

58. SENDÓN DE LEÓN, Victoria, op. cit., pág. 64.

más destacadas representantes del feminismo francés de la diferencia. El grupo Psychanalyse et Politique que formaron surgió en los setenta y es un referente ineludible del feminismo francés, pero realmente es un feminismo sólo para filósofas pues sus textos son tremendamente crípticos y oscuros. No así sus críticas al feminismo de la igualdad, que son muy claritas: lo descalifican porque consideran que es reformista, asimila las mujeres a los varones y no logra salir de la dominación masculina. Sus partidarias protagonizaron duros enfrentamientos con otros feminismos, pero Irigaray y Cixous innovaron la teoría feminista al insistir en la subversión del lenguaje masculino, la reivindicación de la escritura femenina y la creación de un saber femenino.[59]

También en Italia surgió una importante corriente del feminismo de la diferencia. A finales de los sesenta y durante toda la década siguiente, Italia fue uno de los países más activos dentro del movimiento feminista. Aunque la mayoría de los grupos estaban ligados a la política de izquierda, entre ellos apareció Carla Lonzi con su obra *Escupamos sobre Hegel*, una crítica despiadada a la cultura patriarcal y, de paso, «a las aspiraciones igualitarias de un cierto feminismo colonizado, ya que la igualdad es un principio jurídico, mientras que la diferencia supone una realidad existencial».[60] Afirmaba Lonzi tajante: «La igualdad entre los sexos es el ropaje con el que se disfraza hoy la inferioridad de la mujer.»[61]

De aquella actividad surgieron varias iniciativas, entre ellas, la Librería de Mujeres de Milán y la Biblioteca de Mujeres de Parma, con el propósito de crear espacios para las mujeres en los que se diera a conocer su pensamiento. Mantienen que la ley del hombre nunca es neutral, y que la idea de resol-

59. NASH, Mary, op. cit., pág. 191.
60. SENDÓN DE LEÓN, Victoria, op. cit., pág. 72.
61. LONZI, Carla, *Escupamos sobre Hegel*, Anagrama, Barcelona, 1981, citado en SENDÓN DE LEÓN, op. cit., pág. 72.

ver la situación de las mujeres a través de leyes y reformas generales es descabellada.[62] Lo más característico del feminismo italiano de la diferencia es el término *affidamento*, que se puede traducir como «confiar o dejar una cuestión en manos de otra persona». Con el *affidamento* se crean lazos sólidos entre mujeres otorgándose confianza y autoridad unas a otras. De esta manera, se reconstruye la autoridad femenina inexistente en el patriarcado. Explican que precisamente el patriarcado se basa en la autoridad paterna en detrimento de la materna. Así, el *affidamento* entre mujeres es la práctica social que rehabilita a la madre en su función simbólica. Al recuperar la grandeza materna perdida, su valor simbólico, se podrá construir al mismo tiempo la autoridad social femenina.[63]

FEMINISMO INSTITUCIONAL

El camino de este feminismo se abrió gracias al feminismo internacional de entreguerras que impulsó el Informe Mundial sobre el Estatus de la Mujer, realizado por la Liga de Naciones. Con este informe se cambió completamente la idea de que la situación de las mujeres fuese competencia exclusiva de los gobiernos nacionales. Desde entonces, se convirtió en un asunto asumido por los organismos internacionales. El siguiente paso fue la creación de la Comisión sobre el Estatus de las Mujeres de las Naciones Unidas en 1946.[64]

El feminismo institucional, según en los países donde se ha desarrollado, asume formas distintas. Desde los pactos interclasistas de mujeres a la nórdica —donde se habla de feminismo de estado—, a la formación de *lobbys* o grupos de presión a la americana, hasta la creación de ministerios o institutos in-

---

62. DE MIGUEL, Ana, *Feminismos*, op. cit., págs. 250-251.
63. SENDÓN DE LEÓN, Victoria, op. cit., págs. 72-73.
64. NASH, Mary, op. cit., pág. 161.

terministeriales de la mujer (en España se creó el Instituto de la Mujer en 1983). Al margen de los logros concretos en cada país, el feminismo institucional tiene en común, lo que supone un cambio radical respecto a todos los feminismos anteriores, su apuesta por situarse dentro del sistema. Por un lado, ha traído avances respecto al inmovilismo que suponía la postura anterior de no aceptar los pequeños cambios; por otro, hay quienes consideran incluso que el institucional no es feminismo. Lo cierto es que el asentamiento del feminismo institucional ha supuesto un cambio lento y difícil para todo el feminismo ya que éste es un colectivo que, aparte de su vocación radical —no hay nada más ajeno al feminismo que lo políticamente correcto—, siempre se había desarrollado alejado del poder.[65]

La I Conferencia Mundial de la ONU sobre la Mujer se celebró en Ciudad de México en 1975, el mismo que había sido decretado por Naciones Unidas como Año Internacional de la Mujer.[66] A Ciudad de México acudieron 6.000 mujeres pertenecientes a organizaciones no gubernamentales de ochenta países distintos, con la idea de hablar sobre la formación para el empleo, la planificación familiar y el trabajo. Pero apenas tuvieron oportunidad de hacerlo. Las delegaciones oficiales, muchas de ellas encabezadas por esposas de jefes de estado y compuestas mayoritariamente por hombres, estaban allí para promover sus propios intereses políticos y no los derechos de las mujeres.

A pesar de los tibios avances conseguidos, en México se utilizó la conferencia para hacer «otras políticas», que no eran políticas para las mujeres. Cuando Leah Rabin de Israel se levantó para hablar, las delegaciones de los bloques árabe y comunista abandonaron la sala. Luis Echeverría, a la sazón pre-

65. DE MIGUEL, Ana, *Feminismos*, op. cit., págs. 252-254.
66. Ver en Anexos la lista completa del largo viaje del feminismo institucional.

sidente de México, anunció que la liberación de las mujeres requería la «transformación del orden económico mundial», mientras que los bloques soviético y chino defendieron a ultranza que cualquier plan de acción mundial a favor de la igualdad de las mujeres carecía básicamente de sentido mientras no se acabara con el colonialismo, el neocolonialismo, el racismo y la dominación extranjera.[67]

La dificultad de hacer cualquier cosa concreta para las mujeres a través de las Naciones Unidas quedó aún más claramente de manifiesto en la Conferencia Intermedia Mundial sobre la Mujer celebrada en Copenhague en 1980. Pero en Nairobi, en 1985, las cosas comenzaron a cambiar. Allí se celebró la Conferencia del Tercer Mundo, patrocinada por Naciones Unidas, sobre Mujeres Internacionales (Conferencia Mundial para el Examen y la Evaluación de los Logros del Decenio de las Naciones Unidas para la Mujer: Igualdad, Desarrollo y Paz). A la conferencia de Nairobi, que duró diez días, acudieron cerca de 17.000 mujeres procedentes de 159 países, la mayoría de ellas, para participar en el foro extraoficial, denominado Forum 85.

El movimiento de mujeres surgió en Nairobi con suficiente fuerza como para imponer su propia agenda, con las preocupaciones de las mujeres, a la agenda política masculina. Pero donde se dio realmente el salto definitivo fue en la IV Conferencia Mundial de Mujeres de las Naciones Unidas, que se celebró en Pekín en 1995. Cuarenta mil mujeres de todos los colores acudieron a la capital china, bien como miembros de organizaciones no gubernamentales, bien como delegadas oficiales. Las delegadas y representantes de ONGs y de movimientos de todo el mundo dieron una muestra impresionante de poder en Pekín. Hubo, como siempre, intentos del Vaticano y de los estados musulmanes para evitar la resolución sobre el derecho de las mujeres a controlar su propio sistema repro-

67. FRIEDAN, Betty, *Mi vida hasta ahora*, op. cit., pág. 392.

ductivo, así como una polémica de última hora sobre el derecho de las mujeres musulmanas a caminar sin ocultarse por las calles de sus respectivos países. Pero los reaccionarios se vieron desarmados ante la enorme capacidad política y la habilidad táctica de las delegadas.

El Plan de Acción que resultó al final afirmaba los derechos básicos de las mujeres de todo el mundo a controlar su propia sexualidad y el proceso reproductivo, y consideraba delictivos la mutilación genital y los malos tratos infligidos a las mujeres en la casa o en la calle. El plan exigía que las mujeres tuvieran acceso a la misma educación que los hombres y a créditos bancarios para crear sus propias empresas. También se sugirió que en el producto nacional bruto de todas las naciones se incluyera el cómputo del trabajo no retribuido realizado por las mujeres en sus hogares y en sus comunidades. En Pekín, por primera vez en la historia, se dijo alto y claro y quedó por escrito que los derechos de las mujeres son derechos humanos.

LAS MÁS MODERNAS: ECOFEMINISMO Y CIBERFEMINISMO

Entre la variedad de corrientes dentro del feminismo de los últimos años, quizá las más modernas sean el ecofeminismo y el ciberfeminismo. En el ecofeminismo se aúnan tres movimientos: el feminista, el ecológico y el de la espiritualidad femenina. Así lo define la Women's Environmental Network, la red de mujeres ambientalistas. Aunque también dentro del propio ecofeminismo hay varias corrientes, lo característico es su capacidad de construcción y no sólo de defensa ante el arrollador desarrollismo sexista. En los países del sur, son las mujeres quienes controlan todas las fases del ciclo alimentario. Se calcula que en América Latina y Asia, las mujeres producen más del 50 % de los alimentos disponibles, cifra que en África llega al 80 %. Pero también son ellas quienes se encargan de conseguir el agua y la leña. A cambio, estas mujeres son dueñas del 1 % de la propiedad y su acceso a créditos, ayudas, educación y cultura está tremendamente restringido. Las ecofeministas fueron las primeras en dar la voz de alarma acerca de que la pobreza, cada vez tiene más rostro de mujer.

Las ecofeministas reivindican a Ráchale Carson como «la primera voz», tras haber publicado en 1962 el libro *Primavera silenciosa*. En su obra ya denunciaba cómo los avances tecnológicos precipitaban una crisis ecológica y marcó un nuevo camino frente al riesgo de que la agroquímica industrial pudiera dar a luz a una «primavera silenciosa» sin el canto de pájaros ni el ruido de los insectos. Entre los movimientos del Tercer Mundo más reconocidos está Chipko de la India, difundido por Vandana Shiva, y el Movimiento del Cinturón Verde de Kenia, liderado por Wangari Maathai, ambas premios Nobel alternativos. Maathai también ha sido galardonada con el premio Nobel de la Paz en 2004.

Las ecofeministas, además de desarrollar su propia teoría como corriente feminista y realizar estudios sobre dioxinas, contaminación o nuevas técnicas agroquímicas, son tremendas activistas. El movimiento Chipko (en hindi significa «abrazar») nació cuando las mujeres se opusieron a la deforestación en el estado indio de Uttar Pradesh, en los años setenta. Las mujeres se abrazaban a los árboles para evitar que fueran cortados. La campaña culminó en 1980 cuando el gobierno indio dio su aprobación a una moratoria en la tala de árboles. El movimiento entonces inició una campaña masiva de plantación.[68]

El Cinturón Verde, programa creado en 1977 por Wangari Maathai, combina el desarrollo comunitario con la protección medioambiental. Maathai se puso en marcha ante la reflexión de que «no podemos esperar sentadas a ver cómo se mueren nuestros hijos de hambre». Desde entonces, las mujeres del

---

68. BIGUES, Jordi, «El ecofeminismo», publicado en http://www.elsverds.org/.

Cinturón Verde han plantado 30 millones de árboles y creado 5.000 guarderías.

Internet está siendo una herramienta fundamental en el desarrollo del feminismo. Por un lado, como medio de comunicación alternativo: se elaboran informaciones propias, permite distribuir información de forma masiva e inmediata, se debaten propuestas o nuevos planteamientos, conecta al movimiento mundial y es posible acceder a través de la red a textos, biografías o documentos que no se encuentran en los circuitos comerciales. Por otro lado, la red es el instrumento perfecto para organizar campañas tanto locales como mundiales entre un colectivo siempre falto de tiempo y de recursos. Además, en Internet se están proponiendo nuevas formas de creatividad feminista que por añadidura son fácilmente compartidas. Así, se puede hablar de una potente corriente, el ciberfeminismo que, como mínimo, tiene tres ramas desarrollándose con fuerza: la creación, la información alternativa y el activismo social.

Fue en Australia, en 1991, donde el grupo de artistas denominado VNS Matrix, acuñó el término de ciberfeminismo. Una de sus primeras acciones fue el diseño de un anti-videojuego desde la óptica feminista. Sus primeras instalaciones tenían formato electrónico, fotografía, sonido y video. Su propuesta consiste en utilizar la tecnología para la subversión irónica de los estereotipos culturales. Esta rama del ciberfeminismo pretende, por medio de las nuevas tecnologías, construir una identidad en el ciberespacio alejada de los mitos masculinos. Las raíces teóricas parten del feminismo francés de la tercera ola. El movimiento se consolidó en el Primer Encuentro Internacional Ciberfeminista, el 20 de septiembre de 1997 —organizado por las OBN, colectivo liderado por la alemana Cornelia Sollfrank— en el seno de la Documenta X, una de las muestras internacionales de arte contemporáneo más relevantes, celebrada en Kassel (Alemania). El ciberfeminismo se define a sí mismo como fresco, desvergonzado, ingenioso e iconoclasta y no le falta razón. Desde su punto de vista, el ciberespacio es un mundo crucial para la lucha de género.

Una segunda rama se inició en el desarrollo de la perspectiva de género y el uso estratégico de las redes sociales electrónicas. Este ciberfeminismo social surgió en 1993 en la Asociación para el Progreso de las Comunicaciones donde se creó el grupo APC-mujeres con la intención de utilizar las nuevas tecnologías para el empoderamiento de las mujeres en el mundo. La australiana Karen Banks, desde el servidor GreenNet en Londres, y la periodista británica Sally Burch, desde la agencia alternativa de información ALAI en Ecuador, serán sus promotoras.[69]

El primer éxito del ciberfeminismo social se vivió en la IV Conferencia Mundial de Mujeres en Pekín, donde un equipo de 40 mujeres de 24 países creó un espacio electrónico con información de lo que ocurría en la capital china en 18 idiomas, que contabilizó 100.000 visitas en su página web. Teniendo en cuenta la poca o nula cobertura informativa de estos encuentros, según los países, la experiencia fue positiva y reveladora. Puesto que el feminismo está ausente en los grandes medios de comunicación, en Internet se encuentra el mejor instrumento para comunicar y comunicarse. A partir de Pekín, fue una realidad que las redes electrónicas ofrecen una nueva dimensión a la lucha y el trabajo feminista. Quizás el mejor ejemplo fue la Marcha Mundial de Mujeres del año 2000, organizada por las feministas canadienses y que movilizó a millones de activistas de todo el mundo en torno a dos ejes fundamentales de la lucha feminista: la pobreza y la violencia de género.[70]

69. BOIX, Montserrat, «Feminismos, comunicación y tecnologías de la información», en http://www.nodo50.org/mujeresred/.

70. BOIX, Montserrat, «La comunicación como aliada. Tejiendo redes de mujeres», en BOIX, M., FRAGA, C., SENDÓN, V., *El viaje de las internautas. Una mirada de género a las nuevas tecnologías*, Madrid, AMECO, 2001, pág. 51.

LA NUEVA TAREA: NOMBRAR Y DESENMASCARAR

A partir de la década de los setenta, las feministas, todas, se pusieron manos a la obra y así han seguido, sin pausa, hasta estos primeros años del siglo XXI. Trabajan con la pasión que infunde la verdad personal. Reconquistada la libertad que les había sido arrebatada —aunque no para todas ni en todo el mundo—, estaban puestas las bases para despegar. El primer ejercicio de poder que otorgaba esa nueva libertad fue nombrar y desenmascarar. Había una tarea ingente por delante: torpedear y desmontar todas las «falacias viriles».

Cada grupo, desde su realidad, corriente dentro del feminismo y formación, empezó a desgranar los temas: la sexualidad femenina, el aborto y los derechos reproductivos, la salud femenina, el control de natalidad, la nutrición, los deportes, la investigación científica y farmacéutica, el embarazo, el parto y la maternidad. Estudiando el cuerpo y las relaciones de poder que todo lo impregnan cuando hablamos de mujeres, se reveló el grave problema de la violación y su práctica habitual en el control de las mujeres. De hecho, nombrar entonces la violencia dentro de la familia fue un paso decisivo para su inicial reconocimiento. En los setenta, las feministas ya habían identificado de forma clara el maltrato y la violencia contra las mujeres, aunque se haya tardado décadas en trasladar todos estos conocimientos a la sociedad y en convencer a los poderes públicos de que es un problema de estado de urgente solución.

En la misma línea, se desenmascararon las trampas del lenguaje, la sesgada visión sexista de los medios de comunicación, la ultrajante representación de las mujeres en la publicidad, las diferencias de salario, los déficits en los servicios sociales, las exclusiones de la historia, las mentiras de las ciencias sociales, las carencias de las ciencias experimentales... En definitiva, se dijo con rotundidad que ya no es posible, con rigor académico, considerar como universal y neutral un punto de vista unilateral, el masculino. Llegadas al siglo XXI, «lo que nos une» y queda pendiente para todas las mujeres, de todos los rincones del mundo, es hacer realidad que los derechos de las mujeres son derechos humanos.

Todo esto, más la creación de nuevos modelos de relaciones personales e íntimas y de diferentes opciones de vida para las mujeres, fue posible gracias a la impertinencia, inteligencia y valor de las mujeres de la Revolución francesa, de las sufragistas, de las feministas de todas las clases: utópicas, anarquistas, socialistas, marxistas, radicales, ilustradas, de la diferencia... de todas las razas y de todos los países, ricas y obreras, asalariadas y amas de casa que supieron que la vida, además de vivirla, está para disfrutarla.

5

FEMINISMO EN ESPAÑA

De la clandestinidad al gobierno paritario

> Hay mucha prevaricación masculina en la historia humana, que parece una historia sólo de hombres.
>
> LUISA MURARO

«¡Españoles! Franco ha muerto», dijo el presidente Arias Navarro. Y a los dieciséis días, las españolas celebraban las Primeras Jornadas por la Liberación de la Mujer. ¡Dieciséis días! tardaron en organizarse. Durante los días 6, 7 y 8 de diciembre de 1975, quinientas mujeres llegadas de todos los rincones del país se concentraban en Madrid de forma clandestina. Nacía el movimiento feminista en España. No tenían tiempo que perder y mucho trabajo por delante.

«TODAS LAS MUJERES CONCIBEN IDEAS, PERO NO TODAS CONCIBEN HIJOS»

Que en España no haya habido, hasta la muerte de la dictadura franquista, un sufragismo fuerte ni un gran movimiento de mujeres no quiere decir que históricamente no hubiera pequeños grupos organizados ni mujeres rebeldes que se negaran a vivir un destino no deseado, diseñado por otros para ellas. La gallega Concepción Arenal fue la primera que disfrutó de la reclamación por excelencia de todas las feministas: educación superior. Concepción Arenal nació en El Ferrol (La Coruña) en 1820 y decidió que estudiaría derecho en la Universidad de Madrid. Para ello, se vistió de hombre y acudió como alumna oyente. Teniendo en cuenta que la abolición definitiva de la Inquisición se produjo en 1834, lo de Concepción Arenal fue más que un acto de rebeldía.

Ella misma se consideraba una reformista y así, toda su vida, hizo lo que quiso con inteligencia, audacia y sorteando una dificultad tras otra. El precio: esconder que era una mujer. En 1860 escribió *La beneficencia, la filantropía y la caridad*, obra de tal envergadura que mereció el premio de la Real Academia de Ciencias Morales y Políticas. La presentó a concurso con el nombre de su hijo Fernando, al sospechar que los académicos no iban a conceder el galardón a una mujer. Académicos y público se quedaron pasmados cuando fue a recoger el premio un niño de diez años, cogido de la mano de su madre. Aunque lo intentaron, ya no podían echarse atrás, así que Concepción Arenal se convirtió en la primera mujer premiada por una Academia.[1]

Concepción Arenal continuará usando ropas masculinas tras casarse con Fernando García Carrasco para acudir juntos a las tertulias que por aquel entonces se celebraban en Madrid. Arenal conseguía de esta manera no ser importunada. El matrimonio también comparte las colaboraciones periodísticas en el diario *La Iberia* hasta que Fernando García enferma de tuberculosis y es ella quien escribe los artículos, firmados con el nombre de su marido. Cuando queda viuda,

1. TELO, María, *Concepción Arenal y Victoria Kent, Las prisiones. Vida y obra*, Instituto de la Mujer, Madrid, 1995, pág. 25.

su mejor amigo demuestra al director del periódico que era ella quien realmente escribía y, por lo tanto, lo justo de mantenerle el trabajo —y el sueldo—, único ingreso con que contaba para ella y sus dos hijos. El director acepta pero, en lugar de las dos onzas de oro que recibía su marido, decide pagarle la mitad.[2]

Los derechos de las mujeres y la situación en las prisiones son dos de los temas que más preocupan a Concepción Arenal y que estudia abundantemente en sus libros. En 1865 publica *Cartas a los delincuentes*, considerada una obra pionera en la que trata de demostrar que la delincuencia es resultado de la marginación social. Tres años más tarde, en 1868 da a conocer *La mujer del porvenir*, uno de los estudios más lúcidos de la época sobre la situación subalterna de la mujer, que fue seguido en obras posteriores por autoras como Emilia Pardo Bazán. En 1884, completa su trabajo con *El estado actual de la mujer en España*.[3]

Hacía sólo dos años, en octubre de 1882, que Dolores Aleu había defendido su tesis doctoral ante el tribunal que la examinaba en la Universidad Central de Madrid, con estas palabras:

Hago uso de un derecho ya indiscutible, por más que —y esto es lamentable—, tenga límites en un corto número de españolas. [...] Parece increíble que haya quien crea y diga que la instrucción de la mujer es un peligro. [...] Hágase, si no, la prueba: póngase al niño y a la niña en las mismas condiciones, tanto de instrucción como de educación, tanto del medio como de los alimentos, tanto de los hábitos como de las preocupaciones sociales, y creo que nos en-

2. CABALLÉ, Anna (ed.), *La vida escrita por las mujeres, III. La pluma como espada. Del Romanticismo al Modernismo*, Lumen, Barcelona, 2004, pág. 522.
3. Ibídem, págs. 524-525.

contraremos con mujeres que saldrán buenas y otras que serán inútiles, lo mismo que pasa con los hombres.[4]

Dolores Aleu se convertía en la primera mujer doctorada tras haberse licenciado en Medicina. Aleu fue coetánea de Emilia Pardo Bazán, la gran rebelde. Fue Pardo Bazán la primera mujer en recibir una cátedra de Literatura en la Universidad Central de Madrid —que nunca pudo ejercer—, y la que más sacó los colores a la Real Academia Española. La institución era un cortijo masculino en el que se hacía y decidía sobre la lengua de todos y todas. Por sus respuestas ante las peticiones de ingreso, parece que el conocimiento, saber y reconocimiento de las mujeres no le importaba lo más mínimo. Antes que Pardo Bazán ya habían intentado entrar Gertrudis Gómez de Avellaneda y Concepción Arenal. Ninguna lo consiguió. La Real Academia Española permaneció cerrada a las mujeres ¡300 años!, hasta 1981, cuando Carmen Conde, por fin, rompe el abuso. Pero ninguna aspirante fue tan explícita como Pardo Bazán: «Que se otorgue al mérito lo que es sólo del mérito y no del sexo.»

Había nacido Emilia Pardo Bazán en La Coruña en 1851. Fue hija única de una familia con economía desahogada y con 17 años ya estaba casada con José Quiroga, con quien tendrá un hijo y dos hijas. Las filias y fobias políticas de su padre llevaron al joven matrimonio de Galicia a Madrid y de allí por media Europa. Cuando en 1873 la familia regresa a Madrid, Emilia Pardo Bazán tiene 22 años y ya ha aprendido inglés, francés y alemán. La escritora comienza a publicar novelas con reconocimiento del público hasta que escribe unos artículos sobre el naturalismo que resultan muy polémicos y la colocan en el centro de todas las críticas. No sólo literarias, claro: se le

4. ALEU, Dolores. *De la necesidad de encaminar por nueva senda la educación higiénico-moral de la mujer*, Barcelona, La Academia, 1883, citado en LAFUENTE, Isaías, *Agrupémonos todas*, Aguilar, Madrid, 2003, pág. 19.

reprocha que esté casada, que tenga hijos, que sea mujer, en definitiva. La presión es tal que su marido, hasta entonces cómplice y admirador de su obra, le exige que abandone la literatura. Pardo Bazán elige abandonarlo a él y el matrimonio se separa.

La primera novela de la escritora tras esa ruptura es *La tribuna*, una obra novedosa y sólidamente documentada que defiende los derechos de las cigarreras, una actividad industrial ocupada en España masivamente por mujeres. Tras ésta publicará *Los pazos de Ulloa*, su mejor trabajo. Emilia Pardo Bazán vivió y escribió hasta su muerte, en 1921, para ser libre y económicamente independiente. Como a todas las rebeldes, ser mujer no le resultó un hecho sin importancia. En 1890, publica *La mujer española*, una compilación de artículos en los que trata, entre otros, los temas de la educación y la maternidad. Sobre el primero, se distancia de quienes defienden la educación femenina para que las mujeres puedan ser mejores madres e instruir mejor a sus hijos:

... considero altamente depresivo para la dignidad humana el concepto del destino relativo, subordinado al ajeno. La instrucción y cultura racional que la mujer adquiera, adquiéralas en primer término para sí, para desarrollo de su razón y natural ejercicio de su entendimiento.

Y sobre la maternidad, rotunda y lúcida escribe:

Además de temporal, la función (de la maternidad) es adventicia: todas las mujeres conciben ideas, pero no todas conciben hijos. El ser humano no es un árbol frutal, que sólo se cultive por la cosecha.[5]

5. CABALLÉ, Anna (ed.), op. cit., págs. 553-555.

Se cerraba el siglo XIX con las españolas entrando en la universidad y en las artes, aunque el mundo del conocimiento permanecía sin conquistar puesto que los intelectuales de la nación aún aceptaban muy mal la competencia en el feudo del saber. La enorme cultura y la insaciable curiosidad de Emilia Pardo Bazán no siempre fueron reconocidas con admiración. La sociedad la calificó, a modo de insulto, de heterodoxa, atea, pornográfica, naturalista y feminista.

Resultan curiosos los celos que manifiesta Menéndez Pelayo a Emilia Pardo Bazán —en una carta a su amigo Juan Valera—, que a falta de defectos que poner en cuestión, la acusa de lo que en los hombres era reconocido como muy meritorio: «Hay en todo esto cierta inofensiva pedantería que a mí me hace gracia y que nace principalmente del prurito de aparecer siempre al tanto de la última palabra del arte y de la ciencia.»[6]

«¿POR QUÉ SE HA DE CONTINUAR LLAMÁNDONOS SEXO DÉBIL?»

Los varones no sólo aceptaron mal la competencia intelectual, lo mismo ocurrió en las fábricas. En esa época, en la que las españolas comenzaban una a una a asomarse por la universidad, miles de mujeres ya trabajaban en la industria en condiciones de extrema dureza. Aunque España permanecía ajena a las ideas más modernas o renovadoras, la industrialización que comenzó de forma tímida también a finales del siglo XIX incorporó masivamente a las mujeres.

La tremenda situación en la que se encontraban las trabajadoras quedó reflejada en los informes de la Comisión de Reformas Sociales creada en 1883. Según éstos, las mujeres trabajaban entre doce y catorce horas diarias en condiciones infrahumanas, en centros industriales con pésimas condiciones higiénicas

6. Ibídem, pág. 37.

y, en la mayoría de los casos, situados a kilómetros de distancia de sus hogares.[7]

Así las cosas, ese mismo verano se convoca en Sabadell la llamada «Huelga de las siete semanas», que movilizó a miles de trabajadoras y en la que destacó Teresa Claramunt, una de las primeras obreras españolas con discurso feminista. A Claramunt se la recuerda como militante destacada del Movimiento Libertario Español y como fundadora de un grupo anarquista de trabajadoras de la rama textil. Su actividad cesó tras sufrir una dura represión. En 1891, contrajo una parálisis en la cárcel que le impidió continuar su lucha obrera. Aún así, en 1929 habló por última vez en un mitin. Pero ya en 1899, Teresa Claramunt escribía:

En el orden moral, la fuerza se mide por el desarrollo intelectual, no por la fuerza de los puños. Siendo así, ¿por qué se ha de continuar llamándonos sexo débil? [...] El calificativo parece que inspira desprecio; lo más, compasión. No, no queremos inspirar tan despreciativos sentimientos; nuestra dignidad como seres pensantes, como media humanidad que constituimos, nos exige que nos interesemos más y más por nuestra condición en la sociedad. En el taller se nos explota más que al hombre, en el hogar doméstico hemos de vivir sometidas a capricho del tiranuelo marido, el cual, por el solo hecho de pertenecer al sexo fuerte, se cree con derecho de convertirse en reyezuelo de la familia (como en la época del barbarismo). [...] Hombres que se apellidan liberales los hay sin cuento. Partidos, lo más avanzado en política, no faltan; pero ni los hombres por sí, ni los partidos políticos avanzados se preocupan lo más mínimo por la dignidad de la mujer.[8]

7. LAFUENTE, Isaías, op. cit., pág. 33.
8. CLARAMUNT, Teresa, «A la mujer», *Fraternidad*, número 4, Gijón, 1899, citado en LAFUENTE, Isaías, op. cit., págs. 34-35.

La reacción a esta primera protesta colectiva de mujeres trabajadoras en Sabadell no se hizo esperar. En España, el siglo XX comenzaba con la Ley de Trabajo de Mujeres y Niños, promulgada en 1900. Fue la primera de una serie de medidas legislativas que limitaron el trabajo de las mujeres en la industria. Como bien habían dicho las feministas socialistas europeas, no se trataba de proteger a las mujeres, sino de echarlas del trabajo remunerado. Sus compañeros, en vez de defender que a igual trabajo igual salario y con ello evitar que a las mujeres se les bajaran los sueldos y no fuesen competencia ilícita y, de paso, que el trabajo se repartiera por igual entre hombres o mujeres, optaron por lo contrario. Los trabajadores hicieron huelgas, entre ellas las de varias fábricas de pasta de Barcelona donde llegaron a estar cuatro meses sin trabajar hasta que consiguieron expulsar a las mujeres.[9]

Pero las obreras debieron pensar algo similar a lo dicho ya en 1846 por Carolina Coronado sobre las mujeres en el arte: «Es inútil que decidan si la poetisa debe o no existir porque no depende de la voluntad de los hombres.»[10] En 1930, eran el 12,6 % del total de la mano de obra. Las condiciones sociales para ellas también fueron tremendamente restrictivas. Su vida laboral terminaba a los 25-30 años, cuando por matrimonio o nacimiento de los hijos eran obligadas a abandonar el trabajo asalariado y dedicarse por entero a la familia. Sus empleos se consideraban subsidiarios a los del esposo y para ellas, las opciones profesionales estaban limitadas.

En todos los campos las puertas estaban cerradas para las mujeres pero éstas demostraron una audacia insólita. Recoge Isaías Lafuente una atrevida historia de amor que da fe de la valentía de las mujeres jugándose el tipo contra las imposiciones fueran del orden que fueran. Ocurrió en la parroquia de San Jorge, en La Coruña, donde dos maestras gallegas, Marcela

9. Ibídem.
10. CABALLÉ, Anna, op. cit., pág. 9.

Gracia y Elisa Sánchez vivieron una intensa relación amorosa. Se habían conocido de adolescentes en la escuela y al percibir los padres de Marcela que algo extraño ocurría, fueron separadas. Pero al terminar la carrera ambas amigas fueron destinadas a aldeas vecinas de Galicia: Elisa a Calo; Marcela, a Dumbría, donde ocupó la casa-escuela que el pueblo dejaba a disposición de su maestra. Durante dos años, cada noche, Elisa recorría a pie los doce kilómetros que separan las aldeas para dormir con Marcela. Cansadas de la clandestinidad, Elisa se convirtió en Mario. Masculinizó su aspecto, vistió pantalones y se inventó un pasado: infancia en Londres, padre ateo que no quiso bautizarlo de niño... Consiguió convencer al padre Cortiella, párroco de San Jorge para que lo bautizase y le diese la primera comunión y, convertida ya en Mario, el 8 de junio de 1901, a las siete y media de la mañana, se celebró la boda. La primera noche como marido y mujer la pasaron en la pensión de Corcubión. Fue *La Voz de Galicia* quien publicó el engaño, lo que hizo que el *matrimonio* tuviera que marcharse del pueblo primero y del país después, tras haber sido dictada una orden de busca y captura contra ellas.

Nadie sabe cómo terminó su viaje —en Oporto embarcaron rumbo a América—, pero en la historia queda la valentía de dos mujeres que se enfrentaron a todas las normas que las obligaban a vivir como no eran ni querían.[11]

EL ÁNGEL DEL HOGAR

Y es que las españolas, todas, por decreto, tenían que ser ángeles, eso sí, ángeles recluidos en sus hogares. Cuando comienza el siglo XX y prácticamente hasta que Clara Campoamor, casi en solitario, hace del derecho al voto femenino un derecho irrenunciable, en España sólo existía un modelo feme-

11. LAFUENTE, Isaías, op. cit., págs. 41-43.

nino aceptado socialmente. Se consideraba que la mujer era inferior por su debilidad física y psíquica y por lo tanto, estaba justificada su permanente tutela por un varón. Primero el padre, luego, el marido, porque lo adecuado era estar casada y ser madre, el único objetivo vital. Ser una mujer soltera era lo peor que podía ocurrir y sólo el convento se aceptaba como alternativa.

Además de estas obligaciones sociales y de servicio hacia los demás, las mujeres también tenían obligaciones de carácter. Todas debían ser obedientes, abnegadas, humildes y cariñosas. Todas debían estar siempre dispuestas y disponibles para las atenciones que requirieran el resto de los miembros de la familia y una única virtud era inexcusable: tener probada honradez o, en palabras de Pardo Bazán, «poseer o simular poseer una única virtud, la castidad».[12]

Este ideal de «ángel del hogar» era defendido tanto por los discursos teológicos como científicos y cuestionado por obreras y feministas. Como las contradicciones se hicieron evidentes, se modeló el ideal y el discurso patriarcal para adaptarlo a los nuevos tiempos: el concepto de inferioridad natural quedó en desuso y se sustituyó por el de las diferencias biológicas y psicológicas entre hombres y mujeres. De esta manera, con un nuevo vocabulario y nuevos conceptos, el fin es el mismo: hombres y mujeres tienen distintos derechos y capacidades. Por lo tanto, las mujeres pueden trabajar y recibir un educación que les permita sobrevivir en caso de necesidad, pero el matrimonio y la maternidad continúan siendo su prioridad y su fin vital.[13] España entró en el siglo XX con un altísimo nivel de analfabetismo. Entre las mujeres, la cifra se elevaba al 71 %. De ahí que en las tres primeras décadas del siglo la educación fuera un gran campo de batalla y de trabajo.

12. CAPEL, Rosa María, «La mujer en España. De la "Belle Époque" a la Guerra Civil», en *El voto de las mujeres. 1877-1978*, Universidad Complutense, Madrid, 2003, págs. 59-60.
13. Ibídem, pág. 60.

Intelectuales, modernas y sufragistas en el Lyceum Club

El primer paso se consiguió en 1910. Después de tanta rebeldía desde Concepción Arenal, por fin, las españolas pueden asistir a la universidad. En los años siguientes se irán abriendo, sucesivamente, la Residencia de Estudiantes —defiende idéntica educación para hombres y mujeres—, la Junta de Ampliación de Estudios e Investigaciones Científicas —gracias a sus becas por primera vez muchas españolas se forman en el extranjero—, el Instituto Internacional de Madrid y, posteriormente, la Residencia de Estudiantes para Mujeres. Con la apertura de todas estas instituciones, jóvenes como María de Maeztu o Victoria Kent, por ejemplo, recibieron una extraordinaria formación.

Pero además, el sufragismo no había sucedido en vano. Aunque en muchos países como España apenas se vivió, dejó un halo de libertad tras de sí que modificó la vida de pequeñas elites de mujeres en toda Europa. Se conjugaron los deseos de libertad de las mujeres con pequeñas modificaciones legales de los respectivos gobiernos obligados a seguir el ritmo social. España no fue un excepción. Así, en 1918 coinciden dos hechos importantes. Por un lado, se aprueba el estatuto de funcionarios públicos, que permite el servicio de la mujer al estado —sólo en las categorías de auxiliar—. Clara Campoamor —en Correos— y María Moliner —en el Cuerpo de Archiveros y Bibliotecarios—, fueron de las primeras mujeres que aprovecharon esta rendija para acceder a un empleo.

Y en ese mismo año, el 20 de octubre, un grupo de mujeres se reúnen en el despacho de María Espinosa de los Monteros —una mujer dedicada a sus propios negocios—, y constituyen la Asociación Nacional de Mujeres Españolas (ANME). En ella se integra un grupo heterogéneo de mujeres de clase media, maestras, escritoras, estudiantes y esposas de profesionales entre las que estaban María de Maeztu, Clara Campoamor, Victoria Kent, Elisa Soriano o Benita Asas. La ANME se coordina con otros grupos de mujeres y juntas forman el Consejo Supremo Feminista de España.

Siguiendo esta onda expansiva surgirán otras organizaciones: la Unión de Mujeres de España, la Juventud Universitaria Feminista, Acción Femenina —creada en Barcelona—, o la Cruzada de Mujeres Españolas, donde destaca la periodista Carmen de Burgos. Y fueron ellas, las agrupadas en la Cruzada de Mujeres Españolas, quienes organizaron el primer acto público feminista en España: en la primavera de 1921 se celebra la primera manifestación de las feministas españolas. Las militantes recorrieron el centro de Madrid repartiendo un manifiesto a favor del derecho al voto de las mujeres. El texto estaba firmado por un amplio grupo, desde Pastora Imperio a la marquesa de Argüelles o las Federaciones Obreras de Alicante. Mientras, el sistema político de la Restauración agonizaba. El golpe de estado de Primo de Rivera, el 13 de septiembre de 1923, definitivamente acabó con él estableciendo una dictadura militar.

La presentación que hizo Primo de Rivera de su régimen es antológica: «Este movimiento es de hombres. El que no sienta la masculinidad completamente caracterizada, que espere en un rincón, sin perturbar los días buenos que para la patria preparamos.»[14] Tras esa declaración de principios, respecto a las mujeres el general opta por el paternalismo. Así que, paradójicamente, fue con la dictadura de Primo de Rivera —en septiembre de 1923—, cuando se promulgó el Estatuto Municipal, que otorgó el voto a las mujeres... salvo a las casadas —la mayoría—, con el fin, aseguraban, de evitar discusiones en los hogares. Es decir, un voto que no era para todas y además no sirvió para nada porque no se pudo ejercer durante la dictadura. Salvo en una especie de simulacro electoral con el que el

14. DOMINGO, Carmen, *Con voz y voto. Las mujeres y la política en España (1931-1945)*, Lumen, Barcelona, 2004, págs. 36-37.

dictador pretendía reforzar su régimen. Este amago de referéndum se celebró el 11 de septiembre de 1926 y en él se permitió, por primera vez, participar a todos los españoles mayores de 18 años, sin distinción de sexo. Como diría Clara Campoamor, años después: «Lo que la dictadura le concedió a la mujer fue la igualdad en la nada.»[15]

Es en ese ambiente paternalista y falto de libertades en el que se abre el Lyceum Club, en 1926. Lo fundó María de Maeztu con el grupo de mujeres que se reunían en la Residencia de Señoritas, creada para suplir la falta de un espacio público cultural. El Lyceum fue concebido como un lugar de debate y reflexión similar a los clubes de mujeres que existían por Europa. En él se reunían las dos generaciones de españolas que protagonizaron los primeros pasos de la rebeldía. María de Maeztu, María Goyri, Victoria Kent, Isabel de Oyarzábal (escritora y diplomática que firmaba entonces con el pseudónimo de Beatriz Galindo), María Lejárraga, Margarita Nelken... El Lyceum fue respetado y criticado casi en la misma medida. Mientras que los medios de comunicación generalmente recurrían a sus socias pidiendo opinión sobre determinados asuntos, algunos personajes públicos llegaron a calificarlo como «el club de las maridas» por el número de esposas de hombres ilustres que allí se reunían. Claro que las «maridas» no eran menos ilustres que ellos. Allí estaba, por ejemplo, Zenobia Camprubí, esposa de Juan Ramón Jiménez. Cuando Camprubí llegó a España, hablaba inglés y francés además de castellano. Había traducido la obra del Premio Nobel hindú Rabindranath Tagore y disfrutaba de una desahogada situación económica. De hecho, fue ella quien mantuvo económicamente a la pareja gracias a su trabajo. También se reunía en el Lyceum la esposa de Gobera, Encarnación Aragoneses, que con el pseudónimo de Elena For-

15. CAMPOAMOR, Clara, *Mi pecado mortal. El voto femenino y yo.* Instituto Andaluz de la Mujer. Junta de Andalucía, Sevilla, 2001, citado en LAFUENTE, Isaías, op. cit., pág. 63.

tún, fue la creadora de Celia.[16] Y María Lejárraga, brillante mujer que durante toda su vida escribió las obras que firmaba su marido, Gregorio Martínez Sierra. Lo cierto es que el Lyceum se convirtió en un referente intelectual y una bandera de la independencia de las mujeres.

CLARA CAMPOAMOR: EL DERECHO AL VOTO

La primera iniciativa sobre el derecho de las mujeres al voto en España llegó en 1907. En ese año se presentaron dos propuestas. Ninguna de ellas planteaba para las mujeres iguales condiciones que para los varones, pero así y todo, sólo nueve diputados votaron a favor. Un año después, siete diputados republicanos vuelven a proponer una enmienda también muy limitada: las mujeres podrían votar en las elecciones municipales —pero no ser elegidas—, y sólo las mayores de edad emancipadas y no sujetas a la *autoridad* marital. La propuesta también fue rechazada.

En 1919, el diputado conservador Burgos Mazo lo intenta de nuevo. Aunque su proyecto de ley electoral era limitadísimo. Otorgaba el voto a todos los españoles de ambos sexos y mayores de 25 años, pero impedía que las mujeres pudieran ser elegibles. Remataba la propuesta estableciendo dos días para celebrar los comicios, uno para los hombres y otro para las mujeres. Ni siquiera fue debatida. Después llegaría el simulacro del régimen de Primo de Rivera.

Una vez acabada la dictadura militar e instaurada la Segunda República, el ministro de Gobernación, Miguel Maura, sale por la tangente y apuesta por el pragmatismo frente a la justicia. El ministro dicta un decreto para regular las elecciones para diputados de la Asamblea Constituyente en el que decide para las mujeres el sufragio pasivo, es decir, no podían elegir

16. LAFUENTE, Isaías, op. cit., págs. 73-76.

pero podían ser elegidas. No podían votar, pero podrían legislar. De los 470 escaños, sólo tres mujeres obtuvieron acta de diputadas en aquellas elecciones de junio de 1931: Clara Campoamor, por el Partido Radical y Victoria Kent, por el Partido Radical Socialista. La tercera, Margarita Nelken, que se presentó con el PSOE, tuvo que esperar a tener la nacionalidad española —aunque había nacido en Madrid, era hija de alemanes emigrados a España— para incorporarse. Lo hizo meses después.

Tres entre 470, pero aún así, molestaban. Incluso al mismísimo presidente de la República. Manuel Azaña escribe en sus diarios, con fecha de 5 de enero de 1932, lo siguiente:

> Esto de que la Nelken opine en cosas de política me saca de quicio. Es la indiscreción en persona. Se ha pasado la vida escribiendo sobre pintura y nunca me pude imaginar que tuviese ambiciones políticas. Mi sorpresa fue grande cuando la vi candidata por Badajoz. Ha salido con los votos socialistas derrotando a Pedregal; pero el Partido Socialista ha tardado en admitirla como diputado. Se necesita vanidad y ambición para pasar por todo lo que ha pasado la Nelken hasta conseguir sentarse en el Congreso. [...] La Campoamor es más lista y más elocuente que la Kent, pero también más antipática.[17]

Por mucho que le disgustara al presidente Azaña, la presencia de la «antipática» Clara Campoamor en los debates parlamentarios resultó determinante para que la Constitución de 1931 no discriminara a las mujeres. Los compiladores del proyecto se habían mostrado cicateros respecto a la cuestión de la igualdad de los sexos y habían sugerido la siguiente redacción:

17. DOMINGO, Carmen, op. cit., págs. 86-87.

No podrán ser fundamento de privilegio jurídico: el nacimiento, la clase social, la riqueza, las ideas políticas y las creencias religiosas. Se reconoce en principio la igualdad de derechos de los dos sexos.

Clara Campoamor protestó con ironía ese «en principio» tan poco convincente:

> Se trata simplemente de subsanar un olvido en que, sin duda, se ha incurrido al redactar el párrafo primero de este artículo. Se dice en él que no podrán ser fundamento de privilegio jurídico el nacimiento, la clase social, la riqueza, las ideas políticas y las creencias religiosas. Sólo por un olvido se ha podido omitir en este párrafo que tampoco será fundamento de privilegio el sexo.[18]

Finalmente, consiguió que se enmendara el artículo hasta quedar como sigue:

> No podrán ser fundamento de privilegio jurídico: la naturaleza, el sexo, la filiación, la clase social, la riqueza, las ideas políticas, ni las creencias religiosas. (Artículo 25.)

Después, defendió el voto femenino. Era el 1 de septiembre de 1931. Clara Campoamor convenció con su último discurso a una mayoría de diputados. Resultado final: 161 votos a favor, 121 en contra. Quienes votaron contra el sufragio femenino fueron Acción Republicana, el Partido Radical Socialista, de Victoria Kent, y el Partido Radical, de Clara Campoamor, que no consiguió persuadir ni a uno solo de sus cincuenta compañeros. Por el contrario, votaron a favor los diputados de la derecha, pequeños partidos republicanos y nacionalistas y el

18. Ibídem, pág. 99.

PSOE, aunque con cualificadas excepciones, como la de Indalecio Prieto.

El hecho de que Clara Campoamor defendiera el sufragio femenino y de que Victoria Kent se opusiera, provocó burlas y chanzas. Como escribiera María Teresa León años después sobre los lances protagonizados por las mujeres, «casi siempre tomados a broma por los imprudentes».

La disputa se centraba sobre si el momento era el oportuno o no. Victoria Kent propuso que se aplazara la concesión del voto a las mujeres. No era, decía, una cuestión de la capacidad de la mujer, sino de oportunidad para la República. El momento oportuno sería al cabo de algunos años, cuando las mujeres pudiesen apreciar los beneficios que les ofrecía la República. Clara Campoamor replicaba diciendo que las mujeres habían demostrado sentido de la responsabilidad social y que sólo aquellos que creyesen que las mujeres no eran seres humanos podían negarles la igualdad de derechos con los hombres. Advirtió a los diputados de las consecuencias de defraudar las esperanzas que las mujeres habían puesto en la república.

Clara Campoamor declaraba en una entrevista:

¿No hemos quedado que el voto es la expresión de la voluntad popular? ¿Es que acaso el pueblo son sólo los hombres? Mal podríamos decir que nuestra república es el fruto del deseo de toda España, si pudiésemos sospechar que la otra parte de la sociedad española, las mujeres, no están de acuerdo.[19]

Pero no acabó ahí la lucha por el sufragio. Cuentan las crónicas periodísticas que se armó un buen guirigay entre los casi quinientos diputados el día de la votación y que muchos quedaron menos que conformes. Así que, dos meses después del

19. Ibídem, pág. 22.

debate, un representante de Acción Republicana volvió a la carga. Redactó una enmienda en la que proponía que las mujeres pudieran votar en las elecciones municipales, pero no en las generales. A lo que de nuevo contestó Campoamor con apasionadas palabras:

> Lo que os pasa es que medís al país por vuestro miedo; os ocupáis de lo accesorio, y no de lo verdaderamente sustantivo, y englobáis a todas las mujeres en la misma actitud, acaso —y yo no ofendo a los diputados, sino que contemplo la situación del país—, mirándola por la intimidad de vuestra vida, en que no habéis sabido hacer la separación entre religión y política. Y voy ahora al argumento para mí más claro, en defensa de mi punto de vista. Decís que la mujer no tiene preparación política. Decía el señor Peñalba, no sé en virtud de qué cálculos, que un millón sí la tienen y cinco millones no. Y yo os pregunto, de los hombres, ¿cuántos millones están preparados?[20]

La enmienda que motivó el discurso de la diputada llevó a una segunda votación en la que por fin y definitivamente se aprobó el sufragio femenino por cuatro votos de diferencia. En el artículo 36 de la Constitución Española de 1931 se pudo leer: «Los ciudadanos de uno y otro sexo, mayores de 23 años, tendrán los mismos derechos electorales conforme determinen las leyes.» Gracias a ese par de líneas, en las elecciones generales de 1933, las españolas consiguen votar por primera vez.

Fue una victoria casi personal de Clara Campoamor aunque alentada por los pequeños grupos de las modernas, intelectuales y sufragistas. No eran muchas pero sí terriblemente vehementes. Como ejemplo, el discurso que escribía María Lejárraga en 1931, mientras se desarrollaban las discusiones y las votaciones sobre el sufragio:

20. Ibídem, pág. 102.

¡A conquistar España, españolas! Y no se avergüencen ustedes de la pelea, no les dé rubor proclamarse de una vez para siempre feministas. Están ustedes obligadas a serlo por ley de naturaleza. Una mujer que no fuese feminista sería un absurdo tan grande [...] como un rey que no fuese monárquico.[21]

Pero en las elecciones generales de 1933, la derecha arrasó en las urnas y los partidos de izquierda se hundieron. Todo el mundo encontró de inmediato una culpable: Clara Campoamor, quien ni siquiera pudo renovar su escaño. Echar la culpa de la victoria de la derecha a las mujeres era, como mínimo, una conclusión superficial. Si se sumaban todos los votos de izquierda emitidos en esas elecciones todavía superaban a los de los conservadores. Se trataba sobre todo, de un problema de estrategia y unidad, como se encargarían de demostrar las elecciones de febrero de 1936 con la vuelta al poder de la izquierda gracias al triunfo del Frente Popular. Como afirmó Clara Campoamor: «El voto femenino fue, a partir de 1933, la lejía de mejor marca para lavar las torpezas varoniles.»[22]

Campoamor había nacido en Madrid en 1888. Pertenecía a una familia humilde, así que tuvo que trabajar duro para poder licenciarse. Lo hizo en Derecho cuando tenía 36 años. A partir de 1932, una vez aprobada la Ley de Divorcio en las Cortes, dedicó la mayor parte de su actividad a este tipo de causas, llevando adelante dos divorcios muy célebres: el de la escritora Concha Espina de su marido Ramón de la Serna y el de Josefina Blanco de Ramón María del Valle-Inclán.

Fue Clara Campoamor una mujer coherente con sus ideas sin importarle las consecuencias. Cuando el general Primo de Rivera quiso contar con ella para la Asamblea Nacional de la dictadura le rechazó, igual que hizo cuando la Academia de

21. Ibídem, pág. 69.
22. Ibídem, pág 105.

Jurisprudencia le concedió la Gran Cruz de Alfonso XII. Años después el gobierno la nombró directora general de Beneficencia, pero en 1934 abandonó su cargo y su partido, tras realizar un viaje oficial y contemplar los efectos de la brutal represión de la Revolución de Asturias, ordenada por el gobierno al que representaba. Cuando en 1936 ganó las elecciones el Frente Popular, también con el voto de las mujeres, nadie le pidió disculpas. Al comenzar la guerra se exilió y ya no pudo regresar a España antes de su muerte, en 1972.

Tampoco Victoria Kent logró volver al Parlamento en 1933. Margarita Nelken, en cambio, sí renovó su acta y junto a ella ocuparon escaños la escritora María Lejárraga, la periodista Matilde de la Torre, la maestra Veneranda García Blanco y la abogada Francisca Bohígas. Tras las elecciones de 1936, Margarita Nelken y Matilde de la Torre volvieron a obtener escaño. Victoria Kent regresa a la Cámara y se estrenan la maestra socialista Julia Álvarez Resano y la dirigente comunista Dolores Ibárruri, *Pasionaria*. En total, nueve mujeres en tres legislaturas. Dolores Ibárruri llegó a ser vicepresidenta de las Cortes en 1937. También el Parlamento vasco tuvo una diputada durante la república, Victoria Uribe Lasa. Pertenecía al Partido Nacionalista Vasco (PNV), una formación que no permitió la afiliación de mujeres hasta 1933.[23]

Otro triunfo conseguido en la república fue la Ley del Divorcio. Había pocos países europeos en 1931 en los que no se hubiera aprobado una ley al respecto: España e Italia eran las dos principales excepciones. Sin embargo, la Ley del Divorcio española, cuando por fin fue aprobada, en 1932, fue una de las más progresistas.

A pesar de las dificultades, las tesis sufragistas se anotaron sus triunfos en la España republicana. La concesión del voto y la Ley del Divorcio fueron logros de las mujeres, pero tan efímeros como el propio régimen republicano. La guerra civil y

23. LAFUENTE, Isaías, op. cit., pág. 95.

la dictadura, tras la victoria de las fuerzas franquistas el 1 de abril de 1939, darían al traste con todo lo conseguido. Habría que esperar al cierre de ese largo y desgarrador período de 40 años, para que las mujeres recuperaran el punto de partida que significó la conquista del voto en 1931.

Tras la guerra civil llegó el exilio, el franquismo y la represión. Miles de mujeres fallecieron en la contienda y durante las persecuciones posteriores y otras muchas salieron de España. Al exilio se van luchadoras anónimas y rebeldes ilustres como Rosa Chacel, Clara Campoamor, Elena Fortún, Dolores Ibárruri, Victoria Kent, María Lejárraga, María Teresa León, María de Maeztu, Federica Montseny, Margarita Nelken, María Zambrano... Al exilio se irán todas ellas, y en sus maletas se llevarán sus luchas, sus esperanzas, sus trabajos. Con su partida desaparecerán también todos los senderos abiertos por esas mujeres republicanas que iban camino de ser mujeres libres. Las que se quedaron no pudieron continuar el trabajo. Sufrieron la dura represión y el silencio obligado.

«Las mujeres nunca descubren nada. Les falta, desde luego, el talante creador, reservado por Dios para inteligencias varoniles; nosotras no podemos hacer nada más que interpretar mejor o peor lo que los hombres han hecho.» Lo decía en 1943 Pilar Primo de Rivera.[24] Así de radical fue el cambio. La dictadura destrozará todas las leyes, todos los derechos que tantos esfuerzos había costado conseguir y supondrá la muerte civil para las mujeres. El ángel del hogar volvía a ser obligatorio. Marichu de la Mora, una de las nietas de Antonio Maura, no deja lugar a dudas:

«Una cosa queda clara en nuestro espíritu femenino: que en resumidas cuentas, ¡por fin!, hay un estado que se ocupa de realizar el sueño de tantas mujeres españolas: ser amas de casa.»[25]

24. DOMINGO, Carmen, op. cit., pág. 33.
25. Ibídem, pág. 26.

1975, AÑO INTERNACIONAL DE LA MUJER

La aparición del movimiento feminista tras los cuarenta años de franquismo fue como un ciclón. Todo era necesario y todo se hizo al mismo tiempo. Se abre la esperanza de cambiar la vida y las mujeres se organizan para conseguirlo: grupos de barrio, de autoconciencia, en las empresas, en la universidad, de amas de casa... Había urgencia por destruir el modelo de feminidad que la dictadura franquista había impuesto. «Por eso los primeros años estuvieron particularmente marcados por la crítica sin matices a la maternidad y el matrimonio, a la familia y al modelo sexual. El objetivo era sacudir a una sociedad machista hasta el esperpento», explica Justa Montero.[26]

La excusa para empezar a trabajar antes de la muerte de Franco la encontraron las feministas en Naciones Unidas. Aprovechando que 1975 fue declarado por la ONU Año Internacional de la Mujer, desde mediados de 1974 se iniciaron reuniones y contactos que, escudándose en el organismo internacional, sirvieron para proponer una alternativa feminista a los actos oficiales que el gobierno y la sección femenina del Movimiento pretendían organizar como únicos interlocutores y representantes de los intereses de las mujeres.

La estrategia de los grupos fue elaborar un programa común feminista y democrático para 1975. Y además, quisieron presentarlo públicamente para romper el silencio impuesto. Todo se hizo como se hacían las cosas en aquellos años: semiclandestinas y con una tremenda complicidad social. La Plataforma de Organizaciones Feministas que se había ido consolidando, organizó en febrero de 1975 una rueda de prensa en un pub en el centro de Madrid. Se invitó a los medios de comunicación que sabían que iban a «algo» y guardaron prudente silencio. A los dueños del local se les dijo que se iba a celebrar

26. MONTERO, Justa, «Movimiento feminista: una trayectoria singular», revista *Mientras tanto*, n.° 91, 92, Invierno 2004, Barcelona.

una pequeña fiesta, que vendrían periodistas y que dejaran la planta baja libre para disponer de un lugar reservado que no llamara la atención. En el pub también fueron discretos. Así se dio a conocer a la opinión pública el proyecto de actividades. La prensa difundió el acto y el programa profusa y muy favorablemente.[27]

La Organización de las Naciones Unidas había hecho dos convocatorias para este Año Internacional de la Mujer. La Conferencia Mundial —gubernamental—, que se celebró en México del 19 de junio al 2 de julio y el Congreso Mundial de Mujeres, dirigido a organizaciones no gubernamentales que tuvo lugar en Berlín Oriental del 20 al 24 de octubre del mismo año.

El Congreso de Berlín estuvo coordinado por la Federación Democrática Internacional de Mujeres. Cuando el Movimiento Democrático de Mujeres recibió la invitación para que cinco españolas asistieran al congreso no tenían ni idea de lo cerca que estaba el fin de la dictadura ni tampoco de que probablemente fueran las primeras en celebrarlo... antes de tiempo. El Movimiento Democrático de Mujeres consideró que, por las características políticas de España y por la red de grupos feministas que se tejía velozmente en ese año, cinco mujeres era un número muy pequeño. Así, se consiguió que entre la aportación de la Federación Internacional, la de la Junta Democrática —organismo unificador de las fuerzas políticas de la oposición en ese momento—, y de la Federación de Mujeres Cubanas se pudiesen cubrir los gastos para una delegación de trece mujeres, a las que se unieron dos exiliadas. Era una comisión plural y con dos denominadores comunes: la liberación de la mujer y el antifranquismo.[28]

27. SALAS, Mary y COMABELLA, Merche (coord.), «Asociaciones de mujeres y movimiento feminista», en *Españolas en la Transición*, Biblioteca Nueva, Madrid, 1999, pág. 84.

28. Ibídem, pág. 89.

En Berlín se reunieron dos mil participantes de 140 países y de unas doscientas organizaciones. En medio del congreso, las radios y televisiones norteamericanas dieron la noticia de la muerte de Franco. Estupefacción y júbilo, así definen las delegadas lo que sintieron. «Lo que allí se organizó en pocos minutos es casi imposible de contar: corrieron el vino y el champán y se cantó hasta la madrugada.» La fiesta terminó en las habitaciones del hotel. Al día siguiente, las noticias dieron otra versión: Franco estaba muy mal pero... no había muerto. La delegación se reunió para ver qué hacía. Hubo tensión. Al final, la decisión mayoritaria fue volver sin imaginar que aún quedaba un mes de incertidumbre por delante.

Lo que no se frenó fue la organización de las jornadas. A las religiosas del Colegio Montpellier se les dijo que, de acuerdo con la proclamación de las Naciones Unidas, se iba a celebrar una reunión de mujeres con motivo del Año Internacional de la Mujer. Las jornadas fueron posibles por todo el trabajo de coordinación de los grupos iniciado en otoño de 1974 y porque sus miembros tenían la convicción de que el feminismo tenía su razón de ser y su espacio social y político en la nueva etapa que se avecinaba.[29]

Así que tras interminables avatares, las Primeras Jornadas por la Liberación de la Mujer se celebraron en el Colegio Montpellier de Madrid entre el 6 y el 8 de diciembre de 1975. Las distintas tendencias dentro del feminismo, los temas que luego serían objeto de debates durante varios años..., de todo se trató en estas primeras jornadas: educación, trabajo, leyes, familia, sexualidad, divorcio, anticoncepción, aborto... Fue realmente una explosión tras tantos años de dictadura sin haber podido debatir colectivamente. Estas jornadas tienen una importancia especial puesto que es la primera vez que se expone clara y explícitamente la necesidad de construir un movimiento de liberación amplio, unitario e independiente de los

29. Ibídem, págs. 89, 90-91.

partidos políticos. Días después, el 15 de enero de 1976, se organizó la primera manifestación postfranquista. El lema fue «Mujer: lucha por tu liberación». Por fin, la calle era de las mujeres. Aunque terminó con cargas policiales.

LA EXPLOSIÓN DE LA TRANSICIÓN

Las feministas inician su camino trabajando por una sexualidad libre, contra la penalización del adulterio, por la legalización de los anticonceptivos, la exigencia de guarderías y de educación sexual, por el derecho al divorcio, al trabajo asalariado o la amnistía para las más de 350 mujeres que permanecían en las cárceles condenadas por los llamados delitos específicos (adulterio, aborto, prostitución). Se redactan los proyectos de ley alternativos sobre el divorcio y sobre el aborto. Se ponen en marcha centros de mujeres donde, junto a actividades de denuncia y formación ideológica, se facilitan anticonceptivos que en aquel momento eran ilegales.[30]

El año 1976 tuvo como eje central dos luchas que continuaron a lo largo de 1977: la amnistía y la despenalización del adulterio. Las pancartas decían: «Amnistía para los delitos específicos de la mujer», «presas a la calle», «anticoncepción, aborto, prostitución, adulterio no son delitos. Amnistía».

Pero donde realmente se vio y se vivió la fuerza del feminismo español fue en las jornadas organizadas en Barcelona entre los días 27 y 30 de marzo de 1976. En ellas se reunieron unas tres mil personas con representación de grupos de mujeres de toda España. El avance desde las jornadas de Madrid del año anterior era tanto numérico como de calado político. Pero igual en unas como en las otras había una idea compartida: la de que la lucha feminista tenía un claro contenido político y era parte de la lucha por una sociedad democrática. Por prime-

30. MONTERO, Justa, op. cit.

ra vez, en 1977, en la calle y de forma unitaria, se celebró el 8 de marzo, Día Internacional de la Mujer.

También en 1977 se lanzó la campaña por una sexualidad libre y con una triple reivindicación: educación sexual y creación de centros de orientación sexual, anticonceptivos libres y gratuitos y aborto legal. La campaña no cesó hasta que se consiguió la despenalización de los anticonceptivos en octubre de 1978 y lo mismo sucedió con las campañas por la abrogación del delito de adulterio que se conquistó en mayo de ese mismo año. Para las primeras elecciones democráticas de junio de 1977, la plataforma elaboró un programa reivindicativo que hizo llegar a todos los partidos políticos.

En 1978 fueron legalizadas las organizaciones feministas que lo solicitaron y se consiguieron, en Madrid, algunos de los locales de la antigua Sección Femenina. También fue suprimido el Servicio Social de las mujeres establecido por Franco en 1937. Todo se alcanzó sin experiencia política previa. Tampoco había una sólida base teórica. Es a partir de 1975 cuando llegan los primeros textos del feminismo europeo y norteamericano. Las feministas tenían que elaborar teoría, conseguir que se derogara un largo listado de leyes, y hacer propuestas para la nueva legislación, reivindicar en la calle, abrir servicios, organizar su propio movimiento, hacer los cambios y reajustes personales, tomar conciencia y expandirla... Una verdadera revolución.

Explica Justa Montero que protagonizar un cambio social de la envergadura del propuesto por el feminismo, enfrentado a resistencias explícitas e implícitas, requiere que se construyan nuevos códigos de referencia y una identidad colectiva: «Y se va creando un nosotras. Un claro ejemplo de ello es el reiterado recurso a un "yo" afirmativo y desafiante: "Yo también soy adúltera", "yo también he abortado", "yo también tomo anticonceptivos", "yo también soy lesbiana". Así se consolida un movimiento dispuesto a ponerlo todo en cuestión.»

Un movimiento que hizo todo esto sin referencias. El feminismo español contemporáneo —como expone Amelia Valcárcel— empieza a existir en los años setenta en medio de una gran desmemoria. No existía pasado. El franquismo lo había destruido. Las herederas de Concepción Arenal comenzaron a llenar las aulas universitarias sin saber que eran herederas de nadie. El primer momento del cambio no fue asertivo, sino negativo, había que abolir y derogar tantas leyes... Pero también hubo que inventarse un mundo nuevo. Las condiciones legales de las españolas hasta 1975, asegura Valcárcel, explican por qué había tantas abogadas en el feminismo de los primeros años.

Y estas circunstancias hacen que el feminismo español sea especial, dicho esto a su favor. Es como es —serio, radical, político—, porque partió de aquella situación: «No nos tocó enfrentarnos a una misoginia travestida o vagarosa, sino a las prácticas civiles y penales del estado y al conjunto de la moral corriente. [...] No es (el nuestro) un feminismo por lecturas, sino por vivencias. Primero vinieron la rabia y el coraje. Las lecturas vinieron después.»[31]

De aquellos primeros años efervescentes el movimiento feminista español guarda un recuerdo imborrable. Cada grupo, y fueron cientos los que se crearon, tiene su propia historia, sus victorias, sus anécdotas. Cada militante se siente orgullosa de lo que entre todas consiguieron. Sin embargo, también hay una conciencia de que la historia oficial no ha hecho justicia. No se puede entender la transición española sin conocer la militancia política de las mujeres, pero de la lectura de los relatos oficiales se desprende que ésta no existió. «A todos los grupos oprimidos se les roba la historia y la memoria», afirma Rosa Cobo. Lo que no tiene pasado no tiene legitimidad ni, por tanto, tiene capacidad de propuesta política. Ésta es la razón fundamental por la que en los últimos años ha habido un incesante trabajo para dejar por escrito la historia del feminismo español.

31. VALCÁRCEL, Amelia, *Rebeldes. Hacia la paridad,* op. cit., págs. 100-127.

Una Constitución decepcionante

En 1978 la actividad se centró en la crítica a la Constitución. Un texto que sólo tuvo *padres* y que fue calificado por el feminismo de «machista y patriarcal». Ninguna mujer participó en su redacción, no hubo la conciencia democrática de contar al menos con otra Clara Campoamor. Desde los grupos de trabajo se elaboraron propuestas alternativas a algunos de sus artículos, particularmente los que hacían referencia a la familia, el trabajo, la educación y el aborto.

La Plataforma de Organizaciones Feministas de Madrid firmaba en 1978 un documento sorprendente por la agudeza con la que se señalaban los fallos del texto constitucional. Leído casi treinta años después, está claro que las feministas de entonces no se equivocaban. Señalaba el documento que, a pesar de que el artículo 14 proclama que «los españoles son iguales ante la ley» , no resulta difícil descubrir el engaño: una Constitución que pretendía ser democrática debería haber asumido una norma elemental del Derecho, que establece que cuando se parte de una situación de desigualdad no se puede dar un trato de igualdad. «Pero, a juzgar por el texto de la futura Constitución, sus autores prescinden de la existencia de hecho de una desigualdad en las situaciones de partida de hombres y mujeres, y, al proclamar erróneamente que todos los españoles somos iguales, soslayan la necesidad de establecer medidas concretas para poner fin a esta desigualdad. Por otro lado, la mujer posee unos problemas específicos, derivados de su capacidad reproductora, que requieren la existencia de unos derechos específicos para la población femenina. Tampoco la Constitución contempla estos problemas ni recoge estos derechos. Así pues, el texto constitucional omite puntos indispensables para lograr la participación igualitaria de la mujer en el proceso social, contribuyendo con ello a mantener y perpetuar nuestra condición de ciudadanos de segunda categoría. Y, por último, hay que añadir que el principio de no discriminación ante la ley por razón de sexo, que postula el citado artículo 14, es quebrantado por la propia Constitución que, a lo largo de su articulado, contiene una clara discriminación explícita y otras varias implícitas.»[32]

A partir de este primer análisis, la plataforma estudia, punto por punto, las debilidades de la Constitución. La primera es el divorcio, que la Constitución remite a una legislación posterior, lo que en aquel momento era muy preocupante empeñadas como estaban en romper «con el trágico principio de indisolubilidad del matrimonio». También discrepan del artículo 39 en su apartado 1 donde se establece: «Los poderes públicos aseguran la protección social, económica y jurídica de la familia.» Explican que, teniendo en cuenta que la opresión de la mujer tiene su origen precisamente en su asignación a los papeles de esposa y madre dentro de la familia, con este artículo se presta un flaco servicio a la causa de la emancipación femenina. Algo similar ocurre en el artículo que se refiere al trabajo asalariado. El texto constitucional oculta las tremendas diferencias que tenían —y tienen—, hombres y mujeres en esta cuestión.

Criticaban también que el derecho al aborto no sólo quedaba fuera de la Constitución sino que no iba a ser fácil regularlo posteriormente a la vista del texto constitucional —de hecho es la gran asignatura pendiente, aún continúa sin ser ni libre ni gratuito—, y hacían especial hincapié en que la educación no sufría cambios con la inclusión del artículo 16: «Ninguna confesión tendrá carácter estatal. Los poderes públicos tendrán en cuenta las creencias religiosas de la sociedad española y mantendrán las consiguientes relaciones de cooperación con la Iglesia Católica y las demás confesiones.» El artículo alternativo que proponía la plataforma decía así: «El estado sólo

32. AUGUSTÍN PUERTA, Mercedes, *Feminismo: identidad personal y lucha colectiva. Análisis del movimiento feminista español en los años 1975 y 1985*, Universidad de Granada, Granada, 2003, págs. 407-408.

protegerá la enseñanza estatal, que será laica, mixta, gratuita y obligatoria. A tal efecto, el estado garantizará que se realice sin discriminación o menoscabo por razón de sexo, implantando la coeducación efectiva a todos los niveles y sancionando a los establecimientos que no cumplieran con este principio.» En esta cuestión, tampoco parece que hayan pasado treinta años. El debate continúa en el mismo lugar.

La plataforma no se olvidaba de rechazar el artículo que daba prioridad al varón sobre la mujer en el acceso a la jefatura del estado, ni tampoco del control de los medios de comunicación y las deficiencias de la Seguridad Social. A su juicio, el sistema propuesto para la Seguridad Social obliga a que la inclusión en ésta de las mujeres que no trabajan fuera de casa, se realice a través del marido. Explicaban que era de justicia haber garantizado un sistema de seguridad social único para toda la ciudadanía para lo que a partir de la mayoría de edad, todos cotizarían un mínimo y que devengaría las mismas prestaciones. En cuanto a los medios de comunicación, las feministas subrayaban «el denigrante papel que la mujer juega dentro de ellos y su constante utilización como reclamo sexual para el consumo», por lo que proponían la prohibición explícita del sexismo en los medios.

En sus conclusiones, la Plataforma Feminista de Madrid afirmaba:

No está claro que ésta sea la Constitución de la concordia y del consenso. Tampoco está claro que sea la Constitución de todos los españoles. Pero lo que sí está claro es que no es la Constitución de las españolas. [...] Se nos dice que tengamos paciencia. Se nos dice que en estos momentos lo más importante es consolidar la democracia, y que, una vez consolidada, habrá tiempo para todo. Durante los miles de años que llevamos esperando, siempre ha habido cosas más importantes de las que ocuparse que transformar las condiciones de vida de las mujeres. Pero ya hemos aprendido que no es a base de paciencia como se consiguen las cosas, sino a base de presiones y movilizaciones colectivas. Y, consecuentemente, iniciaremos a partir de ahora las campañas oportunas para conquistar las reivindicaciones más urgentes que en este momento tiene planteadas la mujer española, tanto si la Constitución lo permite como si no. La Constitución ya está hecha. Ni la hemos hecho nosotras, ni tenemos posibilidad de modificarla. Lo único que podemos hacer es dejar constancia de nuestra protesta.[33]

Dicho esto, el movimiento feminista se manifestó mayoritariamente contrario al sí en el referéndum constitucional aunque las mujeres del PSOE y del PC redactaron un manifiesto en apoyo del voto afirmativo. En Cataluña, por ejemplo, el movimiento mantuvo la posición crítica pero no se pronunció sobre el sentido del voto. El texto constitucional fue la primera traición de los partidos políticos al feminismo. No era algo nuevo en la historia del feminismo mundial pero no por ello dejó de ser doloroso. Las españolas se quedaron en un segundo plano en el diseño del nuevo orden constitucional. Durante la transición se alimentó el desencanto y la desconfianza en el compromiso de los partidos políticos con la causa feminista.

LA PRIMERA ESCISIÓN

En los años posteriores a la muerte de la dictadura todo iba a velocidad de vértigo. En 1979 se convocan las siguientes jornadas estatales, esta vez, en Granada. A ellas acudieron 3.000 mujeres y en ellas se produjo la primera inflexión significativa del feminismo español. Explica Celia Amorós que tuvieron

33. Ibídem, págs. 409-417.

lugar en un clima general de «desencanto» provocado por una reforma sin ruptura que había costado demasiadas concesiones ante los poderes fácticos del período anterior.

En el ámbito específico del feminismo había que sumarle una situación de cansancio por las discusiones sobre la doble militancia. Con ella se hacía referencia a las mujeres que, además de formar parte de grupos feministas, pertenecían a partidos y/o sindicatos. Una polémica particularmente crispada pues cuestionaba la autonomía de estas mujeres por considerarlas «contaminadas» por la ideología de los hombres que dirigían mayoritariamente sus organizaciones. En consecuencia, en Granada se propugna un modelo organizativo basado en la única militancia y la fidelidad al feminismo.

En la España de la década de los sesenta, la práctica política se enmarcaba ineludiblemente en la oposición democrática al franquismo. Entre las mujeres comprometidas en la lucha antifranquista quedaba descartada cualquier definición del movimiento de mujeres como feminista y la discusión versaba sobre si era deseable la existencia de un movimiento organizado de mujeres con un carácter específico. A Granada ya llegan mujeres que proponen apostar con fuerza por el movimiento feminista, pero la mayoría de las reunidas mantenía la doble militancia. Las jornadas de Granada fueron un acontecimiento de enorme valor e interés pero concluyeron con la primera y dolorosa ruptura del feminismo español. «Fue el alto precio pagado por la falta de madurez del movimiento», afirma Justa Montero.

En estas condiciones, irrumpió polémica y espectacularmente en aquel encuentro multitudinario lo que se llamaría el feminismo de la diferencia. Según Celia Amorós, se trataba de una ruptura radical con las anteriores líneas de actuación vertida en tono militantemente lúdico y festivo. Se propuso romper con todos los cánones al uso, los órdenes del día fijados y hacer algo completamente diferente. Frente a las tediosas discusiones acerca de la relación entre el patriarcado y el capitalismo, el feminismo y los partidos políticos... había que elaborar nuevas formas específicamente femeninas de discutir y comunicarse, convertir los encuentros feministas en una fiesta que hiciera quebrar los rígidos esquemas de unas programaciones y unos contenidos marcados por la impronta de lo patriarcal. Las reacciones contra el feminismo de la diferencia no se hicieron esperar y se desencadenó la polémica.[34] Fue una segunda ruptura que quebró definitivamente el funcionamiento unitario que hasta entonces se había dado en torno a la Coordinadora Estatal de Organizaciones Feministas.

AÑOS 80: EL ABORTO

Tras lo que se denominó «la apertura y el destape», las feministas comenzaron a analizar las relaciones de poder entre los hombres y las mujeres en el patriarcado. En este contexto, acabar con el poder exigía recuperar el propio cuerpo. La consigna «Nosotras parimos, nosotras decidimos» fue coreada con frecuencia durante las movilizaciones de la década de los ochenta y marca una línea de avance en lo que concierne al derecho de las mujeres a decidir sobre sí mismas más allá de las determinaciones de médicos, jueces, políticos, padres, maridos o compañeros. La lucha por el derecho al aborto libre y gratuito centra la actividad del movimiento de aquellos años. Había que liberar una sexualidad constreñida y reprimida que estaba limitada a la normativa de la pareja heterosexual y de la familia y que, restringida por unos fines reproductivos, concebía la sexualidad femenina como algo inexistente. Así, en junio de 1983 se organizan en Madrid las Primeras Jornadas sobre Sexualidad.

Además de ser un tema central para el feminismo español, las campañas a favor de una sexualidad propia fueron, proba-

---

34. AMORÓS Celia, *Tiempo de feminismo*, op. cit., págs. 416-426.

blemente, las más espectaculares. Desde que se abrieron los primeros centros de planificación familiar en los años setenta, desafiando la legislación aún vigente, hasta el acto más audaz realizado en las jornadas de 1985, donde médicas del movimiento feminista practicaron un aborto en el mismo local donde se desarrollaba el encuentro. Una vez realizado, se presentaron ante la prensa con el instrumental y autoinculpándose. «Fuimos nosotras», desafiaban. Fueron métodos radicales para romper con una realidad tremendamente dramática en la que la sexualidad de las mujeres no existía, el cuerpo femenino estaba completamente cosificado, los embarazos no deseados eran una realidad habitual en un país sin anticonceptivos y los tabúes escondían el día a día de las mujeres. Y sobre todo, los abortos clandestinos, realizados sin garantías ginecológicas ni higiénicas, suponían un elevado riesgo de muerte para las mujeres.

En España, la interrupción voluntaria del embarazo fue legalizada entre los años 1931 y 1939, en época republicana. Tras esa fecha, Franco volvió a penalizarlo. En 1941, se castigaba el aborto no espontáneo con penas que podían ir desde meses hasta años de prisión. Actualmente, la ley española recoge la posibilidad legal de interrumpir el embarazo en tres supuestos. La voluntad de las mujeres no se contempla como uno de ellos. El feminismo continúa denunciando esta situación y destaca que ni siquiera en los casos contemplados por la ley, las mujeres pueden ejercer libre y gratuitamente su derecho ya que más del 97 % de las interrupciones voluntarias del embarazo se realizan actualmente en la sanidad privada.

Los años ochenta marcan también el inicio del feminismo institucional. Los precedentes arrancan en 1977, con la creación por parte del gobierno de UCD de la Subdirección General de la Condición Femenina y se consolidan con la llegada del PSOE al poder en 1982, más concretamente tras la apertura, en 1983, del Instituto de la Mujer. Las relaciones entre el movimiento feminista y el feminismo institucional son complejas. Por un lado, este organismo es consecuencia de que el feminismo exige políticas públicas dirigidas a cambiar la situación de las mujeres. Pero, por otro lado, hay feministas que abandonan los grupos para incorporarse a las diferentes administraciones en una apuesta por lo que califican «feminismo eficaz y realista». Desde el feminismo institucional se recogen reivindicaciones del movimiento y conceptos feministas pero éstos se vacían de contenido crítico. Parece que las relaciones entre un movimiento crítico y reivindicativo y las instituciones son necesariamente conflictivas y complejas.

Otro fenómeno que arranca en la misma década fue el feminismo académico. Tampoco fue fácil que las universidades aceptaran albergar y financiar estos departamentos de investigación. Los antecedentes se remontan a 1974, cuando Mary Nash hizo la primera incursión en la Universidad de Barcelona impartiendo una asignatura sobre historia del feminismo. Los primeros seminarios y centros dedicados a los estudios académicos cuajaron unos años después. El primero se creó en 1979, en la Universidad Autónoma de Madrid, dirigido por María Ángeles Durán. En 1982, Mary Nash fundó el Centro de Investigación Histórica de la Mujer en la Universidad de Barcelona. En Madrid, la Universidad Complutense aprobó en el curso 1988-1989 el Instituto de Investigaciones Feministas dirigido por Celia Amorós. Desde el curso siguiente, el instituto imparte un curso de Historia de la Teoría Feminista. La mayoría de las universidades españolas tienen ya departamentos específicos.

LAS FEMINISTAS DEL SIGLO XXI

No existe perspectiva histórica para analizar las consecuencias del trabajo feminista de los últimos años. Habrá que esperar para conocer los resultados del incesante trabajo contra la violencia de género realizado por el feminismo español.

Tampoco se puede valorar aún la importancia del primer consejo de ministros paritario de la historia nombrado por el presidente Rodríguez Zapatero tras las elecciones generales de marzo de 2004 y que abrió la puerta a la representación equilibrada entre mujeres y hombres. Ni tampoco el alcance del desarrollo legal realizado durante esa legislatura, fundamentalmente con la aprobación de la Ley Orgánica de medidas de protección integral contra la violencia de género del 28 de diciembre de 2004 y la Ley Orgánica para la igualdad efectiva de mujeres y hombres de marzo de 2007. También resulta imposible valorar aún cómo cambiará la percepción que las mujeres y la ciudadanía en su conjunto tendrán sobre la nueva sociedad del siglo XXI tras el empeño del feminismo por modificar la representación que de las mujeres hacen los medios de comunicación.

Sólo tenemos algunas pistas. Actualmente se contabilizan alrededor de 5.000 asociaciones de mujeres repartidas por todas las comunidades autónomas. No todas son feministas, pero la cifra indica la preocupación de las mujeres por su propia realidad y la voluntad de modificarla y de reflexionar de forma colectiva. Otro indicador fueron las Jornadas de Córdoba del año 2000 convocadas por la Coordinadora Estatal de Organizaciones Feministas. Hacía 25 años de aquellas primeras jornadas de 1975. En Córdoba se festejaron tres realidades. La primera, las heridas están cerradas. Ni la doble militancia ni la división entre el feminismo de la igualdad y la diferencia son actualmente un problema. La segunda, la aparición entre las 4.000 participantes de decenas de mujeres jóvenes haciendo realidad el título de las propias jornadas: «Feminismo.es... y será». Dos nuevas generaciones feministas están ya en activo. Y la tercera, que no hay ámbito de la actividad humana en el que el feminismo no esté trabajando. ¡Cincuenta y cuatro ponencias sobre otros tantos temas fueron presentadas durante los días de las jornadas!

Muchos son los éxitos del feminismo español, pero quizás el más destacado sea la expansión del feminismo difuso. Es el que representan las mujeres que, sin reconocerse feministas, realizan una práctica diaria —en su trabajo, en sus casas, en su participación pública y en sus relaciones de amistad o de pareja— de afirmación de autonomía, de espacios de libertad. Mujeres conscientes de sus derechos a los que no quieren renunciar y sí ejercer. Las reivindicaciones feministas han calado entre las mujeres que desean vivir en libertad.

«Nadie ha regalado nada —explica Justa Montero— ni ha sido el devenir de la sociedad quien nos ha conducido de forma natural hasta donde estamos, más bien al contrario. Se ha hecho frente a fuertes resistencias. Reclamar el carácter movilizador de este proceso y el papel jugado por el movimiento feminista no sólo es de justicia sino imprescindible para nuestra memoria colectiva.»[35]

Como decía el manifiesto aprobado en Córdoba tras la celebración de las jornadas: «Larga y diversa es la historia de lucha que nos precede. [...] Hemos dejado de sentirnos víctimas para convertirnos en agentes sociales de transformación de una realidad que es injusta. Cada día son más las mujeres que según sus sensibilidades se agrupan para ir tejiendo redes sociales creativas que nos permiten soñar futuros más humanos. Futuros sin fronteras entre hombres y mujeres porque se haya superado la sexualización que hoy hacemos de los valores, de los intereses, de los espacios, de los símbolos, de las formas de mirarnos y sentirnos.»

35. MONTERO, Justa, op. cit.

6

LA MIRADA FEMINISTA

¿Para qué sirven las gafas?

El radicalismo de ayer se convierte en el sentido común de hoy.

GARY WILLS

Si son los ojos de las mujeres los que miran la historia, ésta no se parece a la oficial. Si son los ojos de las mujeres los que estudian la antropología, las culturas cambian de sentido y de color. Si son los ojos de las mujeres los que repasan las cuentas, la economía deja de ser una ciencia exacta y se asemeja a una política de intereses. Si son los ojos de las mujeres los que rezan, la fe no se convierte en velo y mordaza. Si son las mujeres las protagonistas, el mundo, nuestro mundo, el que creemos conocer, es otro.

Las nadies son millones en el mundo. Su experiencia no tiene altavoces y sus pies están sobre una tierra que no les pertenece pero que comprenden como ningún estadista. Las mujeres de La Dimas, una comunidad de El Salvador, explican la globalización mejor que Bill Gates: «Antes, con unas moneditas podíamos hacer una llamada de teléfono. Ahora, no tenemos el dinero que cuestan las tarjetas que necesitan las cabinas nuevas.»

Las mujeres afganas conocen los resortes de las relaciones internacionales: «Las grandes potencias necesitan el gas natural y las materias primas de las repúblicas asiáticas ex soviéticas en detrimento de Irán, Rusia e India. Un Afganistán estable se lo garantiza, aunque sea a costa de nosotras. Valen más los gaseoductos que la vida de las mujeres afganas.»

En China, las mujeres saben que no son deseadas porque tras tantos años con brutales políticas de natalidad que sólo permitían un descendiente, para la economía familiar, mejor que fuese varón. De los labios de las niñas salen frases como: «Yo nunca tuve el calor de un beso.» Las adultas que consiguen saber a tiempo el sexo del feto, cuando es femenino, abortan.

Todas hemos escuchado que íbamos a ser reinas, pero «un día pasaron por allí los ojos de una niña a la que le habían robado el cielo». Por ser niña; por haber nacido en Paquistán —y tener que casarse sin poder elegir marido—; en Argelia —y tener que abandonar su trabajo después de haber luchado contra los colonizadores—; en Bosnia —y haber sido violada en una guerra que nunca deseó—; en Burkina Faso —y sufrir la ablación de su clítoris—; en una familia gitana de la rica Europa —y casarse con quince años, virgen y representar de por vida el honor de su familia—; en la España del siglo XXI —y quedar huérfana porque su padre decidió que su madre merecía veinte puñaladas por desobediente.

Habría que escuchar la experiencia de una joven ingeniera soviética que trabaja como prostituta para entender que detrás de la caída del Muro de Berlín había algo más que una *guerra fría*, había personas, había mujeres.

Habría que escuchar a las madres iraquíes que ven morir a sus hijos para entender que detrás del bloqueo y las operaciones militares había seres humanos, había mujeres que tras conseguir la legalización de los anticonceptivos en un país árabe, no los podían utilizar porque el bloqueo impedía que atravesaran sus fronteras. Habría que escucharlas hoy, después de una nueva invasión estadounidense... pero para eso habría que ponerles los micrófonos y enfocarlas con las cámaras que siempre están ocupadas por líderes ambiciosos, clérigos rebeldes o políticos poderosos.

Habría que escuchar a las ex guerrilleras centroamericanas para entender que además de muertos, la política de los ochenta en sus países supuso una sociedad desvertebrada donde desde entonces las mujeres se enfrentan solas a la lucha por la supervivencia de sus numerosos hijos. Habría que escuchar a las mujeres del mundo porque, por fin, ellas deberían tener la palabra.

Y, si las escucháramos, también las oiríamos reír y proponer, inventar y crear. Solucionar problemas, consolar tristezas, alegrar corazones. Ayudarse, trabajar, bailar y soñar. Ahí están las Mujeres de Negro, palestinas y judías juntas, desafiando a la violencia, gritando al viento que no son enemigas y construyendo paz. O las mujeres de la India, abrazándose a los árboles para frenar leyes devastadoras. O las mujeres africanas, negociando con sentido común para sus países, denunciando a las multinacionales por sus precios abusivos hasta en los medicamentos. O las indígenas, evitando que los comerciantes del norte patenten sus plantas, sus conocimientos ancestrales, su sabiduría; diciendo no a los transgénicos. O a las mujeres europeas, luchando por la paridad que haga a las democracias occidentales merecerse el nombre. O a las mujeres españolas, manifestándose todos los 25 de cada mes, durante siete años, en invierno y en verano, en vacaciones y en Navidad para exigir que el país entero, hombres y mujeres, diga no a la violencia de género.

Si las mujeres hubiesen podido hablar, hoy los pueblos seríamos más sabios. Habríamos aprendido los conocimientos de los nueve millones de mujeres quemadas en la hoguera, porque eran tan inteligentes que parecían brujas.[1] Recordaría-

1. SENDÓN DE LEÓN, Victoria, *Mujeres en la era global. Contra un patriarcado neoliberal*, Icaria, Barcelona, 2003, pág. 32.

mos el nombre de Murasaki Shikibu, la mujer que escribió la primera obra considerada una novela en el mundo. Fue en Japón en el año 1010. También nos sentiríamos orgullosos de Hildegarda de Bingen, la monja alemana (1098-1179), que además de monja fue escritora, filósofa, compositora, pintora y médica. Entre otras muchas cosas, autora del *Libro de medicina compuesta*, considerado como el libro base de la medicina. Así, cuando los fanatismos religiosos atacaran de nuevo, recordaríamos la frase de Hildegarda: «Cuando Adán miró a Eva quedó lleno de sabiduría.»

Sabríamos que la introducción de la física en el campo del conocimiento científico se dio con el libro *Institutions*, escrito por Emilie de Breteuil, marquesa de Chateler (1706-1749), gran matemática y filósofa. También recordaríamos a Alice Guy-Blanche (1873-1968), quien realizó la primera película con argumento en la historia del cine. Y también sabríamos que es una mujer la única persona que ha ganado el Premio Nobel en dos disciplinas diferentes. Marie Slodowska Curie (Polonia 1867-1934), quien en 1903 recibió el Nobel de Física junto a su esposo, Pierre Curie, por el descubrimiento y el trabajo pionero en el campo de la radioactividad y los fenómenos de la radiación. En 1911, Marie Slodowska Curie recibiría el Nobel de Química. A ella se le debe lo que hoy se denomina la «Edad del átomo».

Si hubiésemos podido escuchar a las mujeres, si pudiésemos escucharlas hoy, hombres y mujeres seríamos más sabios y las mujeres, además, tendríamos más autoestima y sospecharíamos ante los relatos en los que no hay ni rastro de nosotras.

Por eso, para dejar de ser miopes, las feministas se pusieron las gafas violetas. Sirven para ver las injusticias y una vez descubiertas, nombrarlas. La historia es selectiva porque no todo el mundo ha tenido la palabra. Una vez puestas las gafas, se ve claro que no hay razones *naturales* que justifiquen la desigual distribución de poder entre hombres y mujeres. Todo lo relatado hasta ahora, la invisibilización de las mujeres, de sus logros y saberes, la violencia ejercida contra ellas... no ocurre porque sí. Para analizar, explicar y cambiar estas realidades, la teoría feminista ha desarrollado cuatro conceptos clave: patriarcado, género, androcentrismo y sexismo. Los cuatro están íntimamente relacionados.

ANDROCENTRISMO: EL HOMBRE COMO MEDIDA DE TODAS LAS COSAS

El mundo se define en masculino y el hombre se atribuye la representación de la humanidad entera. Eso es el androcentrismo: considerar al hombre como medida de todas las cosas. El androcentrismo ha distorsionado la realidad, ha deformado la ciencia y tiene graves consecuencias en la vida cotidiana. Enfocar un estudio, un análisis o una investigación desde la perspectiva masculina únicamente y luego utilizar los resultados como válidos para todo el mundo, hombres y mujeres, ha supuesto que ni la historia, ni la etnología, la antropología, la medicina o la psicología, entre otras, sean ciencias fiables o, como mínimo, que tengan enormes lagunas y confusiones.

Por ejemplo, el androcentrismo de los antropólogos se discute desde hace ya un siglo. En 1968, el francés Marcel Mauss aseguraba que «se puede decir a nuestros estudiantes, sobre todo a los y a las que un día pueden hacer observaciones sobre el terreno, que nosotros no hemos hecho más que la sociología de los hombres y no la sociología de las mujeres o de los dos sexos».[2] En sus estudios, los antropólogos despreciaban aspectos de la vida de los pueblos que visitaban, sólo porque creían, desde el punto de vista masculino, que no tenían importancia. Además, casi siempre, los nativos a quienes entrevistaban eran hombres, lo cual condicionaba la visión de la totalidad del poblado.

2. SAU, Victoria, op. cit., pág. 46.

Esto que puede parecer anecdótico o sólo para expertos y expertas, es muy esclarecedor para analizar qué ocurre actualmente con los medios de comunicación. La visión androcéntrica del mundo decide y selecciona qué hechos, acontecimientos y personajes son noticia, cuáles son los de primera página y a qué o quién hay que dedicarle tiempo y espacio. Esa misma visión también decide, cuando ocurre un hecho, a quién se le pone el micrófono, quién explica lo que ha ocurrido, quién da las claves de los acontecimientos. Como los medios de comunicación configuran la visión que tiene la sociedad del mundo, perpetúan en pleno siglo XXI la visión androcéntrica. Un reto: que alguien busque la voz de las mujeres iraquíes entre los años 2003 y 2004, una época en la que todos los días se informaba sobre Irak en periódicos, radios y televisiones. El mismo ejercicio se puede hacer con las mujeres afganas —a excepción de Masuda Jalal, la única mujer que se presentaba como candidata a las elecciones de octubre de 2004—, o con las palestinas a lo largo de 2007.

La distorsión del androcentrismo y sus terribles consecuencias también se dan en otras ciencias, como la medicina. Un ejemplo: popularmente, es de todos conocido que los síntomas de un infarto son dolor y presión en el pecho y dolor intenso en el brazo izquierdo. Pero, no es tan popular que éstos son los síntomas de un infarto ¡en un hombre! En las mujeres, los infartos se presentan con dolor abdominal, estómago revuelto y presión en el cuello.

PATRIARCADO

Hasta que la teoría feminista lo redefinió, se consideraba el patriarcado como el gobierno de los patriarcas, de ancianos bondadosos cuya autoridad provenía de su sabiduría. De hecho, ésa es la interpretación que aún hace de la palabra la Real Academia Española.

Pero ya a partir del siglo XIX, cuando comienzan las teorías que explican que la hegemonía masculina en la sociedad es una usurpación, se utiliza el término patriarcado en sentido crítico. Es el feminismo radical, a partir de los años setenta del siglo XX, el que utiliza el término patriarcado como pieza clave de sus análisis de la realidad.

Una de las definiciones más completas de patriarcado la ofrece Dolors Reguant:

> Es una forma de organización política, económica, religiosa y social basada en la idea de autoridad y liderazgo del varón, en la que se da el predominio de los hombres sobre las mujeres; del marido sobre la esposa; del padre sobre la madre, los hijos y las hijas; de los viejos sobre los jóvenes y de la línea de descendencia paterna sobre la materna. El patriarcado ha surgido de una toma de poder histórico por parte de los hombres, quienes se apropiaron de la sexualidad y reproducción de las mujeres y de su producto, los hijos, creando al mismo tiempo un orden simbólico a través de los mitos y la religión que lo perpetúan como única estructura posible.[3]

Analizar el patriarcado como un sistema político supuso ver hasta dónde se extendía el control y dominio sobre las mujeres. Buena parte de la riqueza teórica del feminismo de las últimas décadas procede de aquí. Al darse cuenta de que ese control patriarcal se extendía también a las familias, a las relaciones sexuales, laborales... las feministas popularizaron la idea de que «lo personal es político». Es cuando se organizan los grupos de autoconciencia y, con ellos, un nuevo descubrimiento: las mujeres se dieron cuenta de que aquello que cada una pensaba que sólo le ocurría a ella, que tenía mala suerte, que había hecho una mala elección de pareja o cual-

3. REGUANT, Dolors, *La Mujer no existe,* Maite Canal, Bilbao, 1996, pág. 20, citado en SAU, Victoria, op. cit., tomo II, pág. 55.

quier otra razón, no era, sin embargo, nada personal. Eran experiencias comunes a todas las mujeres, fruto de un sistema opresor.

Todo esto fue determinante, por ejemplo, para el análisis de la violencia de género. Durante siglos, las mujeres se avergonzaban y se culpaban a sí mismas de la violencia que sufrían por parte de sus maridos y novios. En España, este sentimiento aún es común y hasta que el feminismo no consiguió que esta violencia apareciera en los medios de comunicación, miles de mujeres pensaban que el maltrato era *normal*, y que debían callar y aguantar porque lo que pasaba entre las cuatro paredes de su casa no le importaba a nadie.

El patriarcado es un sistema político. Su existencia no quiere decir que las mujeres no tengan ningún tipo de poder o ningún derecho. Una de las características del patriarcado es su adaptación en el tiempo. Son las *victorias paradójicas*. Por ejemplo, cuando el feminismo comenzó a exigir igual representación en política, se colocó a mujeres en las listas electorales, pero en los puestos del final, en los que se sabía que no iban a ser elegidas. El feminismo tuvo entonces que inventarse las listas cremallera: situar alternativamente una mujer y un hombre para asegurarse así que las mujeres también estarían entre las elegidas.

Otro ejemplo es lo que ocurre actualmente en las sociedades occidentales. Las mujeres han conseguido el derecho a la educación y al trabajo retribuido, pero la mayoría de quienes trabajan fuera de sus casas, tanto las asalariadas como las que han creado sus propias empresas, continúan encargándose mayoritariamente del trabajo doméstico y del cuidado de los hijos. Es la tremenda *doble jornada* o *doble presencia*. Aún más, aquellas que delegan esas tareas también abrumadoramente lo hacen sobre otras mujeres: más pobres o de más edad. Son las mujeres que trabajan en el servicio doméstico, en su mayoría inmigrantes, y las abuelas.

No todas las teóricas feministas utilizan el término patriarcado. Algunas prefieren usar «sistema de género-sexo». Para Celia Amorós, son expresiones sinónimas puesto que un sistema igualitario —explica—, no produciría la marca de género. Todo sistema patriarcal se basa en la coerción y en el consentimiento: violencia y educación. Aunque también aquí las feministas radicales norteamericanas puntualizan. Ellas sostienen que no se puede hablar en realidad de consentimiento dentro del sistema patriarcal ya que las mujeres están excluidas desde el origen al no haber formado parte de los *pactos entre varones*. Afirman por tanto, que no puede haber consentimiento dentro de una relación de desigualdad.

Las formas de patriarcado varían. Así, en un país como Arabia Saudita, por ejemplo, donde las mujeres no disfrutan de ningún derecho fundamental, la realidad de las mujeres no se parece a la de las europeas que, al menos formal y legalmente, han conseguido sus derechos. En Europa, el patriarcado utiliza otros instrumentos, como los medios de comunicación, para mantener los estereotipos y los roles sexuales; la discriminación laboral y económica y, sobre todo, la violencia de género, que sigue existiendo en las sociedades occidentales contemporáneas en magnitudes estremecedoras. Por eso, es habitual encontrarse con ideas opuestas respecto a la actual situación de las mujeres en el mundo. Quienes no tienen en cuenta el patriarcado aseguran que las cosas han cambiado una barbaridad mientras que quienes lo perciben con nitidez afirman que «las cosas» no han cambiado tanto, aquello de «los mismos problemas que mutan sin desaparecer», que decía Diana Bellesi. Ambas posturas están en lo cierto. La vida de las mujeres en algunas partes del mundo se ha transformado, pero el patriarcado aún goza de buena salud.

El objetivo fundamental del feminismo es acabar con el patriarcado como forma de organización política.

MACHISMO Y SEXISMO

El machismo es un discurso de la desigualdad. Consiste en la discriminación basada en la creencia de que los hombres son superiores a las mujeres. En la práctica, se utiliza machismo para referirse a los actos o las palabras con las que normalmente de forma ofensiva o vulgar se muestra el sexismo que subyace en la estructura social. Así, hay ocasiones en las que una expresión, un chiste, una descalificación, una observación, un comentario... son machistas y pueden resultar molestos, inoportunos o de mal gusto, sin que la persona que lo dice o hace sea sexista. Para entendernos, de alguna manera podríamos decir que el sexismo es consciente y el machismo inconsciente. Por eso, un machista no tiene por qué ser forzosamente un sexista y, de igual manera, un sexista puede que no tenga ningún rasgo aparente de machista. Entonces, ¿qué es el sexismo?

El sexismo se define como «el conjunto de todos y cada uno de los métodos empleados en el seno del patriarcado para poder mantener en situación de inferioridad, subordinación y explotación al sexo dominado: el femenino. El sexismo abarca todos los ámbitos de la vida y las relaciones humanas».[4] Es decir, ya no se trata de costumbres, chistes o manifestaciones de «poderío» masculino en un momento determinado, sino de una ideología que defiende la subordinación de las mujeres y todos los métodos que utiliza para que esa desigualdad entre hombres y mujeres se perpetúe.

Por ejemplo, machismo es un piropo mientras que sexismo es la división de la educación por sexos, que ha sido una constante hasta nuestros días y que ha oscilado entre enseñar a las niñas a coser y rezar únicamente, hasta la prohibición de ingresar en la universidad o ejercitar ciertas profesiones. El lenguaje también es un buen ejemplo del sexismo cultural vigente.[5]

4. SAU, Victoria, op. cit., tomo I, pág. 257.
5. Ibídem, págs. 258-259.

GÉNERO

El concepto de género es la categoría central de la teoría feminista. La noción de género surge a partir de la idea de que lo «femenino» y lo «masculino» no son hechos naturales o biológicos, sino construcciones culturales.[6] Por género se entiende, como decía Simone de Beauvoir, «lo que la humanidad ha hecho con la hembra humana». Es decir, todas las normas, obligaciones, comportamientos, pensamientos, capacidades y hasta carácter que se han exigido que tuvieran las mujeres por ser biológicamente mujeres. Género no es sinónimo de sexo. Cuando hablamos de sexo nos referimos a la biología —a las diferencias físicas entre los cuerpos de las mujeres y de los hombres—, y al hablar de género, a las normas y conductas asignadas a hombres y mujeres en función de su sexo.

Fue Robert J. Stoller, en 1968, quien primero utilizó el concepto de género:

Los diccionarios subrayan principalmente la connotación biológica de la palabra sexo, manifestada por expresiones tales como relaciones sexuales o el sexo masculino. De acuerdo con este sentido, el vocablo sexo se referirá en esta obra al sexo masculino o femenino y a los componentes biológicos que distinguen al macho de la hembra; el adjetivo sexual se relacionará, pues, con la anatomía y la fisiología. Ahora bien, esta definición no abarca ciertos aspectos esenciales de la conducta —a saber, los afectos, los pensamientos y las fantasías—, que, aun hallándose ligados al sexo, no dependen de factores biológicos. Utilizaremos el término género para designar algunos de tales fenómenos psicológicos: así como cabe hablar del sexo masculino o femenino, también se puede aludir a la masculinidad y la

6. COBO, Rosa, *Género*, en AMORÓS, Celia (dir.), *10 palabras clave sobre mujer*, op. cit., pág. 55.

feminidad sin hacer referencia alguna a la anatomía o a la fisiología. Así pues, si bien el sexo y el género se encuentran vinculados entre sí de modo inextricable en la mente popular, este estudio se propone, entre otros fines, confirmar que no existe una dependencia biunívoca e ineluctable entre ambas dimensiones (el sexo y el género) y que, por el contrario, su desarrollo puede tomar vías independientes.[7]

↳ IDENTITY?

Después de este trabajo de Robert J. Stoller, fueron las feministas radicales quienes desarrollaron el concepto género. Así, Kate Millett explicaba:

En virtud de las condiciones sociales a que nos hallamos sometidos, lo masculino y lo femenino constituyen, a ciencia cierta, dos culturas y dos tipos de vivencias radicalmente distintos. El desarrollo de la identidad genérica depende, en el transcurso de la infancia, de la suma de todo aquello que los padres, los compañeros y la cultura en general consideran propio de cada género en lo concerniente al temperamento, al carácter, a los intereses, a la posición, a los méritos, a los gestos y a las expresiones. Cada momento de la vida del niño implica una serie de pautas acerca de cómo tiene que pensar o comportarse para satisfacer las exigencias inherentes al género. Durante la adolescencia, se recrudecen los requerimientos de conformismo, desencadenando una crisis que suele templarse y aplacarse en la edad adulta.[8]

A todo esto añade Victoria Sau que las diferencias biológicas hombre-mujer son deterministas, vienen dadas por la naturaleza, pero en cuanto que somos seres culturales, esa biología

---

7. STOLLER, Robert J., *Sex and Gender*, Nueva York, Science House, 1968, págs. VIII y IX del prefacio, citado en MILLETT, Kate, op. cit., pág. 77.
8. MILLETT, Kate, op. cit., pág. 80.

ya no determina nuestros comportamientos.[9] Y lo de la cultura y la evolución está muy claro en algunas cosas pero no en lo que a las mujeres se refiere. Así, aquellos que claman para que todas las mujeres tengan como prioridad en su vida dedicarse a criar hijos y cuidar maridos, no parecen muy dispuestos a regalar sus automóviles para trasladarse en burro de una ciudad a otra. Tampoco renuncian a colgar sus encíclicas en Internet. El primer propósito de los estudios de género o de la teoría feminista es desmontar el prejuicio de que la biología determina lo «femenino», mientras que lo cultural o humano es una creación masculina.

Los estudios de género surgen en las universidades norteamericanas en la década de los setenta y en las españolas diez años después. Ya en los últimos veinte años, el estudio del género se ha incorporado a todas las ciencias sociales. Si el género es una construcción cultural, por fuerza ha de ser objeto de estudio de las ciencias sociales.[10]

Los géneros están jerarquizados. El masculino es el dominante y el femenino el subordinado. Es el masculino el que debe diferenciarse del femenino para que se mantenga la relación de poder. Por eso a los muchachos, históricamente, se les ha pedido pruebas de virilidad. Y los peores insultos que pueden recibir los varones son todos los que sugieren en ellos «feminidad»: nena, gallina, nenaza, bailarina...

Ninguna de las grandes corrientes teóricas (marxismo, funcionalismo, estructuralismo...) ha dado cuenta de la opresión de las mujeres. Así, la consecuencia más significativa que provoca el nacimiento de la teoría feminista es una crisis de paradigmas: cuando las mujeres aparecen en las ciencias sociales, ya sea como objetos de investigación o como investigadoras, se tambalea todo lo establecido. Se cuestiona cómo se miden las investigaciones, cómo se verifican, la supuesta *neutralidad* de

9. SAU, Victoria, op. cit., pág. 239.
10. COBO, Rosa, *Género*, op. cit., pág. 56.

los términos y las teorías y las pretensiones de universalidad de sus modelos. La introducción de los estudios de género supone una redefinición de todos los grandes temas de las ciencias sociales.[11]

Y también una revolución política. La tarea que se ha dado a sí misma la teoría feminista, distinguir aquello que es biológico de lo que es cultural, ha tenido una gran trascendencia política puesto que ha trasladado el problema de la dominación de las mujeres al territorio de la voluntad y de la responsabilidad humana.[12]

Es decir, que si los salarios son distintos para los hombres y para las mujeres, es un problema político, no *natural* o *biológico* y dependerá de la voluntad política cambiarlo. Como los salarios, toda la desigual distribución de recursos: dinero, ocio, seguridad física, oportunidades. ¿Hay algo *natural* en decidir que no haya suficientes guarderías o residencias de ancianos o centros de día para mayores? ¿Hay algo *natural* en mantener el IVA de los productos higiénicos femeninos —compresas y tampones—, productos de primera necesidad para todas las mujeres durante la mayor parte de su vida, como si fuesen artículos de lujo? ¿Hay algo de *natural* en decidir que toda una generación de ancianas que tuvieron prohibido por ley trabajar fuera de casa reciban pensiones no contributivas, las más bajas de la Seguridad Social?

Así, parafraseando a la popular obra *¿Por qué lo llaman amor cuando quieren decir sexo?*, podríamos preguntarnos: «¿Por qué lo llaman sexo cuando quieren decir género?» O quizás es que no lo quieren decir. Recuerda Victoria Sau que la miopía en ocasiones se convierte en ceguera «al no reconocer los varones actuales que el tratamiento históricamente dado a las mujeres era el propio de una relación de abuso de poder que creó al dominante y a la subordinada, y no simplemente una

11. Ibídem, pág. 61.
12. Ibídem, pág. 80.

cuestión de iguales mal avenidos».[13] Un argumento, por cierto, que se emplea todavía con los malos tratos cuando en las noticias se repite: «Después de una fuerte discusión, fulanito degolló a su esposa», transmitiendo así la idea de que la violencia de género se desarrolla entre iguales. De esta manera se olvida —o niega— que el patriarcado existe.

Añade Sau: «Sin necesidad de estar expresamente escrito en un documento único al estilo de El Decálogo, el Corán o la Biblia, sino atomizado en cientos y miles de discursos «profesionales» de toda índole, había, —hay—, un tratado masculino suscrito explícita o implícitamente por la mayoría de los hombres para dar un determinado trato a las mujeres en tanto que seres declarados naturales. [...] Así se ven obligados a rechazar el feminismo en lugar de beneficiarse de él y a malograr sus avances políticos en democracia, por ejemplo, al negar la dimensión real de los hechos ocurridos entre ambos sexos, siendo la negación el más mórbido y peligroso de los mecanismos de defensa, que se vuelve irremediablemente contra la persona que lo emplea.»[14]

Sexismo, androcentrismo, género y patriarcado, cuatro conceptos clave que sirven como herramientas de análisis para examinar las sociedades actuales, detectar los mecanismos de exclusión, conocer sus causas y, tras haber atesorado todo ese conocimiento, proponer soluciones y modificar la realidad. Ponerla patas arriba, que de eso se trata, de construir un mundo en el que no exista una mitad invisible, sino mujeres y hombres libres y responsables de sus propias vidas. Como escribió Carmen Martín Gaite: «Abrid ya las ventanas. / Adentro las ventiscas / y el aire se renueve.»[15]

13. SAU, Victoria, op. cit., pág. 76.
14. Ibídem.
15. MARTÍN GAITE, Carmen, «Por el mundo adelante», en *Después de todo. Poesía a rachas*, Hiperión, Madrid, 3.ª ed., 2001, pág. 25.

7

EL PODER

Iguales ¿o quizá no?

El poder resultante de un abuso de poder,
nunca es para siempre.

VICTORIA SAU

«¿QUÉ ES LO QUE NO HA IDO BIEN?»

Explica el poeta irlandés Robert Graves que en el Olimpo había doce divinidades: seis diosas y seis dioses, que representaban los Estados de la Confederación griega de entonces. Cuando Zeus se hizo con el título de «padre de los dioses y los humanos» y Apolo como «dios-sol» representante del mundo patriarcal que se estaba construyendo a gran velocidad, cambiaron las cosas. Una diosa, Vesta, fue sustituida por un nuevo dios, Dionisos. Éste había nacido directamente del muslo de Zeus, quien previamente había fulminado a su madre. Y a partir de entonces, la relación de sexo-género fue de cinco a siete. No se la llamaba paridad, pero el equilibrio acababa de desaparecer para unos cuantos milenios.[1]

---

1. GRAVES, Robert, *Los dos nacimientos de Dionisos*, 1964, citado en SAU, Victoria, op. cit., tomo II, pág. 30.

Lo cierto es que, desde entonces, en el entorno divino las cosas fueron realmente mal y en el terrenal, *lo que no ha ido bien* han sido las razones o sinrazones de nuestro pasado que han ido mutando hasta las razones o sinrazones de nuestro presente. En el *largo camino hacia la igualdad* ha habido que saltar más obstáculos de los previstos. La igualdad formal, legal, no garantizó la igualdad real. Así que el feminismo y el movimiento de mujeres han ido creando nuevas estrategias y herramientas para caminar hacia esa sociedad democrática que anuncian las constituciones y denuncia la vida cotidiana.

La democracia no ha satisfecho las expectativas de las mujeres porque en la práctica política, ampararse confiadamente en la justicia o disfrutar sin represiones de la libertad o la igualdad es una utopía para millones de ciudadanas. Qué entendemos por justicia, hasta dónde alcanza nuestra libertad, a quiénes aceptamos como iguales, son los fundamentos sobre los cuales las teorías políticas construyen el modelo social.[2]

El patriarcado ha mantenido a las mujeres apartadas del poder. El poder no se tiene, se ejerce: no es una esencia o una sustancia, es una red de relaciones. El poder nunca es de los individuos, sino de los grupos. Desde esta perspectiva, el patriarcado no es otra cosa que un sistema de pactos interclasistas entre los varones. Y el espacio natural donde se realizan los pactos patriarcales es la política.[3]

La igualdad formal no es la igualdad real y la neutralidad del sistema es sólo una farsa. Ya lo decía Emilia Pardo Bazán cuando pretendía entrar en la Real Academia Española: «Que se otorgue al mérito lo que es sólo del mérito y no del sexo.» Efectivamente, las mujeres han estado apartadas de ¡todas! las instancias del poder —no sólo del poder político— a lo largo

---

2. MIYARES, Alicia, *Democracia feminista*, Cátedra, col. Feminismos, Madrid, 2003, págs. 11, 14 y 15.
3. COBO, Rosa, *Género*, op. cit., págs. 63-64.

de la historia y no porque fueran más tontas o menos competentes que los hombres. La exclusión se hizo porque eran mujeres. Ni siquiera aquellas que consiguieron romper las trabas y adquirieron una formación académica y un desarrollo intelectual notable fueron reconocidas ni admitidas en los centros de poder. La respuesta que la Academia dio a Pardo Bazán fue escueta y clara: «Nada de mujeres. Son las normas.» La exclusión también consiguió que las mujeres no pudieran generar su propio sistema de poder.

Pero cuando se eliminaron las trabas legales y las leyes de las democracias recogieron la no discriminación por razón de sexo, las mujeres tampoco accedieron —ni acceden— al poder en la proporción que por su formación y esfuerzos sería razonable. La farsa de la neutralidad oculta las razones. En realidad, las mujeres no llegan a los centros de poder porque el sistema de selección previo aún prima a los varones. Los mecanismos de exclusión se mantienen con la perversión de que son más sutiles, por lo tanto, más difíciles de combatir.

Ante estas *sutilezas* —que como se verá con cifras tienen resultados de proporciones escandalosas—, se han implantado progresivamente medidas de acción positiva —también llamadas de discriminación positiva—, sistemas de cuotas y exigencias de paridad. Medidas sólo posibles en las democracias porque aunque éstas no han satisfecho las expectativas de las mujeres, en los sistemas autoritarios la situación es aún peor. Para las mujeres, las restricciones de libertad general son especialmente dañinas. En aquellos lugares donde se recortan las libertades, las primeras en desaparecer son las de las mujeres. Así como sufren doblemente allí donde se instala la violencia. Por ejemplo, en países como Arabia Saudita la población general tiene restringidas sus libertades pero para las mujeres las prohibiciones van desde no poder trabajar a no poder conducir, desde no poder abortar hasta no poder salir del país libremente. En los conflictos armados, además de ser víctimas de guerra también lo son de abusos sexuales y violaciones. En medio mundo, las mujeres violadas son posteriormente asesinadas por sus propias familias por el «deshonor» que suponen.

ACCIONES POSITIVAS Y CUOTAS

Las acciones positivas desarrollan el principio de igualdad y la igualdad está en su fundamento. La acción positiva consiste en establecer medidas temporales que corrijan las situaciones desequilibradas como consecuencia de prácticas o sistemas sociales discriminatorios.[4] El objetivo de estas medidas es eliminar barreras y facilitar la participación de las mujeres. La base filosófica es sencilla: tratar de manera desigual lo que es desigual para conseguir un equilibrio. Consiste en lograr que todo el mundo parta de la misma línea de salida, luego, cada cual que llegue hasta donde le permitan sus posibilidades. Las medidas de acción positiva nacieron en Estados Unidos en los años sesenta y se utilizan con las minorías o los colectivos sociales excluidos.

Las acciones positivas se pueden aplicar a cualquier ámbito de la vida pero su campo de actuación se ha centrado prioritariamente en tres grandes áreas: laboral, educativa y participación política. En Europa y América Latina, el término quedó fijado para combatir las discriminaciones contra las mujeres. Así, según la definición del Comité para la igualdad entre hombres y mujeres del Consejo de Europa, por acción positiva se entiende «una estrategia destinada a establecer la igualdad de oportunidades por medio de unas medidas temporales que permitan contrastar o corregir aquellas discriminaciones que son el resultado de prácticas o de sistemas sociales». Por lo tanto, una acción positiva tiende a corregir las

4. OSBORNE, Raquel, «Acción positiva», en AMORÓS, Celia (dir.), *10 palabras clave de mujer*, op. cit., pág. 297.

desigualdades de hecho y, como se refleja en el decreto-ley que las aprobó en Estados Unidos en los años sesenta, «lejos de comprometer el principio de la igualdad, constituye una parte esencial del programa para llevar a cabo este principio».[5]

En España, las medidas de acción positiva están amparadas constitucionalmente. El artículo 9.2 de la Constitución contempla explícitamente que «corresponde a los poderes públicos promover las condiciones para que la libertad y la igualdad del individuo y de los grupos en que se integra sean reales y efectivas; remover los obstáculos que impidan o dificulten su plenitud y facilitar la participación de todos los ciudadanos en la vida política, económica, cultural y social». También el estatuto de los trabajadores en su artículo 17.1 estipula el desarrollo de medidas de acción positiva: «El gobierno podrá otorgar subvenciones, desgravaciones y otras medidas para fomentar el empleo de grupos específicos de trabajadores desempleados que encuentren dificultades especiales para acceder al empleo.» Se trata, tal como señala el Consejo de la Unión Europea (Recomendación 84/635), de la promoción de acciones positivas a favor de la mujer debido a que «las normas jurídicas existentes sobre la igualdad de trato son insuficientes para eliminar toda forma de desigualdad de hecho si paralelamente no se emprenden acciones por parte de los gobiernos y de los interlocutores sociales y otros organismos competentes, tendentes a compensar los efectos perjudiciales que resultan para las mujeres de actitudes, comportamientos y estructuras de la sociedad».

En el ámbito de la política, la filosofía de las acciones positivas dio paso a los sistemas de cuotas. Se trata de una nueva herramienta dentro de los partidos políticos y las listas electorales. Fue el PSC —Partido Socialista de Cataluña— quien primero introdujo las cuotas en el estado español. Era el año 1982 y las mujeres consiguieron un modesto 12 %. El porcen-

5. Ibídem, págs. 300-301.

taje era mínimo, pero el éxito enorme puesto que iniciaron un camino que ha llevado a la paridad. En 1987, el PSOE establecía la cuota femenina del 25 % en las listas electorales que fue gradualmente ampliada al 30 y al 40 %.

En noviembre de 2001, el PSOE presentó una propuesta de ley para modificar la Ley Orgánica de Régimen Electoral General, de tal modo que las listas de candidatos para todas las elecciones que se celebren en España contengan entre un 40 % y un 60 % de miembros de uno y otro sexo, y ello tanto en el conjunto de la lista como en cada tramo de cinco candidatos.

Por su parte, en junio de 2002, los gobiernos socialistas de Baleares y Castilla-La Mancha aprobaron sendas leyes para imponer listas paritarias —en cremallera, alternando mujeres y hombres—, para las elecciones autonómicas. En ambos casos, el PP votó en contra y posteriormente presentó un recurso de inconstitucionalidad contra ambas. La excusa utilizada para frenar estas iniciativas legales: al poder deben acceder los o las mejores, sin distinción de sexo. Eso es exactamente lo que dicen las feministas pero intuimos que en sentido contrario. Las mujeres no se creen que los y las mejores sean siempre, en todas las instituciones y en todos los momentos históricos, los hombres.

Hubo que esperar a la aprobación de la Ley Orgánica 3/2007 para la Igualdad efectiva entre mujeres y hombres para que quedara fijado el principio de presencia o composición equilibrada, con el que se trata de asegurar una presencia suficientemente significativa de ambos sexos en órganos y cargos de responsabilidad, tanto a nivel estatal como autonómico y local. La Ley de Igualdad establece en su artículo 16 que «los poderes públicos procurarán atender al principio de presencia equilibrada de mujeres y hombres en los nombramientos y designaciones de los cargos de responsabilidad que les correspondan».

¿Por qué son necesarias las cuotas? La mejor respuesta es el siguiente gráfico.

PORCENTAJE DE MUJERES EN EL CONGRESO
Y EL SENADO, 1977-2004

AÑO	% DE MUJERES EN EL CONGRESO	% DE MUJERES EN EL SENADO
1977	6	1,9
1979	5,4	2,9
1982	4,9	3,4
1986	6,6	5,3
1989	12,5	12,0
1993	15,7	13,4
1996	22	14,8
2000	28,3	24,3
2004	36,3	25,1
2008	36,29	28,24
2011	36	33,3

Fuente: García de León, Instituto de la Mujer.

LA PARIDAD, PRINCIPIO DEMOCRÁTICO BÁSICO

La paridad es, actualmente —debido al déficit de representación y de poder que aún soportan las mujeres—, una condición para que la democracia merezca ese nombre, exactamente igual que, para serlo, la democracia necesita separación de poderes o sufragio universal. Tres ejemplos, tres fotografías que ilustran los déficits de representatividad:

La primera se hizo el 6 de septiembre de 2000 y apareció publicada al día siguiente en los periódicos de medio mundo. Era la Cumbre del Milenio, la reunión auspiciada por Naciones Unidas en la que se reunieron 152 presidentes o primeros ministros de otros tantos países. De esta cumbre debían salir las claves para la paz y el bienestar del mundo en el siglo XXI. La foto era espectacular y tremendamente simbólica. Entre los 152 líderes mundiales se encontraban siete mujeres —¡el 4,6 %!—. Entre los países representados estaban todas las democracias del mundo.

Segunda foto. Fue portada de los periódicos europeos el 2 de mayo de 2004. El titular de todos ellos, más o menos, decía así: Europa celebra el nacimiento de una gran potencia unificada. Los jefes de gobierno de la Unión Europea ampliada expresan en Dublín sus esperanzas sobre el futuro de la Europa de 455 millones de habitantes. Allí estaba, también, la foto de la familia europea. En total, 25 presidentes de gobierno representantes de 25 naciones, de las 25 democracias europeas donde formalmente las mujeres tienen asegurados sus derechos y las discriminaciones legales no existen. Entre los 25, una mujer: Vaira Vike-Frieberga, presidenta de Letonia.

Tercera foto: Se publicó apenas seis días después de la ampliación europea. En este caso se trataba de Marruecos y la foto era mucho menos numerosa pero aún tenía más poder simbólico. Se trataba de la foto oficial difundida por el palacio real de Marruecos del rey Mohamed VI con su hijo Mulay el Hassan con motivo del primer cumpleaños del príncipe heredero. Sólo ellos dos en la foto, ni rastro de la madre del príncipe heredero. Un poder masculino que se perpetuará, si nada lo impide, en otro poder masculino.

El término paridad nombra una representación igual de las mujeres y de los hombres en las instituciones electas. En la práctica, se ha formulado en que ninguno de los dos sexos esté representado ni por encima del 60 % ni por debajo del 40 %. La desigualdad de los sexos en la representación cuestiona los fundamentos de la democracia representativa; la paridad debería contribuir a refundar un sistema democrático que es todavía deficiente, ya que no ha podido integrar a la mitad de los ciudadanos, esto es, a las ciudadanas.

La noción de paridad nace políticamente en Europa. La expresión «democracia paritaria» se lanza en un coloquio organizado en 1989 en Estrasburgo por el Consejo de Europa en el que la igualdad entre hombres y mujeres se plantea como una cuestión política. Pero fue en 1992 cuando la paridad quedó fijada. A petición de la Comisión de las Comunidades Europeas, tuvo lugar el 3 de noviembre de 1992, en Atenas, la primera cumbre europea «Mujeres al poder», compuesta por ministras o ex ministras del ámbito europeo. Las participantes denunciaron el déficit democrático existente y proclamaron la necesidad de conseguir un reparto equilibrado de los poderes públicos y políticos entre hombres y mujeres. En esta primera cumbre se firmó la denominada «Declaración de Atenas». En ella se constata que la igualdad formal y real entre las mujeres y los hombres es un derecho fundamental del ser humano, que las mujeres representan más de la mitad de la población y que la democracia exige la paridad en la representación y en la administración de las naciones. Las firmantes aseguran que «constatan un déficit democrático» y que, por lo tanto, piden la igualdad de participación de las mujeres y de los hombres en la toma de decisión pública y política.

LAS *TRAMPAS* POLÍTICAS

La paridad no es el final del camino. Todo lo contrario: es el comienzo. Tan sólo consigue que las reglas del juego democrático sean más justas. La evolución, en España, del principio de presencia equilibrada en los gobiernos de los últimos 33 años, desde el fin de la dictadura hasta el 2008 ha sido impresionante. Demuestra la utilidad del trabajo teórico y político del feminismo. Pero el patriarcado continúa haciendo trampas. El problema es que la cuota femenina está gestionada por los líderes de los partidos. Ésta ha sido la causa principal de su devaluación. Las mujeres son elegidas, cooptadas, pero hasta la fecha, los liderazgos femeninos en política son auténticas excepciones. En la mayoría de los países, las presidentas o números uno de los partidos, son *hijas de*, *viudas de* o *hermanas de*. En España, la excepción ha sido Dolores Ibárruri, *Pasionaria*.

En la historia democrática de este país, sólo tres mujeres han disfrutado durante seis legislaturas del acta de diputadas. Otra excepción. El 60 % de ellas sólo permanecen una legislatura en su escaño. Según han aumentado las cuotas de representación femenina ha disminuido el tiempo que las mujeres permanecen en sus cargos. Las tres políticas son Ana Balletbó, y Carmen del Campo Casasús por el Partido Socialista y Celia Villalobos por el Partido Popular.

En 1982, Soledad Becerril es nombrada ministra de Cultura en el gobierno de Leopoldo Calvo Sotelo. Será la primera mujer ministra de la democracia. Tras las elecciones del año 2000, ambas cámaras están presididas por mujeres del Partido Popular, Luisa Fernanda Rudi en el Congreso y Esperanza Aguirre en el Senado.

MUJERES EN EL GOBIERNO

PARTIDO	AÑO	% MUJERES
	1975	0
	1976	0
UCD	1977	0
	1981	5,26 %
	1982	5,88 %
PSOE	1982	0
	1986	0
	1988	10,53 %
	1991	11,11 %
	1993	16,67 %
	1994	17,65 %
	1995	18,75 %
PP	1996	26,67 %
	1999	20 %
	1999	13,33 %

PARTIDO	AÑO	% MUJERES
	2000	17,65 %
	2002	18,75 %
	2003	25 %
	2003	31,25 %
PSOE	2004	50 %
	2007	43,75 %
	2008	52,94 %
PP	2011	30,7 %

El primer gobierno de José Luis Rodríguez Zapatero, formado tras las elecciones de marzo de 2004, es el primer gobierno paritario... supuestamente. En realidad, es el primer consejo de ministros paritario ya que quedó configurado con un espléndido 50 a 50, ocho ministros y ocho ministras. Pero en el segundo nivel —secretarios de estado, subsecretarios y directores generales—, es decir, la estructura total de lo que se considera un gobierno, la presencia de mujeres ha quedado reducida al 24 %. En los altos cargos, la paridad ni asoma tampoco: fiscal general del Estado, presidencia de las Cámaras, Consejo de Estado, embajadores... la presencia masculina es abrumadora en las altas instancias de poder. De los 19 delegados del gobierno, sólo dos son mujeres.

«La paridad implica consolidación del poder. Sin consolidación, se queda en una cuestión simplemente representativa. El fin de la paridad es un cambio de actitudes y valores respecto a la distribución social de los sexos. Si al final la paridad va a consistir en que seguimos perpetuando los estereotipos, la hemos vaciado de contenido», explica Alicia Miyares, autora del estudio *Paridad y consolidación del poder de las mujeres*.[6] Tras el análisis de los datos obtenidos, Miyares asegura que «cuando no existía la discriminación positiva, las poquísimas mujeres que había en el Congreso tenían un cierto poder orgánico y respal-

6. *Interviú*, n.º 1.467, 7 de junio de 2004, pág. 44.

do del partido. Cuando se amplía el número es cuando las mujeres comienzan a desfilar, es decir, son más fáciles de quitar».

Según los resultados del estudio de Miyares, el promedio de años que los varones están en el Congreso es de dos legislaturas completas. Por el contrario, las mujeres no llegan a una y media. Aún más significativo es que el 20 % de los varones permanecen tres o más legislaturas en sus escaños, mientras que sólo lo consiguen el 2,8 % de las mujeres. Subraya Miyares cómo a partir de la legislatura 1989-1993, cuando comienzan a implantarse las cuotas, según aumenta la presencia femenina disminuye el tiempo de permanencia de las mujeres en sus puestos. Es una de las trampas que se le hacen a la paridad. Parece que los varones son insustituibles y las mujeres, intercambiables.

Los porcentajes masculinos, un 20 % de varones conservan sus escaños alrededor de 12 años, permiten establecer pactos incluso entre distintos partidos políticos: es habitual que ex ministros o varones que han disfrutado de diferentes puestos de responsabilidad se vean impulsados en sus ambiciones. Un ejemplo es el de Rodrigo Rato, responsable del Fondo Monetario Internacional, con el apoyo tanto de su partido (PP) como del gobierno socialista; o en su momento, Javier Solana. Un 2,8 % de diputadas impide cualquier tipo de pacto o capacidad para designar a mujeres para cualquier instancia representativa.

AUTORIDAD NO ES SINÓNIMO DE PODER

El feminismo celebró y se felicitó por el primer *gobierno* paritario de la historia y después por todo el efecto «arrastre» que supuso tanto en gobiernos posteriores, como en algunas comunidades autónomas como incluso en gobiernos de otros países que se formaron tras la apuesta del presidente Zapatero. Fue otra victoria, importante y tremendamente simbólica. Un punto de partida sobre el que construir una realidad política nueva porque la igualdad necesita un nuevo discurso de poder, nuevas teorías que permitan la construcción de estructuras socioeconómicas, culturales y simbólicas diferentes. Pero el feminismo tiene muy en cuenta el concepto de autoridad, que no entiende como sinónimo de poder.

Las puntualizaciones, no por obvias, dejan de ser importantes. Así, se advierte que el concepto de igualdad no es lo contrario de diferencia. Lo contrario a igualdad es desigualdad. Por lo tanto, cuando las feministas reclaman la igualdad lo hacen en el sentido de equivalencia. Todos y todas iguales en derechos equivalentes, no idénticos-idénticas. Lo que quiere decir que no se exige la igualdad para ser iguales a los varones, en el sentido de ser idénticas a ellos y ejercer el poder o interpretar los cargos imitándolos. Se exige la igualdad para acceder a la libertad de ejercer los derechos, los cargos, los puestos... conforme al criterio de cada una.

Desde el feminismo también se explica que tener un cargo no significa tener poder y que el poder se construye en grupo. Cuando las mujeres salieron de la clausura familiar, se reunieron, se encontraron y se comunicaron, empezó a circular la autoridad entre ellas. La autoridad, para el feminismo, tiene que ver con el respeto, con el prestigio, con el reconocimiento de las mujeres como creadoras de cultura y pensamiento. «Todo empieza cuando una mujer habla a otra mujer.» Así terminaron las jornadas 20 años de Feminismo en Cataluña celebradas en 1996, con esta frase de Mireia Bofill.

Uno de los mayores empeños del patriarcado ha sido el aislamiento de las mujeres. Cada una en su ámbito privado, en su entorno familiar, sin compartir sus experiencias con otras mujeres. Cuando las mujeres comenzaron a hablar, también comenzaron a escucharse, organizarse y autorizarse. Fue un camino paralelo al final del enfrentamiento entre las mujeres, otro empeño patriarcal. Con las mujeres peleándose entre ellas, desautorizándose, no habría oposición a su poder. Respetarse, darse crédito unas a otras y trabajar juntas es la fórmula más eficaz para acabar con el dominio patriarcal, y de paso, mejorar la autoestima como colectivo y como personas. Una fórmula que, además, tiene traducción política.

PACTOS ENTRE MUJERES

La constitución de las mujeres en sujeto político pasa por la lucha reivindicativa y ésta ha encontrado la fórmula más eficaz y adecuada en los pactos entre mujeres. Si las mujeres no han constituido una fuerza política ni han ejercido poder relevante en el espacio público ha sido justamente por su dispersión atomizada en los espacios privados. No es inocente ni banal la idea de que una reunión exclusiva de mujeres haya sido siempre estigmatizada hasta en el lenguaje cotidiano: aquelarre, «¿estáis solas?» —ante un grupo de media docena de mujeres—, reunión de ovejas...

La conciencia femenina de su sometimiento dentro de la estructura patriarcal y la revuelta ante el mismo recibe un nombre inicial: sororidad. Un concepto que, como indica su raíz etimológica «sor», hace alusión a la hermana, a la hermandad de las mujeres en la conciencia y el rechazo del papel que les ha tocado jugar en el guión patriarcal. Explica Luisa Posada que es el reverso de la fraternidad como hermandad de los varones, los hermanos. La sororidad como relación interpersonal es al menos tan antigua como la fraternidad, pero no se retoma políticamente hasta la tercera ola del feminismo. En los años setenta del siglo XX es cuando se insiste en la opresión común sufrida por todas las mujeres, más allá de las diferencias de clase, raza, religión o cultura. Todas las mujeres eran hermanas bajo una misma dominación y una esperanza de lucha.[7]

La sororidad, plasmada en la acción y en la participación políticas, ha sido el fermento de los pactos entre mujeres hoy posibles.

7. POSADA, Luisa, «Pactos entre mujeres», en AMORÓS, Celia (dir.), *10 palabras clave de mujer*, op. cit., págs. 336-338.

El feminismo tiene clara la idea de que «el poder de una mujer individual está condicionado al de las mujeres como genérico».[8] La experiencia real más exitosa de los pactos es la vivida por el feminismo político noruego, que se saltó las diferencias ideológicas: «Trabajad juntas, desde las comunistas a la izquierda, hasta las conservadoras a la derecha, para que podamos conseguir ese 50 % al que tenemos derecho», pedía Berit Äs ya en 1990 explicando que la democracia no puede funcionar a menos que haya ese cincuenta por ciento de mujeres en todas partes. Con su experiencia, demostraron no sólo que el pacto es posible, sino que la participación política de las mujeres en un número elevado puede conseguir evitar el fenómeno de contagio. Cuando las mujeres acceden a cotas de poder de una en una, en la mayoría de los casos lo único que hacen es imitar el modelo existente, el masculino, una sola persona no puede cambiar las reglas del juego. Las noruegas insistieron en que no se trataba de entrar, sin más, en las esferas del poder patriarcal. Ellas lo hicieron desde la perspectiva y la apuesta feminista. Tenían claro que el *enemigo* es el patriarcado y su mejor herramienta fue crear una cultura de la solidaridad entre generaciones y entre mujeres y hombres.[9]

LOS DERECHOS DE LOS HUMANOS Y DE LAS HUMANAS

Otro instrumento político que ha tenido que ser repensado y reelaborado por el feminismo ha sido la Declaración Universal de los Derechos Humanos. Se pueden destacar tres fases en la evolución de los derechos humanos en el ámbito internacional, explica Raquel Osborne. En la primera, se

8. AMORÓS, Celia, *El nuevo aspecto de la polis, La balsa de la medusa*, n.os 19-20 (1991), citado en POSADA, Luisa, op. cit., pág. 348.
9. POSADA, Luisa, op. cit., págs. 351-360

aprueban la Carta de las Naciones Unidas y la Declaración Universal que tiene fecha de 10 de diciembre de 1948. En la segunda, se afirma la igualdad de derechos entre mujeres y varones en una serie de convenciones internacionales, y en la tercera parte, se adoptan normativas que se refieren únicamente a las mujeres como categoría socio-legal.[10]

Así, a la vista de las múltiples violaciones de los derechos humanos de las mujeres, la Conferencia Mundial de Derechos Humanos de Viena (1993) reconoció en su Declaración y Programa de Acción que los derechos humanos de la mujer y la niña son parte inalienable, integrante e indivisible de los derechos humanos universales. Este principio se vuelve a recordar en 1995, en la IV Conferencia Mundial sobre la Mujer en Pekín.

Transformar el concepto de derechos humanos desde una perspectiva feminista pasa por una afirmación tan obvia como utópica todavía: los derechos de las mujeres son derechos humanos. Y con esta afirmación, por un lado, se aclara que los derechos formulados en masculino han de ser extensivos a las mujeres y, por otro, se señalan los derechos específicos de las mujeres; los derechos sexuales y reproductivos. Son éstos los aspectos donde más se vulneran los derechos de las mujeres: los abusos que surgen específicamente en relación con el sexo, como la esclavitud sexual femenina, la violencia contra las mujeres, los crímenes «de honor» o los «crímenes familiares» tales como el matrimonio obligado o la mutilación genital. El ejemplo más claro es el aborto, derecho negado en decenas de países, controlado o legislado en la mayoría y convertido en delito en buena parte del mundo. Cada mujer debe tener el derecho de control sobre su propio cuerpo, su sexualidad y su vida reproductiva. Cada mujer es capaz de tomar sus propias decisiones.

Así, ante la falta de reconocimiento de los derechos de las

10. OSBORNE, Raquel, «Acción positiva», en AMORÓS, Celia (dir.), *10 palabras clave de mujer*, op. cit., pág. 314.

mujeres, se desarrolló la *Convención sobre la eliminación de todas las formas de discriminación contra la mujer*,[11] aprobada por Naciones Unidas en 1979 y que entró en vigor en 1981. Este documento representó un hito en la historia jurídica de las mujeres hacia la igualdad. La universalidad es un rasgo fundamental de esa convención, ya que abarca todos los ámbitos en los que pueda existir discriminación: político, civil, social, económico y cultural.[12]

España suscribió la convención en 1984. Dos años después, en 1986, se firmaba el Tratado de adhesión de España a la Comunidad Europea. Al hacerlo, asumió de paso toda la legislación ya elaborada por la Unión Europea. Ahí se incluyen las cinco directivas aprobadas por la Unión como desarrollo del artículo 119 del Tratado de Roma que establece la igualdad de trato de hombres y mujeres en el ámbito laboral y que incluye la protección de la maternidad.[13]

¿DÓNDE ESTÁN LAS MUJERES?

Las feministas se pasaron la década de los ochenta contando. Ante la igualdad formal y la falta de concordancia entre ésta y la satisfacción de las mujeres, hubo que ir desenmascarando la realidad. Y la realidad es demoledora. No hay ámbito en el que las mujeres no estén infrarrepresentadas.

Las acciones positivas se han quedado a la puerta de las empresas. Se ha comprobado que la fórmula más eficaz para expandir el concepto de paridad fuera del ámbito político se ha dado en aquellos países con organismos que hacen seguimiento de las acciones positivas con carácter ejecutivo. Es decir, que pueden imponer sanciones o rescindir contratos a empresas

---

11. Ver en Anexos, el texto íntegro de la Convención.
12. OSBORNE, Raquel, op. cit., pág. 314.
13. Ibídem, pág. 321.

públicas o privadas que tengan acuerdos con la Administración.[14] En España, tras la aprobación de la Ley de Igualdad, las empresas están obligadas a respetar la igualdad de trato y de oportunidades en el ámbito laboral y para ello deben adoptar medidas dirigidas a evitar cualquier tipo de discriminación. La ley también les da un plazo de 8 años (hasta el 2015) para que sus consejos de administración tengan una presencia equilibrada entre hombres y mujeres. En España, la primera mujer magistrada del Tribunal Supremo fue nombrada en 2002. El Supremo es el máximo órgano judicial del país, y cuenta con más de sesenta miembros; de los veinte vocales del Consejo General del poder judicial sólo dos son mujeres. No hay ninguna mujer presidenta entre los diecisiete tribunales superiores de Justicia y sólo tres entre las cincuenta audiencias provinciales, ello pese a que las mujeres representan el 60 % de las últimas promociones de la carrera judicial y el 40 % del total del cuerpo judicial.

En los medios de comunicación la situación es igual de patética. A fecha de marzo de 2003, las mujeres dirigían 17 diarios de información general de los 157 que se editaban en todo el país, frente a 140 varones. Las mujeres representaban el 10,8 %. En 2007, la situación era idéntica.

Las mujeres constituyen más del 50 % del alumnado universitario pero en el curso 2005-2006, mientras que el 42,12 % del profesorado en las universidades españolas eran mujeres, sólo ocupaban el 13,96 % de las cátedras. En el curso siguiente, 2006-2007, el porcentaje había subido hasta un modestísimo 14,36 %. Durante el verano de 2004, Pilar Aguilar realizó un estudio sobre los cursos de verano de las universidades. Las proporciones eran similares para todas. En la Universidad Internacional Menéndez Pelayo, por ejemplo, 138 de los cursos programados fueron dirigidos por hombres, 6 por mujeres y 7 codirigidos por ambos sexos. Según la FEDEPE, Federación

14. Ibídem, págs. 311-313.

de Mujeres Directivas Ejecutivas Profesionales y Empresarias, las mujeres componen el 4 % del total de altos cargos en las empresas.[15]

Una última propuesta. Para estrenar las gafas violetas, no sería mala idea preguntarse siempre: ¿Dónde están las mujeres? Desde la Declaración Universal de los Derechos Humanos hasta los resúmenes de fin de año de las televisiones; desde los cursos de verano de las universidades hasta el listado de los puestos directivos de los colegios profesionales; desde las academias a los consejos de administración de las empresas. Preguntárselo ante los libros de historia, las portadas de los periódicos, los ensayos clínicos, los especiales al estilo de «las 100 mejores canciones del siglo XX» o «las 10 mejores novelas de la década»... ¿Dónde están las mujeres?

15. CRUZ, Jacqueline y ZECCHI, Bárbara, «Más que evolución, involución: a modo de prólogo», en CRUZ, J. y ZECCHI, B. (eds.), *La mujer en la España actual. ¿Evolución o involución?*, Icaria, Barcelona, 2004, pág. 15.

8

LA ECONOMÍA
¿Cuánto vale el bienestar?

> En lugar de dar la bienvenida al crecimien-
> to por el crecimiento, debemos calcular su coste
> total, incluidos los costes ecológicos y sociales.
>
> SUSAN GEORGE

LAS FRESAS Y LAS UVAS: LA DIVISIÓN SEXUAL DEL TRABAJO

Decía Paracelso, médico suizo del siglo XV, que «quienes se imaginan que todos los frutos maduran al mismo tiempo que las fresas, no saben nada de las uvas».

Algo así les ocurrió a los economistas durante siglos. Daban por hecho que sólo el trabajo remunerado era trabajo, así que no sabían nada del trabajo no remunerado realizado en el hogar, del trabajo doméstico —tampoco parecía preocuparles—. También las mujeres asumieron esa afirmación como verdad y creyeron que el prestigio iba asociado a las personas que realizaban oficios, labores o misiones relevantes. La alianza entre la antropología y la economía feministas desenmascaró la farsa.

Lo que ocurre entre el poder y la autoridad es similar a lo que ocurre entre el trabajo y el prestigio. Históricamente, ni la autoridad ni el prestigio se infieren únicamente del poder o el trabajo de cada persona, el sexo es lo determinante. «El hombre puede cocinar, tejer o vestir muñecas [...] pero si esas actividades se consideran como ocupaciones apropiadas para el hombre, entonces la sociedad entera las ve como algo importante. Cuando las mismas ocupaciones están realizadas por mujeres, son consideradas menos importantes.»[1] La antropóloga Margaret Mead pasó varios años de su vida estudiando diferentes grupos étnicos de Nueva Guinea y Samoa. La pionera norteamericana llegó a la conclusión de que «lo femenino» no se definía tanto por una serie de características que se adscribían a las mujeres, ni de unas actividades que ellas pudieran desarrollar mejor, sino de una infravaloración que teñía siempre lo que las mujeres fueran o hicieran.[2] Así es. Ellas son cocineras, ellos son chef; ellas son modistas, ellos son diseñadores o modistos de alta costura; ellas son azafatas, ellos, auxiliares de vuelo...

La introducción de la categoría género ha revelado la insuficiencia de los cuerpos teóricos de las ciencias sociales por su incapacidad para ofrecer, no ya una explicación, sino ni siquiera un tratamiento adecuado a la desigualdad social entre mujeres y hombres. Así, el objetivo de la economía feminista es hacer visible lo que tradicionalmente la economía ha mantenido oculto: el trabajo familiar doméstico y sus relaciones, con lo que ha constituido su objeto de estudio, la producción y el intercambio mercantil.[3] La división sexual del trabajo no sólo

1. MEAD, Margaret, *Sex and Temperament in Three Primitive Societies*, 1963, citado en MOLINA, Cristina, *Feminismo es... y será.* Jornadas Feministas Córdoba 2000. Ponencias, mesas redondas y exposiciones, Asamblea de Mujeres de Córdoba Hierbabuena, Universidad de Córdoba, 2001, pág. 115.
2. Ibídem.
3. CARRASCO, Cristina (ed.), *Mujeres y economía. Nuevas perspectivas para viejos y nuevos problemas,* Icaria, Barcelona, 2.ª ed., 2003, pág. 48.

diferencia las tareas que hacen hombres o mujeres, además, confiere o quita prestigio a esas tareas y también crea desigualdades en las recompensas económicas que se obtienen.

TRABAJO DOMÉSTICO, TRABAJO INVISIBLE

Las labores domésticas constituyen la mayor parte del trabajo invisible desarrollado por las mujeres. El Instituto de la Mujer realiza, desde 1993, encuestas sobre los usos del tiempo. Tanto en 1993 como en 2001, las mujeres dedicaban más tiempo que los hombres al trabajo de la casa, mientras que éstos consagraban más horas al estudio, a sus empleos y al tiempo libre. En 1993, las mujeres destinaban 5 horas y 28 minutos diarios más que los hombres a las tareas domésticas; en 2001, las mujeres aún trabajaban en casa 4 horas y 12 minutos diariamente más que los varones. Ellos, entre 1993 y 2001 habían aumentado en 40 minutos el tiempo que empleaban en las labores domésticas. Así, en el año 2001, más de la mitad de las mujeres que trabajaban fuera de casa manifestaban realizar prácticamente ellas solas tareas como cocinar, lavar o planchar y más del 40 % aseguraban que eran las responsables en exclusiva de la compra o la limpieza. Los datos de 2006 plantean algunas variaciones significativas. Aunque eran los varones quienes continuaban disfrutando de más tiempo libre y dedicando casi el doble de tiempo que las mujeres al trabajo remunerado, las mujeres dedicaban más tiempo al estudio. Y, respecto al trabajo doméstico, entre 2001 y 2010 (según los últimos datos del Instituto Nacional del Estadística) ha habido una gran reducción del tiempo que le dedican las mujeres (de 7 horas y 22 minutos en 2001 a 4 horas y 4 minutos en 2010) pero, curiosamente, los varones también le dedican menos tiempo. Esto quiere decir que las labores domésticas han disminuido, buenas parte de ellas se contratan, las familias son más pequeñas... pero no ha aumentado la corresponsabilidad.

Aunque la brecha continúa reduciéndose, la diferencia aún es de 2 horas y 15 minutos diarias más para las mujeres.

Según estos datos, se hace evidente que la carga recae casi exclusivamente sobre el sexo femenino. Además, cuando los hombres realizan alguna tarea doméstica se produce una especialización que resulta generalmente desfavorable para las mujeres, tanto en cantidad como en calidad. La permanencia de los roles de sexo en el seno de la familia provoca desigualdades.

El feminismo comenzó a debatir sobre el trabajo doméstico en los años setenta. En aquel momento, se analizaba en relación al trabajo remunerado. Este último era la actividad que tenía valor y reconocimiento social, tanto, que se identificaba trabajo con empleo. De aquí que si se quería otorgar reconocimiento al trabajo doméstico había que demostrar que era una actividad análoga al trabajo de mercado. En las primeras jornadas feministas estatales celebradas en España en los años 1975 y 1976 se mantenía incluso la idea de que el trabajo doméstico se iba a abolir. Las propuestas eran complementarias. Por un lado, adquirir parte de ese trabajo en el mercado —tintorerías, lavanderías, comprar la ropa confeccionada...—. Otra parte debería proporcionarla el sector público —guarderías, atención a mayores, centros de día, asistencia a domicilio...—, y el resto se compartiría con los varones puesto que hombres y mujeres dedicarían los mismos esfuerzos y tiempos en el trabajo fuera del hogar.

La realidad hizo repensar toda la teoría. Las mujeres accedían al mercado laboral pero lo varones no compartían las tareas domésticas. Ellas seguían asumiendo las cargas y, además, el estado del bienestar no era tal —aún hoy no existen ni suficientes guarderías ni residencias de mayores ni otros servicios necesarios—. Las mujeres vivían con tensión la doble jornada —trabajar en la casa y fuera de ella—, y también la doble presencia —estar y no estar simultáneamente en ambos espacios—. Surgían entonces dos preguntas: ¿por qué las mujeres no imitaban a los varones en su forma de incorporarse al trabajo asalariado?, ¿por qué continuaban asumiendo el trabajo doméstico? Fue cuando el feminismo diferenció entre *las uvas y las fresas*: las actividades realizadas en el hogar tienen un valor que la sociedad capitalista patriarcal desde siempre había ignorado.

Se trata de un trabajo diferente, con una forma de hacer distinta, cuyo objetivo fundamental es el cuidado de la vida y el bienestar de las personas y no el logro de beneficios como es en su gran mayoría el del trabajo de mercado. Desde esta nueva perspectiva, las mujeres no son secundarias y dependientes sino personas activas, actoras de su propia historia, creadoras de culturas y valores del trabajo distintos a los del modelo masculino. Se había abandonado la referencia al trabajo asalariado masculino para recuperar los valores propios de otra actividad, aceptando y reivindicando la diversidad en el quehacer.

Las personas tenemos necesidades objetivas y subjetivas. Humanos y humanas demandamos necesidades materiales pero también afectivas y de relaciones. En buena parte de las actividades que se realizan en el hogar resulta imposible separar la relación personal de la actividad, por el componente afectivo que implican. Por tanto, estas actividades no tienen sustituto de mercado ni sustituto público. No todo se puede reducir a precios de mercado, especialmente, la vida humana.

A partir de ahí, en vez de renegar del trabajo doméstico, la economía feminista lo valoró por sí mismo en cuanto que es proveedor de relaciones afectivas, de cuidados y de calidad de vida. Simultáneamente, los estudios sobre usos del tiempo fueron determinantes para hacer visible su dimensión cuantitativa. Tanto en su contenido, el cuidado de la vida humana, como en cuantía, el trabajo no remunerado realizado fundamentalmente por las mujeres se presentaba como más importante que el trabajo remunerado. Más aún, esta actividad no reconocida es de hecho la que permite que funcione el mercado y el resto de las actividades. El tiempo que se dedica a los niños y las niñas, a los hombres y mujeres desde el hogar es determinante para que crezcan y se desarrollen como seres sociales, con capacidad de relación, con seguridades afectivas... todas aquellas características que nos convierten en personas.

La economía feminista también echó por tierra la base de los modelos económicos de la escuela neoclásica: el denominado *homo economicus*. Éste había sido definido como un individuo racional que, como en las historias de Robinson Crusoe, no tiene niñez ni se hace viejo, no depende de nadie ni se hace responsable mas que de sí mismo. El medio no le afecta, participa en la sociedad sin que ésta le influya. Interactúa en un mercado ideal donde los precios son su única forma de comunicación, sin manifestar relaciones emocionales con otras personas. Es decir, la teoría económica se había inventado un modelo imposible. Este *homo economicus* representa una libertad de actuación que sólo puede existir porque hay alguien que realiza las otras actividades. Pero la economía tradicionalmente ni siquiera vio a ese *alguien*. La alternativa al *homo economicus* es pensar de manera más realista: las personas no son *hongos* que salen de la tierra. Más bien nacen de mujeres, son cuidadas y alimentadas en la niñez, socializadas en la familia y grupos comunitarios y la norma es que todas las personas son interdependientes a lo largo de toda la vida.[4]

Las mujeres, al asumir los dos trabajos viven desplazándose de un espacio a otro, interiorizando la tensión que significa la doble presencia. Los varones, en cambio, con su dedicación única al mercado de trabajo pueden entregarse a esta actividad sin vivir los problemas de combinar tiempos de características tan diferentes. Esa forma masculina de participación, con libre disposición de tiempos y espacios, sólo existe porque los varones han delegado en las mujeres su deber de cuidar.

Otra de las máximas económicas del patriarcado ha sido: «Hay que superar el reino de la necesidad para conquistar el reino de la libertad.» Pero tampoco es cierta. La necesidad no se supera. Las diferentes necesidades son parte de la naturale-

4. Ibídem, págs. 44-45.

za humana y hay que satisfacerlas continuamente. Por tanto, sólo es posible delegarlas, no eliminarlas. La libertad que conquistan los varones es a cuenta de que las mujeres se responsabilicen de atender esas necesidades. En la actualidad ocurre lo mismo con las mujeres que adoptan la forma masculina tradicional de participar en la economía de mercado. Sólo pueden hacerlo delegando los cuidados. Cuando las tareas domésticas no se comparten, recaen fundamentalmente en mano de obra inmigrante —es tremendamente doloroso escuchar a miles de madres que han tenido que dejar a sus hijos en sus países de origen para venir a Europa a criar a los hijos de otras familias—. También les toca parte de ese trabajo a las abuelas. Mujeres que vuelven a asumir una gran carga de trabajo y que, en muchos casos, se encuentran divididas entre el cuidado de sus propios padres y madres y el de sus nietos y nietas. En su mayoría, son las mujeres que en España, por edad, nunca se llegaron a liberar de las tareas caseras en su juventud.

Llevándolo a políticas concretas, la economía feminista insiste en que el modelo masculino de uso del tiempo y de incorporación al mercado de trabajo no es generalizable, no responde a las necesidades de la vida humana. Si las mujeres, todas las mujeres, adoptaran dicho modelo ¿quién realizaría las tareas de cuidados?, ¿qué sucedería con las personas dependientes por razones de edad o salud? De aquí que las políticas que sólo se desarrollan para que las mujeres asuman el modelo masculino tradicional de comportamiento, al margen de que interese a las mujeres o no imitar dicho modelo, no son viables. Parece más sensato tener como modelo la experiencia femenina de trabajo. Pero modificando un aspecto esencial: los cuidados, el bienestar humano, no son un problema ni una obligación de las mujeres sino un problema y una cuestión social. El aspecto esencial es la corresponsabilidad entre hombres y mujeres.

Así, de la idea inicial de abolición del trabajo doméstico como forma de liberación de las mujeres se ha pasado a otras concepciones. Las feministas socialistas anglosajonas desarrollaron en los años ochenta las ideas del salario doméstico y la plusvalía generada por el ama de casa. Las políticas públicas inciden actualmente en la conciliación de la vida familiar y laboral y también se propone reivindicar este trabajo, y sobre todo las tareas de cuidados, como una actividad social necesaria, proveedora de bienestar, que no puede ser eliminada. Darle su verdadero valor, conseguir su distribución entre mujeres y hombres y exigir una mayor implicación de las instituciones es el eje de la cuestión.

Frente a esto no sirve ya utilizar el sentimiento de culpabilidad para que las mujeres cumplan ese papel. Tampoco la famosa *ayuda* masculina que no sólo no es suficiente en cuanto al tiempo y la responsabilidad empleadas, sino que además elude los requerimientos emocionales propios del trabajo doméstico y de los cuidados. Repartir responsabilidades no consiste en que los hombres realicen tareas parciales, dirigidas y complementadas por las verdaderas especialistas en el cuidado: las mujeres.

Proporcionar desde el mercado servicios de atención doméstica y de cuidados a quien pueda pagarlos aparece como una nueva fuente de beneficios. Incluso llega a plantearse como un nuevo yacimiento de empleo. Eso sí, de empleo muy precario, desempeñado fundamentalmente por mujeres, de las que no se dice cómo solucionarán estas tareas en su propia familia.

Soluciones difíciles que sólo pasan por hacer la vida más humana y que la conciliación sea real y para todos y para todas. Porque la conciliación de la vida familiar y laboral no puede ser una política para mujeres que en la práctica se reduzca a que ellas compaginen: precarizando el empleo femenino con jornadas más cortas que suponen salarios más bajos para que se pueda trabajar gratis en casa. Las políticas de conciliación tienen que ser diseñadas para hombres y para mujeres.[5]

5. El epígrafe *Trabajo doméstico, trabajo invisible*, está basado en la ponencia del grupo Dones i treballs de Ca la Dona, Barcelona, presentada en las Jornadas Feministas de Córdoba, 2000, bajo el título «Repensar desde el feminismo los tiempos y trabajos en la vida cotidiana».

Las cifras evidencian el abuso. Las diferencias en las tasas de actividad y ocupación por sexo se acentúan a partir de los 24 años y es máxima en el grupo de edad 25-54 años. Tener hijos aún es un factor que condiciona la presencia de las mujeres en el mercado de trabajo español. El 22 % de las mujeres, según los últimos datos correspondientes a 2010, trabajan a tiempo parcial frente a un 5 % de los hombres.

España dispone de una elevada tasa de escolarización en los niños y niñas de entre 3 y 6 años, pero entre los menores de 3 años la escolaridad es mínima. El índice de cobertura de los servicios públicos de ayuda a domicilio para las personas mayores de 65 años se situaba en 2002 en un 2,8 %. La cobertura de los centros de día públicos era de un 0,1 % y las plazas de residencia, tanto públicas como privadas y concertadas alcanzaban un 3,4 % de las necesidades. En el año 2003, España era el país con el gasto social en protección a la familia más bajo de la Unión Europea con un 0,5 % del PIB, frente al 2,1 % de promedio en Europa.[6]

Y quizás el dato más revelador sobre la falta de justificación sobre por qué recae el trabajo sobre las mujeres: las mujeres que tienen empleos fuera de casa dedican sustancialmente más horas al trabajo doméstico que los hombres desempleados. El trabajo remunerado no es la razón que explique la falta de corresponsabilidad entre los sexos.[7] A esta situación quieren poner freno dos de las leyes aprobadas recientemente, la Ley de Igualdad y la popularmente conocida como Ley de Dependencia, aunque ni una ni otra están aún desarrolladas completamente.

6. LARRAÑAGA, Isabel, ARREGI, Begoña y ARPAL, Jesús, «El trabajo reproductivo o doméstico», en el informe SESPAS 2004, pág. 29.
7. Ibídem, pág. 35.

LA ÉTICA DEL CUIDADO

La sociedad no es un ente abstracto, está compuesta —como afirma Sira del Río—, por individuos concretos, por los hombres y mujeres que la forman y la transforman. Así, las mujeres concretas, en los esfuerzos para compartir el trabajo de cuidados, se encuentran con hombres concretos, situados en cualquier nivel de la estructura social y con cualquier ideología, que no comprenden ni la importancia ni la necesidad de este trabajo y, sobre todo, no se sienten en absoluto responsables de su realización.[8] La idea —y la práctica— de la corresponsabilidad está ausente en el día a día.

Al profundizar en ese desapego y falta de responsabilidad masculina ante las necesidades vitales, en la década de los ochenta surgió el debate sobre dos éticas distintas. Los primeros trabajos fueron desarrollados por Carol Gilligan quien en 1982 publicó *In a Different Voice* en controversia con L. Kohlberg. Explica Celia Amorós que los resultados de las investigaciones de Gilligan ponían de manifiesto la existencia de diferencias significativas en el razonamiento moral según el sexo. Así como los varones razonaban jerarquizando principios, normas morales de justicia y derechos, las mujeres lo hacían dentro de un contexto, atendiendo a consideraciones relativas a las relaciones personales, a los detalles de la situación... Como consecuencia, eran ubicadas en un rango inferior al de los varones en la escala que L. Kohlberg elaboró para medir el desarrollo moral de los sujetos.[9]

Entendiendo la ética como las normas morales que rigen la conducta humana, para Gilligan hay dos formas de comportarse: siguiendo una ética de la justicia o según las normas prescri-

---

8. DEL RÍO, Sira, «Cuidar de l@s demás: un problema ético», abril 1999, www.nodo50.org/maast/cuidar.htm.

9. AMORÓS, Celia, *Tiempo de feminismo. Sobre feminismo, proyecto ilustrado y postmodernidad,* op. cit., pág. 397.

tas por la ética del cuidado. La ética de la justicia, que es la ética dominante en las sociedades occidentales, surgió para resolver los conflictos mediante el consenso, para ser aplicada donde hay que distribuir algo. Es la ética de lo público. No importa lo que se distribuya, lo que importa es que el procedimiento sea justo. Es la ética que se desarrolla en el siglo XVIII, en el siglo de la Ilustración. Pero una vez más, lo universal —igual que ocurrió con los derechos—, sólo se refería a lo masculino. Así, ésta —según Gilligan— es una ética que sólo sirve para lo público y que se construye sin contar con las mujeres.

Gilligan se planteaba si existen distintas formas de razonamiento moral entre hombres y mujeres como consecuencia de las construcciones de género, ya que a los hombres se les exige *individualidad* e independencia y a las mujeres se les impone el cuidado de los demás y rara vez son vistas como individuas *solas*. Así, ponía de manifiesto que la ética de la justicia se caracteriza por el respeto a los derechos formales de los demás, la importancia de la imparcialidad y juzgar al otro sin tener en cuenta sus particularidades. En esta ética, la responsabilidad hacia los demás se entiende como una limitación de la acción, un freno a la agresión puesto que se ocupa de consensuar unas reglas mínimas de convivencia y nunca se pronuncia sobre si algo es bueno o malo en general, sólo si la decisión se ha tomado siguiendo las normas.

Frente a ella, la ética del cuidado, seguida por las mujeres, consiste en juzgar teniendo en cuenta las circunstancias personales de cada caso. Está basada en la responsabilidad por los demás. Ni siquiera se concibe la omisión. No actuar cuando alguien lo necesita se considera una falta. Esta ética entiende el mundo como una red de relaciones y lo importante no es el formalismo, sino el fondo de las cuestiones sobre las que hay que decidir.

Las teorías de la filosofía moral y política modernas nacen de una idea semejante a la del *homo economicus*. Hobbes y Rousseau, entre otros, hablan de hombres que también parece que surgen de la tierra, como hongos. El ideal es un hombre desarraigado, sin vínculos (no tiene madre, ni esposas, ni hermanas). En sus teorías no existe el equivalente de la mujer *desarraigada*. Los pensadores se dan cuenta de que ese hombre no está solo en el mundo, pero porque hay otros hombres, tampoco ellos ven a las mujeres. Así, lo que proponen es que los hombres tienen que hacer pactos entre sí, es el contrato social, la ley que domestica la competición y evita la lucha de todos contra todos. Otra teoría interesante pero falsa porque la sociedad no podría funcionar así y, sobre todo, no podría reproducirse.

Frente a esta teoría dominante, el concepto central de la ética del cuidado es la responsabilidad. Puesto que la sociedad no es un conjunto de individuos solos, los seres humanos formamos parte de una red de relaciones, dependemos unos de otros. La ética del cuidado cuestiona la base de las sociedades capitalistas en las que el intercambio es de valores idénticos: «tanto me das, tanto te doy». Si se aplica la responsabilidad, el intercambio no es exacto, depende de lo que cada uno necesite. La corresponsabilidad ha de existir entre hombres y mujeres y en todos los ámbitos: la familia, la amistad, el amor, la política y las relaciones sociales. El feminismo defiende la ética del cuidado, pero no sólo para las mujeres. La ética del cuidado debe ser universal.

La responsabilidad y la solidaridad han de ser un deber ético para el conjunto de la sociedad. Como propone Carol Gilligan, justicia y responsabilidad para unas y otros.[10] Además, es un antídoto para la violencia: es difícil destruir lo que uno mismo ha cuidado.

10. MARÍN, Gloria, «Ética de la justicia, ética del cuidado», 1993, www.nodo50.org/doneselx/ética.htm.

PARO Y SALARIOS CON APELLIDO

La lógica patriarcal consigue que aunque las mujeres se hayan incorporado al mercado laboral masivamente, con preparación y dedicación, ni en salario ni en los índices de empleo sean equivalentes a los hombres. El salario y el paro llevan un apellido, «femenino», que los diferencia claramente de la situación salarial y de los índices de desempleo masculinos. En este caso, las desigualdades están denunciadas y son bien visibles, pero no se modifican. «En la economía están los retos del poder», afirma Viviane Forrester, en su libro *El horror económico*. Parte de ese horror está perfectamente cuantificado: las mujeres perciben un salario medio por hora que representa el 75 % del que reciben los hombres por el mismo trabajo. El cobro de un 25 % menos entre el colectivo femenino demuestra que hay una diferencia salarial entre ocupaciones o categorías

EVOLUCIÓN DE LAS TASAS DE DESEMPLEO EN ESPAÑA, 2007-20012

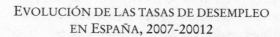

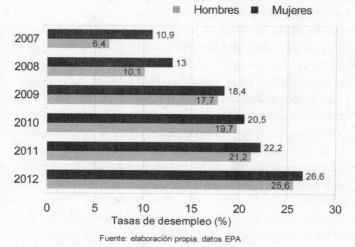

Fuente: elaboración propia, datos EPA

que no tiene su origen en un nivel distinto de productividad, sino en la discriminación de sexo. La evolución de las tasas de desempleo en España en el periodo 2007-2012 resulta muy ilustrativa. Está claro que ha habido un fuerte crecimiento del desempleo masculino durante la crisis, sin embargo, el paro femenino siempre ha sido superior (26,6 % desempleo femenino en 2012 respecto al 25,6 % masculino). Es decir, se ha estrechado la distancia en las cifras de desempleo entre hombres y mujeres porque ha aumentado el paro masculino, no porque haya mejorado la situación de las mujeres.

EL *TRASNOCHADO* TECHO DE CRISTAL

Como algunas mujeres han accedido —y están accediendo— a cargos relevantes tanto en política como en economía, parece que el camino está despejado para todas. Los medios de comunicación también se encargan de dar una falsa imagen de la realidad hablando de *boom* femenino en cuanto aparecen dos mujeres destacadas en un mismo sector. Así, denuncias de situaciones de discriminación históricas parece que están *trasnochadas*. Es el caso del *techo de cristal*, expresión que se utiliza desde hace décadas para explicar las dificultades que tienen las mujeres para acceder a los puestos de poder y responsabilidad. Cuanto más poder y responsabilidad tenga el puesto, peor, más dificultades para llegar. Las cifras demuestran que el *techo de cristal* no se ha roto y desmienten esa falsa imagen de centenares de mujeres copando cargos de responsabilidad.

Uno de los indicadores clave en este sentido son los consejos de administración de las grandes empresas. Sus miembros gozan de poder para definir el curso económico del mundo. En la mayor parte de los casos, la composición de los consejos de administración es desproporcionadamente masculina. La razón es simple: la mayoría de los consejeros provienen de los altos ejecutivos de las grandes empresas y muy pocas mujeres han alcanzado estos puestos. En muchos países como España, la mayoría de las mujeres que llegan a ocupar cargos en consejos de administración pertenecen a la familia que dio origen a la empresa y, por lo tanto, poseen un gran paquete accionarial.

Corporate Women Directors International (CWDI) ha elaborado listados de mujeres de todo el mundo que participan en consejos de administración. Estas listas han servido para construir redes nacionales e internacionales que faciliten el intercambio de estrategias e ideas y para ampliar el grupo de potenciales mujeres con cargos directivos.

El informe global de 2011 de CWDI señala que las mujeres comienzan a llegar a los consejos de administración en aquellos países donde las leyes marcan cuotas. Así, 36 empresas con sede en países con cuotas (de la lista Fortune Global 200), tenían un mayor porcentaje de mujeres en los consejos (16,1 %) que el porcentaje medio de mujeres directoras (13,8 %) de todas las empresas de la lista Fortune.

Francia, cuya ley de cuotas fue aprobada en 2010, tuvo la mayor tasa de aumento en el porcentaje de mujeres directoras entre las Fortune Global 200 pasando del 7,2 % en 2004 al 20,1 % en 2011.

La segunda tasa más alta de incremento de los consejeros mujeres corresponde a España, donde se aprobaron las cuotas en los consejos de administración en 2007, con la Ley de Igualdad. El incremento ha sido del 1,9 % en 2004 al 9,2 % en 2011.

En primer lugar se encuentra Estados Unidos, donde, según Fortune Global 200, el 20,8 % de los miembros de consejos de administración son mujeres pero están a punto de quedarse por detrás de Francia (20,1 %) en breve, dada su anémica tasa de crecimiento (3,3 %) desde 2004. Y el último lugar le corresponde a Japón, que tiene una representación femenina del 2 % en todas las entidades que cotizan en sus nueve bolsas.

¿Cómo se adaptarán las grandes empresas españolas a la nueva legislación sobre igualdad que les da hasta marzo de 2015 para tener una representación equilibrada (es decir, 60-40) en sus consejos de administración? Mucho nos tememos que será necesaria una prórroga.

LAS NUEVAS HEROÍNAS

Buena parte de todas estas realidades han quedado reflejadas en el estudio *La incorporación de la mujer al mercado laboral: implicaciones personales, familiares y profesionales*, realizado en febrero de 2004 por la escuela de negocios IESE, de la Universidad de Navarra. Según el profesor Sandalio Gómez, responsable de la cátedra de Relaciones Laborales de esta universidad, «la base en la que deberían apoyarse las mujeres que entran en el mundo laboral no aparece por ningún lado. Las mujeres que quieren dedicarse a fondo a su profesión siguen teniendo que hacer actos heroicos». Algunas empresas han comenzado a dar respuesta a las necesidades de sus empleados con medidas que han venido a denominarse «de conciliación laboral y familiar» y que se traducen en políticas de flexibilidad del horario laboral, medidas de apoyo o beneficios y servicios sociales para los trabajadores. Aún no son generalizadas pero, en muchos casos, según denuncia el informe del IESE, a las trabajadoras les resulta incluso perjudicial para su desarrollo profesional acogerse a ellas: «Son muchas las empresas que, desde sus departamentos de recursos humanos, proclaman tener magníficos programas de apoyo a sus empleados para poder atender mejor sus responsabilidades familiares. En la realidad sus empleados, y más las empleadas, deciden no aprovecharlos porque saben que significaría el fin de su carrera dentro de la empresa. Introducir medidas no es la única tarea. Es necesario que se produzca un verdadero cambio en la cultura de las empresas», señala el estudio. También afirma el catedrático que «las medidas adoptadas por las instituciones públicas si se comparan con las de otros países europeos, resultan insuficientes para dar solución a los problemas estructurales de la conciliación».[11]

Quizá vienen a cuento las palabras de Carmen Rico-Godoy: «Se culpa a las mujeres de la baja natalidad porque es mucho más cómodo. No, no, si hay baja natalidad es porque el hombre no ha querido participar en el cuidado de los hijos.» Tampoco la sociedad. La maternidad continúa siendo un obstáculo para el desarrollo profesional de muchas jóvenes. Además, estafadas en el reparto de los tiempos, para buena parte de las mujeres, el ocio es, simplemente, un sueño.

SEXO, MENTIRAS Y PRECARIEDAD

Fue en la segunda mitad de los años ochenta cuando comenzó la incorporación masiva de las mujeres al mercado de trabajo español. La tasa de ocupación femenina ha pasado de un 27 % en 1975 al 49,37 % en 2007. Pero a pesar de esa importante evolución, las diferencias por sexos son aún de 20 puntos a favor de los hombres. Una de las características más significativas de la evolución del empleo en España desde 1975 ha sido el espectacular aumento en el sector servicios y el descenso en el sector primario. La incorporación de las mujeres al mercado laboral ha sido paralela. Los servicios han llegado a ocupar al 80 % de las mujeres con empleo. Según los datos de 2007, actualmente son el 53,24 % pero suponen hasta el 70 % de las personas que trabajan en hostelería y comercio.[12]

Si se afina un poco más en las características del mercado laboral se percibe que también son las mujeres las más afecta-

11. ALCAIDE, Soledad, El País, 29 de febrero de 2004, pág. 38.
12. SANTOLARIA, Encarna, FERNÁNDEZ, Alberto, DAPONTE, Antonio, «El sector productivo», en el informe SESPAS 2004, «La salud pública desde la perspectiva de género y clase social», Gaceta Sanitaria, vol. 18, supl. 1, mayo 2004, pág. 25.

das por los últimos cambios. Así, el trabajo temporal y el empleo a tiempo parcial son dos de las principales fórmulas de la famosa flexibilidad laboral. Pero el contrato temporal se considera como uno de los signos de deterioro de las condiciones de trabajo, ya que la temporalidad en el empleo se ha asociado con peores condiciones así como con alteraciones de la salud. La temporalidad afecta principalmente a los jóvenes y a las mujeres —las mujeres jóvenes tienen todas las papeletas—. El 64 % de los menores de 25 años tienen un contrato temporal, una de cada tres mujeres ocupadas se encuentra en situación temporal y la tasa de trabajo temporal de las mujeres se sitúa cinco puntos por encima de la tasa de los varones. También el trabajo a tiempo parcial está feminizado. En España, un 17 % de las mujeres ocupadas se encuentra en esta situación frente al 2,6 % de los hombres. La excusa es que el trabajo a tiempo parcial es favorable a la conciliación, pero ni siquiera eso es cierto —al margen de que quienes argumentan así piensen que la conciliación es una obligación femenina—. En muchas ocasiones, este tipo de empleos se produce en el sector servicios y tiene horarios atípicos (noches, fines de semana, fiestas...).[13]

Uno de los grupos que más ha profundizado en las nuevas realidades laborales de las mujeres desde el feminismo es el Laboratorio de trabajadoras: precarias a la deriva. Un proyecto de investigación-acción que gestionan distintas mujeres a partir de reflexiones en torno a las transformaciones del mundo del trabajo. Los nombres de los grupos de los que nace el Laboratorio de trabajadoras son tremendamente explícitos: Trabajo Zero o Sexo, Mentiras y Precariedad. El laboratorio nació en la huelga general del 20-J convocada por los sindicatos. Se dieron cuenta de que ésta no satisfacía la lucha de miles de trabajadoras. Por un lado, no recogía la experiencia de explotación y reparto injusto del trabajo doméstico y de cuida-

13. Ibídem, págs. 26-29.

do, mayoritariamente realizado por mujeres en el ámbito «no productivo» de las familias. Y por otro, por la marginación que en estas jornadas de huelga o en la tarea diaria de los sindicatos se hace de los trabajos que en general se denominan «precarios», sin conceder atención alguna al trabajo flexible, mal pagado e infravalorado, todas variedades específicamente feminizadas.

Decidieron entonces transformar el piquete clásico en piquetes-encuestas. «No nos veíamos con cuerpo para increpar a una precaria contratada por horas en un súper o para cerrar el pequeño comercio de frutos secos de una inmigrante porque, al fin y al cabo, a pesar de los muchos motivos que existían para parar y protestar ¿a quién se había convocado en esta huelga?, ¿en quién se estaba pensando?, ¿existía un mínimo interés sindical por la realidad de los precarios, de los inmigrantes, de las amas de casa? ¿Acaso el paro detenía el proceso productivo de las trabajadoras domésticas, de las traductoras, diseñadoras, programadoras, de todas las trabajadoras autónomas cuya interrupción o no de ese día no haría más que duplicar su trabajo del día siguiente?» Así que transformaron la jornada de paro en jornada de conversación sobre las realidades concretas de estas trabajadoras, escuchándolas.

El laboratorio confirmó que los nuevos modos de organización del trabajo basados en políticas neoliberales consisten básicamente en recortar costes en derechos y salarios y fomentar la sumisión en una fuerza de trabajo cada vez más fragmentada y móvil. Es la forma de trabajar de miles de mujeres: por obra, con horarios flexibles e imprevisibles, con jornadas extensivas y períodos de inactividad sin renta, por horas, sin contratos, sin derechos, como autónomas, en casa... Las consecuencias son: aislamiento e incapacidad de organizarse la vida, estrés, cansancio, imposibilidad de protestar, de decidir el propio camino, miedo. Los sectores precarios feminizados fundamentalmente son el doméstico, telemarketing, profesoras de idiomas, traductoras, hostelería, enfermería social, publicistas, comunicadoras, mediadoras, educadoras... El empleo a tiempo parcial supone habitualmente un trabajo más monótono, con menos oportunidades para aprender y desarrollar las habilidades y peor pagado, no sólo en términos del sueldo mensual, sino en precio por hora.

La precariedad determina el acceso al mundo laboral de las jóvenes —expertas en entrevistas de trabajo a las que denominan «¡esa gran máquina de humillación cotidiana!»—, y de las inmigrantes. Algunas conclusiones de su trabajo fueron que para las jóvenes hoy día lo único estable es el estar de paso permanentemente, la «costumbre de lo imprevisto» «hasta que encuentre algo mejor», algo que no acaba de ocurrir.[14]

OTRO PROBLEMA QUE YA TIENE NOMBRE

A partir del verano de 2005, los países de la Unión Europea cuentan con una directiva que define y tipifica, por primera vez, el acoso sexual. Según la nueva normativa, hay acoso sexual cuando se produce «un comportamiento verbal, no verbal o físico no deseado de índole sexual que tenga por objeto o efecto violar la dignidad de una persona o crear un entorno intimidatorio, hostil, degradante, humillante, ofensivo o perturbador». La directiva, aprobada el 17 de abril de 2004, fue una victoria casi personal de la responsable comunitaria de Empleo y Asuntos Sociales, Anna Diamantopoulou. Ese 17 de abril, tras más de dos años de trabajos y negociaciones, anunció el logro sintiéndose triunfante como comisaria europea y feliz como mujer.

La razón era que la misma Diamantopoulou hace 24 años,

14. El estudio del Laboratorio de trabajadoras está publicado en *Centro de Arte*, centrodearte.com y en el libro RUIDO, M. (ed.), *Corpos de producción. Miradas críticas e relatos feministas en torno ós suxeitos sexuados nos espacios públicos*, CGAC, 2003. También en http://www.sindominio.net/karakola/precarias.htm.

cuando era una joven recién licenciada en ingeniería civil y había logrado su primer trabajo, sufrió acoso sexual. Pero hace 24 años ni siquiera había sido bautizado el delito. «Era un problema sin nombre», recuerda la comisaria. Y, desde luego, tampoco había instrumentos legales para denunciarlo. «Me sentí muy culpable, y eso a pesar de que yo ya estaba para entonces muy implicada en movimientos feministas muy activos», explicaba una vez aprobada la directiva.

Hace 24 años, Anna Diamantopoulou optó por el silencio. No contó a nadie lo que estaba sufriendo, y menos en público. Y consideró que acudir a un tribunal no ayudaría a su causa en absoluto. «Yo no tenía testigos, y los necesitaba si quería llevar el caso adelante», explica.

Cuando la comisaria propuso, con el apoyo del resto del ejecutivo comunitario, la iniciativa de legislar sobre el acoso sexual, decidió aprovechar la oportunidad: «Quería lanzar el mensaje, como política, de que hay que admitir que el acoso sexual es un problema en nuestra sociedad y que afecta a todo el mundo, de todas las edades y estatus. Que es un problema que está en todas partes. Quería lanzarle al resto de las mujeres víctimas de acoso sexual el mensaje de que no estaban solas, de que hay una inmensa cantidad de mujeres que han sufrido el mismo problema y que ahora iban a disponer de un arma legal de envergadura para defenderse.»[15]

La nueva normativa, entre otros aspectos, destaca que se responsabiliza de la carga de la prueba al acusado y también que las empresas estarán obligadas a demostrar que aplicaron políticas tendentes a evitar abusos de poder en forma de acoso sexual. La directiva es parte de la historia de una mujer, de una chica de tantas que, a los 19 años, tuvo que abandonar su primer empleo por sufrir acoso sexual. Una historia que ha culminado en una importante norma comunitaria de obligado cumplimiento que por primera vez en la historia europea de-

15. CAÑAS, Gabriela, *El País*, 5 de mayo de 2002.

fine y tipifica un delito —invisible y sin nombre hasta hace pocos años— que frena a las mujeres en su vida laboral.[16]

En el estudio realizado por Begoña Pernas sobre las raíces del acoso sexual certifica que éste es un acto de violencia que se ejerce contra las mujeres. En el ámbito laboral, la raíz del problema está en el sexismo en el lugar del trabajo. Pernas también suscribe la idea de que el acoso es un indicador patriarcal puesto que no lo conforman episodios laborales aislados, sino que es fruto de un imaginario y unas prácticas, más o menos bien vistas según los entornos, que facilitan y legitiman ciertas exigencias de los varones sobre el trabajo o el cuerpo de las mujeres. «La causa (del acoso sexual) es la falta de respeto a una voluntad o a una conciencia ajena, porque no se le otorga valor. El respeto tiene dos fuentes: la posibilidad de identificarse con el otro o el reconocimiento de su poder. El sexismo hace difíciles estos dos sentimientos.»[17]

ACOSO MORAL

Pero aún quedan asignaturas pendientes. Un 25 % de la población laboral ha padecido a lo largo de su vida el acoso moral de sus compañeros de trabajo, jefes o subordinados. Traducido a números, sería que más de un millón y medio de trabajadores en España son víctimas de acoso moral en el trabajo.[18] Lo que no siempre se dice es que en su mayoría son trabajadoras. Explica Iñaki Piñuel que en el ámbito laboral, el acoso moral señala el continuo y deliberado maltrato verbal y

16. Ibídem.
17. PERNAS, Begoña, «Las raíces del acoso sexual: Las relaciones de poder y sumisión en el trabajo» en OSBORNE, Raquel (coord.), *La violencia contra las mujeres. Realidad social y políticas públicas*, Universidad Nacional de Educación a Distancia, Madrid, 2001, pág. 73
18. PIÑUEL, Iñaki, *Mobbing. Cómo sobrevivir al acoso psicológico en el trabajo*. Sal Terrae, Santander, 2001, pág. 51..

modal que recibe un trabajador por parte de otro u otros, que se comportan con él cruelmente para lograr su aniquilación o destrucción psicológica y obtener su salida de la organización.

Lo realice un individuo o sea consecuencia del sistema de organización, el acoso moral es un proceso perverso. Puede manipular a las personas mediante el desprecio de su libertad con el único fin de que los demás aumenten su poder y su beneficio. En las empresas, los juegos de poder y de rivalidad se han convertido en norma.

¿Es sexuado el acoso moral? Los datos del trabajo realizado por Marie-France Hirigoyen, así como el resto de los autores que la experta francesa cita, así lo demuestran. Explica Hirigoyen que en su encuesta se muestra una diferencia neta en el reparto por sexos: 70 % de mujeres y 30 % de hombres. No sólo las mujeres son víctimas mayores en número que los hombres, sino que además se las acosa de un modo distinto. Hirigoyen explica que habitualmente lo sufren aquellas que rechazan los avances «sexuales» de un superior o de un colega y que, a partir de eso, se ven marginadas, humilladas o maltratadas. Esa mezcla de acoso sexual y acoso moral existe en todos los medios profesionales y en todos los escalafones de la jerarquía. Siempre es difícil de probar, a menos que se cuente con testigos, ya que el agresor lo niega. Por otra parte, la mayoría de las veces el acosador no considera que su conducta sea anormal, sólo la considera «viril». También ocurre que los otros hombres de la empresa estiman igualmente que dicha conducta es la norma.

El acoso sexual frecuentemente es un paso previo del acoso moral. Las mujeres suelen guardar silencio, por vergüenza, por miedo o porque saben o intuyen que nadie las va a apoyar.[19]

19. HIRIGOYEN, Marie-France, *El acoso moral en el trabajo. Distinguir lo verdadero de lo falso*, Paidós, Barcelona, 2001, págs. 88-92.

«¡CUENTEN! ¡CUÉNTENLO TODO!»

Frente a todas estas situaciones las mujeres también se organizan. Una de las instituciones que estudia y analiza la situación económica de las mujeres en el planeta es la Globe Women. En la reunión celebrada en Barcelona en julio de 2002, Irene Natividad, directora de la cumbre y líder de la comunidad asiática en EE. UU., decía: «¡Cuenten! Cuéntenlo todo: cuántas son, cuántas empresas crean, en cuántas mandan...» Natividad seguía animando al famoso *conteo*, el método utilizado desde la década de los ochenta por las feministas para sacar a la luz lo invisible. En un mundo en el que se dice que la igualdad es real, para desenmascararla nada mejor que las cifras y si se trata de economía, más aún. En la cumbre de Barcelona se reunieron mujeres de 76 países distintos que compartían un discurso: los problemas son los mismos —infravaloración social, diferencias de salarios, carga doble de trabajo, falta de corresponsabilidad de los varones...—, lo que varía es la intensidad.

Los datos presentados sobre Europa fueron los siguientes: las mujeres representan el 52 % de la población total, toman un 85 % de las decisiones sobre la compra de productos de consumo y sólo ocupan un 2,5 % de los puestos más elevados en las grandes corporaciones, lo que supone un 0,5 % más que en Japón y cinco veces menos que en Estados Unidos. En un 28 % de los hogares de la UE hay un único cabeza de familia que en el 80 % de los casos es una mujer sobre la que descansan hijos, tareas domésticas y carrera profesional. También se expuso que las europeas cobran de media un 30 % menos que los hombres, arrancan una de cada tres nuevas empresas y dos de cada tres franquicias.

Si se puede hacer alguna lectura positiva, ésta sería la energía de las mujeres creando sus propias empresas ante el poco rendimiento que les da ser asalariadas.

«¡NO ME IMPORTAN SUS HIJOS! ¡TRABAJEN!»

En los países del sur la realidad laboral de buena parte de las mujeres se llama maquila. Los propietarios de estas fábricas sin ley ni vergüenza viven lejos de ellas y los productos que las trabajadoras elaboran a costa de su salud y a cambio de miseria los compramos en los países del norte, muchos de ellos bajo prestigiosas etiquetas. Noemí Dubón, primero se presenta y luego explica, al detalle, qué es una maquila. «Tengo 32 años. Nací en Copán (Honduras) y vivo en San Pedro Sula. Estoy casada y tengo dos hijos de 15 y 8 años. Soy de izquierdas y católica. Coordino un colectivo en defensa de los derechos de las mujeres hondureñas llamado Codemuh.

»Una maquila es una fábrica de ropa o de cualquier otro tipo, como componentes informáticos o electrónicos en la que básicamente trabajan mujeres. En las de ropa, el producto viene cortado, las mujeres lo confeccionan y luego se exporta. En teoría, la jornada laboral es de ocho horas, pero las horas extra se exigen por cumplimiento de pedidos y son obligatorias. Trabajamos un mínimo de 14 horas diarias y, a menudo, toda la noche. La edad de las trabajadoras es a partir de los 15 años y, como es ilegal, utilizan papeles prestados.

»Yo entré a trabajar en una maquila a los 18 años. Se llamaba Intermoda y era de capital árabe. Yo ya tenía un niño de dos años. Me casé cuando cumplí los 16. Me quedé embarazada, por eso me casé tan pronto. Fue mi falta de madurez. Mi novio era mayor y me convenció de que tuviéramos relaciones. Al cabo de dos años me separé porque él iba con otras mujeres y volví a las maquilas. Era obrera, trabajaba once horas diarias sábados incluidos y tres veces al mes, 24 horas seguidas, de 7 de la mañana a 7 de la mañana. Te imponen metas de producción que calculan con un cronómetro y te exigen las puntas más altas. Pero no tienen en cuenta que necesitas ir al lavabo, beber agua y comer. Ese tiempo no lo promedian. Así que yo entraba una hora antes para adelantar trabajo, sólo iba al baño una o dos veces en once horas y almorzaba en 15 minutos. Si por la tarde no había terminado me quedaba más rato por la noche. Si no cumples la meta te despiden. A mí me pagaban 12 dólares a la semana. Actualmente se están pagando 32 dólares.

»Al cabo de dos años conseguí otro trabajo como auditora de calidad en una fábrica de capital norteamericano llamada Spring Town. Mi sueldo mejoró pero tenía que recorrer diariamente cuatro fábricas, no tenía horario de salida, trabajaba los sábados y, a menudo, los domingos. Mis jornadas eran de 6 de la mañana a 9 de la noche. Tuve problemas al intentar proteger a las trabajadoras que estaban a mi cargo de algunos abusos que veía en las fábricas. Pude ver a mujeres embarazadas realizando trabajos manuales de pie todo el día o a mujeres que nunca se levantaban de su puesto de trabajo ni siquiera para beber agua. Ninguna de las fábricas que visité cumplía las normativas. Falta de higiene, baños sucísimos, insuficientes o sin agua y, en muchos casos, cerrados bajo llave, de la que sólo disponía el supervisor. Y la música era insoportable. Ponen música movida a todo volumen para tener a las obreras aceleradas y que no hablen entre ellas. Después de seis años y medio dejé el trabajo, los problemas con el jefe del departamento de calidad iban en aumento.

»En 2002 conseguí otro empleo en una compañía coreana, pero sólo duré un mes y medio. No soporté ver tanta injusticia y malos tratos. Las mujeres trabajan toda la noche sin descanso, muchas preferían pasar la noche allí porque desplazarse a altas horas a sus casas era peligroso. Constantemente les amonestaban castigándolas sin sueldo y el ambiente en las maquilas no es apto para estar tanto tiempo. Recuerdo una ocasión en la que le di permiso a una obrera para que fuera a comprar medicamentos y el gerente de producción rompió mi permiso. "¡Usted debe estar con la cabeza muy alta y de brazos cruzados exigiendo a la gente que cumpla! ¡Cuando baja la cabeza parece una vaca!", me decía mi jefe cuando intentaba ayudar a una trabajadora. "Repita conmigo", me insistía "¡A mí no me importan sus hijos, aquí se viene a trabajar!"»[20]

20. *La Vanguardia*, 1 de mayo de 2004.

9

LA GLOBALIZACIÓN

Comerciar sin fronteras... y sin escrúpulos

> ¿Vamos a aceptar, en nombre de la paz, la
> libertad, la democracia y las mejoras económi-
> cas, un sistema que ha normalizado la domina-
> ción, la crueldad y el trato degradante?
>
> MALKA MARCOVICH

ANTIGLOBALIZACIÓN Y REDES DE MUJERES

«"El enemigo principal, ¿cuál es? ¿La dictadura militar?
¿La burguesía boliviana? ¿El imperialismo? No, compañeros.
Yo quiero decirles estito: nuestro enemigo principal es el mie-
do. Lo tenemos dentro."

»Estito dijo Domitila en la mina de estaño de Catavi y entonces se vino a la capital con otras cuatro mujeres y una vein-
tena de hijos. En Navidad empezaron la huelga de hambre.
Nadie creyó en ellas. A más de uno le pareció un buen chiste:

»—Así que cinco mujeres van a voltear la dictadura.

»El sacerdote Luis Espinal es el primero en sumarse. Al
rato ya son mil quinientos los que hambrean en toda Bolivia.
Las cinco mujeres, acostumbradas al hambre desde que nacie-

ron, llaman al agua "pollo" o "pavo" y "chuleta" a la sal, y la risa las alimenta. Se multiplican mientras tanto los huelguistas de hambre, tres mil, diez mil, hasta que son incontables los bolivianos que dejan de comer y dejan de trabajar y veintitrés días después del comienzo de la huelga de hambre el pueblo invade las calles y ya no hay manera de parar esto.

»Las cinco mujeres han volteado la dictadura militar.»[1]

Así cuenta Eduardo Galeano lo que ocurrió en La Paz en 1978. Millones de mujeres hacen *estito* mismo en todo el mundo. Durante la última gran crisis argentina, con la quiebra financiera del país y la implantación del *corralito*, las mujeres organizaron el reparto de comida por las barriadas, resucitaron el trueque y resolvieron la mayor parte de las necesidades básicas con productos que ellas mismas se ingeniaron en las casas.

Son las mujeres saharauis las que han levantado un país en medio del desierto. Han conseguido escolarizar a todos los menores, han creado guarderías y mantenido huertos en la arena. La resistencia afgana frente a los talibanes fue organizada y sostenida por las mujeres de RAWA que desafiaron las prohibiciones, la violencia y el terror de los fanáticos. Ellas organizaron las escuelas clandestinas para las niñas, la asistencia sanitaria negada a las mujeres y recorrieron el mundo denunciando la situación que soportaban en su país con identidades falsas y reuniones clandestinas.

Años antes, las Madres de la Plaza de Mayo argentinas, también las abuelas, las Viudas de Guatemala y las mujeres chilenas se enfrentaron a la impunidad de los militares, se negaron a aceptar las leyes de punto final —con las que los gobiernos de sus países querían olvidar la pesadilla de las dictaduras—, exigieron la verdad, sin ceder a la resignación. En 1988, en medio de la Primera Intifada, 10 mujeres vestidas de luto y en silencio fun-

1. GALEANO, Eduardo, «1978, La Paz: Cinco Mujeres» en *Mujeres*, Alianza, Madrid, 1995, pág. 47.

daron Mujeres de Negro. Eran israelíes y palestinas, juntas, exigiendo la paz. Actualmente, hay más de 1.200 delegaciones de Mujeres de Negro por todo el mundo. En Belgrado, en Colombia, en España...

Así, no es de extrañar que las mujeres formen la base del movimiento antiglobalización. Es el movimiento feminista y su forma de organizarse en redes de solidaridad, antijerárquicas y participativas, el que sirve de precedente al movimiento antiglobalización. El nombre surge en las protestas de Seattle, en diciembre de 1999, cuando 50.000 personas llegadas de todo el mundo, se organizaron para protestar contra la cumbre de la Organización Mundial de Comercio. «Otro mundo es posible» fue el grito que se escuchó en el Primer Foro Social Mundial que se celebró en Porto Alegre, Brasil, en febrero de 2001, como respuesta a la cumbre de Davos. En esta ciudad suiza se reunían en las mismas fechas los poderosos del mundo. Otro mundo, posible, es el que se empeñan en construir los movimientos de mujeres.

Pero el enemigo es poderoso. Bajo el nombre de globalización se esconde la mundialización de la economía ultraliberal. Con la caída del comunismo en el este de Europa, el capitalismo ya no tiene barreras ni freno. La única lógica, a partir de entonces, es la lógica del beneficio y los intereses de las empresas priman frente a los derechos de los trabajadores o el respeto al medio ambiente. Esto ocurre tanto en los países emergentes, donde se instalan las multinacionales en busca de mano de obra más barata o nuevos recursos para explotar, como en las democracias occidentales donde los derechos de trabajadores y trabajadoras parecían más consolidados.[2]

Es la llamada «nueva economía», nombre que se acuña en

2. ROMA, Pepa, «Mujer y globalización: La revolución silenciada» en VIDAL CLARAMONTE; María Carmen África, *La feminización de la cultura. Una aproximación interdisciplinar*, Consorcio Salamanca 2002, Salamanca, 2002, pág. 94.

la bolsa de Nueva York y como explica Pepa Roma, está basada en la privatización de las empresas públicas y los recursos naturales, el recorte de los gastos sociales, la liberalización del mercado laboral y la eliminación de todas las barreras que se interponen al comercio y al flujo de capitales. Son las instituciones económicas internacionales como la Organización Mundial de Comercio, el Fondo Monetario Internacional y el Banco Mundial las que imponen, a todos los países, la doctrina que interesa a la principal capital financiera del planeta. Son estas instituciones las que obligan a los gobiernos a aceptar las nuevas políticas económicas para conseguir préstamos a cambio y ser admitidos en las reglas del comercio mundial.[3]

NORA, UNA MADRE COLOMBIANA

La globalización, así, sin apellidos, podría definirse como la apertura de fronteras, la libertad absoluta de mercados y transacciones financieras, la información y operatividad al instante a través de Internet. Pero si se trata de la globalización gestionada por el neoliberalismo, la que actualmente sufrimos, como mínimo habría que decir que está ahondando más y más las desigualdades, no sólo las sociales y económicas, sino también las provocadas por razón de sexo.[4] En realidad, la era global no sólo supone una nueva etapa del capitalismo, sino —y sobre todo— una furibunda fase del patriarcado.[5]

El modelo de globalización actual confunde progreso humano con desarrollo tecnológico, acumulación ilimitada de riquezas con felicidad, y deseos, con cualquier clase de capri-

3. Ibídem.
4. Ibídem, pág. 10.
5. SENDÓN DE LEÓN, Victoria, *Mujeres en la era global,* Icaria, Barcelona, 2003, pág. 5.

chos que el dinero y la tecnología puedan proporcionar al margen de una mínima justicia social.[6]

Susan George, filósofa, analista política y presidenta del Observatorio de la Mundialización, en el anexo de su *Informe Lugano*, al referirse a las alternativas posibles a la globalización neoliberal, escribe: «La más eficaz es dar educación y posibilidades de elección a la mujer, algo imposible con los programas de austeridad y ajuste estructural vigentes.»[7] Imposible según la lógica del Fondo Monetario Internacional y del Banco Mundial, pues cuando conceden un préstamo a un país con grandes carencias, lo primero que exigen es que recorte gastos sociales, lo que supone que ese país no saldrá nunca de su pobreza.

Las instituciones internacionales del comercio sólo obedecen a los dictámenes de las multinacionales y a sus intereses privados. Han saltado la barrera de cualquier posible control, de modo que el Fondo Monetario Internacional, el Banco Mundial o la Organización Mundial del Comercio han transformado el mundo en mercancía, consiguiendo que el comercio en sí constituya un valor por encima de cualquier otra consideración ecológica, sanitaria, cultural o política. Esas mercancías son de todo tipo. Están los productos de consumo, pero también drogas, armas y seres humanos.

Nora es una mujer colombiana. Su vida, sus circunstancias y sus reflexiones ilustran los «efectos colaterales» de esta globalización sin alma —ni ética— mejor que ninguna teoría. La vida de Nora es mucho más explícita. Es como una madeja con la que se teje la red de pobreza, desprotección social, maternidad en solitario, tráfico de drogas, mafias... y todo a caballo entre un país de la Europa rica y un país del sur, acosado por la violencia y la codicia:

«Vine a España porque tenía un niño enfermo al que no

6. Ibídem, pág. 14.
7. GEORGE, Susan, *El Informe Lugano,* Icaria, Barcelona, 2001, pág. 246.

podía operar porque no tenía plata. Se me murió hace siete meses. Tenía cinco hijos, ahora me quedan cuatro. Ninguno me quita la pena del que perdí.

»Entré en prisión en 1996, tenía dos semanas de embarazo, pasé el embarazo en Carabanchel. Mi hijo nació en Carabanchel. Tenía mi hijo tres meses cuando me llevaron a la prisión de Soto del Real, también en Madrid, y hace seis meses que salí en régimen abierto a un piso de madres. Por las mañanas trabajo, por las tardes estoy con mi hijo, lo llevo al colegio y el resto del tiempo está conmigo. Los fines de semana está con una familia. Desde que estaba en Soto, me buscaron una familia de acogida para que el niño saliera y para que perdiera la imagen de la prisión, porque los niños lo ven y lo guardan todo. Se llama Salomón. Ahora ya tiene tres años y creo que está feliz. La familia lo lleva el sábado por la mañana y lo devuelve el domingo por la tarde. El resto del tiempo está conmigo.

»Los otros tres están en Colombia, con mi madre. La mayor está trabajando, no gana mucho, pero al menos trabaja. La menor se ha puesto a estudiar, con dificultades, pero está estudiando. Y el menor no está estudiando, tiene 10 años, pero no me alcanza el dinero para que estudien todos.

»Yo tenía cinco hermanos, ahora somos cuatro. Al menor lo mataron hace 10 años. Lo mataron en la calle, no sé por qué. Mi madre es una mujer muy sufrida, nos ha sacado adelante y ha sufrido mucho. Cuando mataron a mi padre yo tenía 14 años. Lo mató un amigo en una riña; para mí, desde entonces no existen los amigos. Mi padre lo era todo para mí aunque mi madre ha sido una gran mujer, pero nunca llenará el vacío que dejó mi padre. Lo quería muchísimo, más de lo que pensaba, era todo lo que tenía.

»He tenido compañeros, pero nunca un marido. Ninguno ha valido la pena. He salido adelante con los hijos y saldré adelante por ellos. He intentado tener una vida normal, tener una pareja, una familia, un hogar, ese cariño que yo vivía en mi casa cuando era niña, cuando vivía mi padre, el de una familia, pero no he podido. De hecho, estoy sola en España. Desde hace cuatro años. No tengo a nadie, sólo a mi hijo. Sí, mi compañero está allí en Colombia, pero las cosas se enfrían con el tiempo y decides seguir adelante con la vida y no amargarte, porque ya tengo suficientes motivos para estar mal. Las hijas están muy grandes. Un hombre es una cantidad de problemas, que si llega porque llega y si no llega porque no ha llegado.

»Mi padre era taxista, cuando era chica, vivíamos pobremente pero vivíamos bien. De hecho, teníamos casa y cuando mi padre murió le quitaron la casa a mi madre, nos quedamos en la calle porque mi padre no tenía papeles de la casa. Se la había vendido un tío de él, el marido de una tía y cuando mi padre murió, le reclamaron la casa a mi madre. Sacaron a mi madre de la casa y la vida, desde entonces, se complicó muchísimo. Desde entonces, tengo muchísimo rencor siempre porque ésa fue una grandísima injusticia. Cuando murió mi padre, lo único que le quedó a mi madre, después de haber vivido tantos años casada con él fueron problemas, nada más que problemas. Cinco hijos, cinco problemas. Mi madre no trabajaba fuera de la casa, tuvo que empezar cuando se quedó viuda. Ella y nosotros. Estábamos demasiado jóvenes para tener la obligación de trabajar tan pronto, pero lo hicimos. Mi madre se puso a trabajar en casas de familia. Yo también, trabajé como auxiliar de odontología en un centro, luego quedé embarazada y me fui de casa y comencé la lucha. Era muy joven. Me fui a conocer mundo, a trabajar, a guerrear, a seguir adelante. Siempre conté con el apoyo de mi madre.

»Me fui para los Llanos Orientales, donde se cultiva la coca, allí estuve trabajando mucho tiempo, diez años o así. Cultivando y alimentando a trabajadores. Trabajando en el campo y en lo que saliera. Después tuve la segunda niña y a los dos años volví con mi madre. Le dejé a las niñas y me volví a trabajar otros seis años. Me fue fatal. Allí tuve los dos niños varones, uno seguido de otro. Muchas madres salen adelante con sus hijos, ¿por qué yo no lo iba a hacer? Yo quiero mi libertad.

Cuando estás casada hay un compromiso y cuando llegan los problemas, que siempre llegan, los únicos comentarios que escuchas son "¿para qué te casaste?" Yo no soy partidaria del matrimonio para nada y ya tengo 38 años. Si en una pareja no hay respeto, no hay nada, entonces mejor no casarse.

»Nunca he tenido dinero. Cuando volví al lado de mi madre con mis cuatro hijos, yo trabajaba en casas haciendo la limpieza, pero ganaba muy poco, y no tenía para atender a este niño. Nació con problemas en los pulmones que le impedían la llegada regular de oxígeno al cerebro y eso le provocó lesiones cerebrales. Estuvo muchos días en la incubadora, con cantidad de problemas nació este niño. Recuperó un poco, pero cuando tenía tres años los médicos me dijeron que necesitaba una operación y yo no tenía dinero para él.

»Hice un trato. En mi país hay gente que se dedica a eso. Sabe quién tiene necesidades y las aprovechan. Un día me abordó un hombre en la parada del autobús, me preguntó si necesitaba dinero y me hizo una oferta. El trato fue que yo traía a España la maleta que me daban, y ellos me traían el niño para operarle. Pero tuve la mala suerte de que me pillaron en el aeropuerto.

»Tomé la decisión de pasar esa maleta porque era la única manera de hacer lo necesario por mi hijo. Yo no tenía con qué responder. Aquí no es mucho dinero, pero allí necesitaba 200.000 pesos —540 euros— sólo por una prueba. Yo no lo tenía. Allí no hay Seguridad Social, allí nada es regalado. A mí me tenían que haber hecho una cesárea para que ese niño hubiera salido bien pero no me la hicieron porque no tenía dinero para pagarla. Por parir, también te cobran, yo no sé ahora, pero entonces eran entre 30.000 y 35.000 pesos —21 euros—, si tienen que hacerte una cesárea, 30 euros más, pero además tienes que quedarte unos días en el hospital y pagas cada día.

»Yo pasé la maleta, salí de Barajas y me pillaron fuera. Me metí en el taxi, le dije la dirección al conductor y antes de que arrancara se acercó un policía de paisano que me dijo: "Por favor, acompáñame." Todo mi miedo en ese momento era que yo no volvía a ver a mi niño vivo. Nunca he sabido qué pasó. Pero el policía vino directo a mí. La maleta venía bien preparada. Yo no sé qué pasó, lo que sí sé es que tengo que pagar 9 años, 10 meses y un día. Me acusaron de un delito contra la salud pública. Traía un kilo y medio. Me castigaron por haber traído poquita, si hubiese traído muchos kilos, ya habría salido. Había una azafata a la que pillaron con 25 kilos y salió en un año. La conocí en la cárcel, una argentina. ¿Cómo salió? Con dinero, claro, el dinero manda. A mí me castigaron por traer poquito.

»Cuando yo saqué a la jueza los papeles de mi niño, porque estaba malo, estaba muy malo y yo traía todos los papeles por si acaso el trato salía bien y podíamos operarle aquí en Madrid, la jueza me dijo que mentía. Yo sólo les dije, a mí si me tienen que condenar que me condenen, pero que me dejen ir a pagar a mi país, porque quiero ver a mi hijo antes de que se muera. Y me dijo: miente. Mi niño se murió hace siete meses.

»En la prisión sabes quién es tu amigo, si tienes madre... Amigos no tengo. Sólo tengo madre y a mis hijos. Todos los niños saben que estoy en la cárcel. No tengo por qué ocultarlo, no he matado a nadie. Desde que me cogieron se enteraron, porque yo no dije a nadie dónde iba ni nada. Fui donde mi madre, le dejé a los niños y dije, vengo mañana. No había acuerdo de dinero, sólo traer al niño a Madrid y hacer aquí lo que se pudiera por él. Nada se hizo.

»Ahora ya comienzo a estar un poco tranquila. El resto de mis hijos están bien, dentro de lo que cabe, están con mi madre, no están como reyes, pero no están en la calle. Además son niños, sobre todo las dos niñas mayores, muy conscientes. Mi hija mayor no ha tenido infancia, siempre ha trabajado.»[8]

8. Testimonio recogido de la entrevista de la autora con Nora —nombre falso—, en la casa que la ONG Horizontes Abiertos tiene en Madrid para presos y presas que no tienen domicilio, condición necesaria para disfrutar de permisos penitenciarios.

FEMINIZACIÓN DE LA POBREZA

La globalización es un fenómeno nuevo debido a la mundialización de las comunicaciones y a la expansión informática, lo que ha permitido a un capitalismo avanzado las transacciones especulativas en tiempo real. Los mercados financieros trabajan las 24 horas del día, transfieren enormes cantidades de dinero que enriquecen a pocos y hunden a países enteros. Pero la actual globalización económica sólo da total libertad de movimiento al capital y al comercio, no a las personas.

La internacionalización de las relaciones económicas a nivel mundial y las desigualdades cada vez más profundas entre los países ricos y pobres, entre otros múltiples factores, han determinado que cada vez aumente el número de personas que buscan oportunidades en otros países a través de las migraciones. La globalización potencia la liberalización de las relaciones económicas y los procesos de integración entre países y mercados, pero no ocurre lo mismo cuando se trata de personas. Las posibilidades de migrar de forma legal son cada vez menores, sin embargo, los flujos migratorios son incontrolables y las personas siguen pensando en abandonar sus países como la única salida a situaciones de precariedad, pobreza o desigualdad. En pocos años, las mujeres se han convertido en las protagonistas de los procesos migratorios, abandonando solas sus lugares de origen e insertándose en el mercado laboral de los países de destino para iniciar una nueva vida.

Esta situación no es casual ya que se constata que la pobreza se extiende cada día más entre las mujeres hasta acuñar el concepto de feminización de la pobreza. Las penurias económicas, las catástrofes naturales, las guerras y conflictos armados que se suceden en los países del sur, el nivel de desempleo, las reformas económicas estructurales, la falta de oportunidades, las cargas familiares, las discriminaciones sexuales, afectan en mayor medida a las mujeres que ven en la emigración una salida posible. Es un fenómeno nuevo. Hasta hace un par de décadas, las remesas que llegaban a las familias de los emigrantes eran enviadas por los hombres; hoy, casi la mitad de estos envíos los realizan las mujeres —en algunos países latinoamericanos la aportación femenina llega al 80 %.

La ley del mercado que, en la práctica, equivale a la ley del más fuerte, arroja a los márgenes de la economía a los que están en peores condiciones para competir, especular e invertir. Eso hace que las mujeres sean las que se llevan la peor parte. Las mujeres, al estar menos integradas en estructuras laborales y de poder, junto con los niños, son las principales víctimas, tanto en el norte como en el sur. El 80 % de los despidos tras la crisis del sureste asiático afectó a mujeres. La línea más baja de pobreza está ocupada en un 80 % por mujeres, tres cuartas partes de la humanidad viven con menos de dos dólares al día y, entre ellos, más de 1.200 millones de personas viven con menos de un dólar al día, de las que el 80 % son mujeres.

Según las estadísticas del Banco Mundial, la distancia entre ricos y pobres ha aumentado un 250 % desde 1960. Hoy, las 225 personas más ricas del planeta acumulan tantos recursos como los 3.000 millones de personas más pobres, es decir, la mitad de la humanidad.[9]

Y esa mano de obra femenina, cuando llega a los países ricos, suele encontrar tan sólo algunos reductos para desarrollarse. Principalmente, servicios domésticos y servicios sexuales.

Además, en la caída de las barreras en función del mercado, las fronteras se han hecho más permeables y ahora resulta mucho más fácil mercadear con todo: órganos humanos, prostitución, esclavitud sexual, tráfico de personas, pornografía, armas y drogas constituyen los mercados más suculentos.[10]

9. ROMA, Pepa, op. cit., págs. 95-96.
10. SENDÓN DE LEÓN, Victoria, *Mujeres en la era global,* op. cit., págs. 33-34.

De hecho, después del tráfico de armas y la droga, el negocio de la prostitución es el que más dinero mueve.

EL CRUCE DE CAMINOS DEL CAPITALISMO Y EL PATRIARCADO: LA PROSTITUCIÓN

La mercantilización de las cosas y de las personas se ceba principalmente en las mujeres, y sus cuerpos se afianzan más y más como objetos reales y simbólicos de la dominación. La prostitución femenina, la pornografía e incluso la esclavitud sexual han crecido escandalosamente con el empobrecimiento, las guerras y las migraciones, efectos multiplicados planetariamente por las posibilidades de Internet, cuyos contenidos en un 45 % divulgan y venden este tipo de prácticas.[11]

La prostitución no es un fenómeno nuevo pero el desarrollo de la globalización la ha potenciado hasta cifras inimaginables hace un par de décadas. De hecho, ya no se puede considerar la prostitución como un hecho local o nacional. La prostitución es actualmente una manifestación internacional tremendamente compleja cuyo análisis requiere tener en cuenta las relaciones económicas y de poder que a su vez se manifiestan en la familia, la sociedad, los estados y el proceso de globalización mundial.

La profesora Anuradha Koirala, directora de Maiti Nepal —organización que se encarga de atender a las niñas víctimas del abuso sexual y de las redes de tráfico sexual— explica que solamente en Asia, más de un millón de mujeres y niñas son vendidas anualmente a la industria del sexo. Koirala señala entre los principales implicados a los padres, conocidos o amigos, aduaneros y policías, autoridades locales, políticos..., pero también incide en las desigualdades económicas, las diferencias de género, el fracaso familiar, el analfabetismo y la falta de

11. Ibídem, pág. 46.

voluntad política. Sobre su país, Nepal, la profesora destaca que la edad de las mujeres que son traficadas oscila entre los 7 y los 24 años y, como un daño añadido, que si estas mujeres y niñas consiguen regresar a sus comunidades de origen, son rechazadas.

La presidenta del Centro Internacional para los Derechos de la Mujer La Strada, Kateryna Levchenco, aseguraba en el Foro Mundial de Mujeres contra la Violencia celebrado en Valencia en el año 2000 que la difícil situación económica por la que pasaba su país, Ucrania, y en general, todas las repúblicas ex soviéticas, era el punto de partida del tráfico de mujeres. Según Levchenco, los factores que influyen en la expansión de este tráfico son múltiples. En la mayoría de los países de la antigua Unión Soviética, las mujeres disfrutan de igualdad formal y legal y sufren, al mismo tiempo, una acusada discriminación sexual en todos los aspectos de la vida pública y privada. Pero junto a la pobreza también son factores para analizar la ausencia total de leyes que traten el tráfico de mujeres y el negocio del sexo y la falta de protección de las víctimas. Otro elemento fundamental remite a las razones psicológicas de las propias mujeres: «La crisis general ha llevado a las mujeres a tener una baja autoestima y al empeoramiento de su estado psicológico. Siguiendo el principio de "no puede ser peor", las mujeres acceden a una serie de proposiciones sospechosas, sin considerar las posibles consecuencias de estas decisiones.» También están quienes asumen cualquier riesgo con tal de salir de su país y mejorar su vida. Así, la entrada en el mercado del sexo puede ser voluntaria o forzada y las vías prácticamente iguales en ambos casos: anuncios para trabajar en el extranjero, invitaciones por parte de algún conocido, anuncios y contratos matrimoniales, Internet y sus páginas web mundiales conocidas como las «web de novias», las agencias de viajes para turistas o el sistema de *au pair.*

En el mismo foro, Ndioro Ndiaye ex ministra de Senegal, exponía la realidad africana. La Organización Internacional del Trabajo (OIT) estima que existen 250 millones de menores de 5 a 14 años de edad que trabajan en los países en desarrollo y, sobre este total, entre 50 y 60 millones efectúan trabajos peligrosos.[12] Las niñas son particularmente vulnerables puesto que en muchas sociedades nacer en un ambiente pobre significa exponerse a formas insidiosas de discriminación.

En África, las niñas de las áreas más desfavorecidas a menudo viven a la sombra de sus hermanos, más privilegiados en materia de alimentación y de atenciones médicas y escolares. A merced de los hombres de su familia y de los de sus comunidades, son confinadas en la ignorancia y el analfabetismo. Esta situación las convierte en el blanco principal de violencias y abusos cotidianos en sus puestos de trabajo. En Senegal, las principales situaciones que indican formas extremas del trabajo infantil tienen que ver con el trabajo doméstico de las niñas, el trabajo en ciertos sectores agrícolas y pesqueros, así como con la explotación sexual a través de la prostitución y de la mendicidad.[13] En las últimas décadas, explicaba Ndiaye, han nacido y se han desarrollado nuevas formas de explotación sexual de niños y niñas, tales como la prostitución de menores, la pornografía y la pedofilia en las zonas turísticas.

DISTINTAS POSTURAS FEMINISTAS FRENTE A LA PROSTITUCIÓN

El pensamiento feminista se encuentra actualmente dividido entre dos amplias perspectivas enfrentadas respecto a la prostitución. Por un lado, están quienes consideran la prostitución como una violencia hacia las mujeres que ha de ser erra-

12. OIT, «La 87.ª Conferencia de la OIT adopta nuevos instrumentos sobre el trabajo de los niños», Trabajo n.º 30, julio 1999, pág. 6.
13. Dictamen subregional de Libreville, 22-24 de febrero de 2000, «Desarrollo de las estrategias de lucha contra la explotación de los niños por el trabajo, el caso de Senegal».

dicada y por otro, quienes entienden que la regulación de la prostitución es la mejor vía para garantizar la protección de quienes la ejercen.

Puede hablarse de cinco posturas.

1. Abolicionista. Considera la prostitución como un atentado contra la dignidad de las mujeres y, por tanto, niega toda posibilidad de legalización, ya que llevaría a perpetuar la injusticia.

2. Prohibicionista. Se basa en la represión penal del ejercicio de la prostitución, castigando tanto a quien la ejerce como al cliente.

3. Reglamentarista. Rechaza moralmente la prostitución. Considera que es un mal inevitable y que, en esta medida, es necesario aceptarla y regularla para evitar la clandestinidad en la que se ejerce. Propone que sea el estado quien controle la actividad, imponiendo una serie de controles de orden público y garantizando el ejercicio de los servicios sexuales en las mejores condiciones sanitarias posibles.

4. Legalista. Considera que la prostitución debe ser regulada en su totalidad como una actividad laboral más, otorgando a las trabajadoras de la industria del sexo los mismos derechos y la misma protección social y jurídica que al resto de los trabajadores. Pretende eliminar las situaciones de explotación y desprotección que conlleva la clandestinidad de su ejercicio.

5. Regulación hacia la abolición. Es una postura alternativa que propone la superación del actual enfrentamiento entre quienes defienden la abolición y las defensoras de la postura legalista. Se defiende la regulación de la prostitución para fortalecer la posición de las mujeres frente a la violencia u opresión que padecen en el ejercicio de la actividad. Pero se trata de que la regulación tenga como estrategia la abolición de la prostitución por medio de un cam-

bio estructural mucho más profundo, que afecta tanto a las esferas sociales, como a las económicas y jurídicas.[14]

Dentro del feminismo español las posturas se reducen prácticamente a dos. La primera defiende que las prostitutas plantean las mismas demandas que las feministas y que el conjunto de las mujeres: aspiran al derecho al trabajo, a recibir protección contra la violencia, a una vida sexual en la forma que ellas quieran. Éstas son cuestiones básicas para el feminismo, así que la lucha es idéntica.

La piedra de toque son los derechos de las trabajadoras, la consideración de esta actividad como trabajo y, por tanto, generadora de una serie de derechos equiparables a los que se desprenden de otros trabajos y no como violencia o esclavitud sexual. Esta postura insiste en que son las prostitutas quienes deben hablar, sin que nadie lo haga en su nombre y defiende que muchas mujeres afirman su derecho a prostituirse y ser consideradas como el resto de las trabajadoras. Aseguran que las demás posturas acaban silenciando y victimizando a las mujeres que se dedican a la prostitución. Como explica Cristina Garaizábal, del colectivo Hetaira: «Si no tenemos en cuenta las decisiones que toman las prostitutas, si las victimizamos pensando que siempre ejercen de manera obligada y forzada; si consideramos que son personas sin capacidad de decisión... no podremos romper con la idea patriarcal de que las mujeres somos seres débiles e indefensos, necesitados de protección y tutelaje.»[15]

Quienes se inscriben en esta postura exigen que la prostitución sea una actividad económica y laboral con una regulación que además garantice la descriminalización de la prostitución libre entre adultos y la regulación de las relaciones entre ter-

14. BONELLI, Elena (coord.) *Tráfico e inmigración de mujeres en España*. ACSUR-Las Segovias, Madrid, 2001.
15. Entrevista con la autora, Madrid, junio, 2000.

ceros, clientes y empresarios, de acuerdo con las leyes de comercio, laborales y fiscales. También reclaman la aplicación estricta de las leyes penales contra el fraude, la coacción, la violencia, el abuso sexual de los niños, el trabajo infantil, los delitos contra la libertad sexual y el racismo, se produzcan donde se produzcan, tenga carácter nacional o internacional e impliquen o no la prostitución. El respeto de sus derechos humanos y libertades civiles, incluyendo la libertad de expresión, de viajar, de emigrar, de trabajar, de casarse, de tener hijos y cobertura de riesgos de desempleo, salud y vivienda. Derecho de asilo para todos aquellos a los que se acuse en su país de un crimen como prostitución u homosexualidad, libertad para elegir el lugar de trabajo, dentro de las regulaciones administrativas aplicables a otro tipo de actividades económicas y derecho de asociación y trabajo colectivo.

Frente a esta postura, una segunda línea dentro del feminismo español parte de no reconocer la prostitución como una actividad económica más. Sin negar la libertad de elección de cada mujer, considera que la realidad ofrece un panorama menos idílico. Así, sostiene que en los países donde se incrementa el nivel de renta, la prostitución local es sustituida por mujeres extranjeras de países más pobres. De hecho, las prostitutas españolas están siendo relevadas progresivamente por inmigrantes de países del este, Latinoamérica y el Caribe, el sudeste asiático y África subsahariana. Son los nuevos circuitos de la globalización.

Así, analiza la prostitución como una realidad múltiple. Aunque haya mujeres que la eligen libremente, son las menos. En las zonas del mundo donde las condiciones sociales y económicas para las mujeres son mejores, éstas tienen más posibilidades de elegir y la prostitución no se encuentra entre sus prioridades. Son las extremas condiciones de partida: pobreza, violencia, abusos, vidas sin esperanza y sin expectativas de cambio, las que impulsan a las mujeres a acogerse a la prostitución como vía para mejorar sus ingresos y, por lo tanto, su futuro. La prostitución es una manifestación extrema de la violencia patriarcal. Las razones de pragmatismo no son razones morales, explican. ¿Alguien desearía que su hija fuese prostituta?

Para esta segunda postura, la prostitución atenta contra la dignidad de las mujeres, convirtiendo sus cuerpos en objetos de comercio y violencia. Para muchas feministas, la prostitución es el más violento punto de unión entre patriarcado y capitalismo. Además, la supuesta libertad de las prostitutas desaparece con las mafias y la trata de personas o cuando se ejerce por menores. Según Naciones Unidas, cada año, tres millones de niñas entre 5 y 14 años son incorporadas al mercado del sexo.

La unión entre violencia y prostitución también se pone de manifiesto en otros contextos. Así, asegura Mary Nash: «Millones de mujeres del mundo están sujetas y padecen los daños de la explotación sexual, que comprende, desde la violencia física: violaciones, tortura, maltratos, raptos y asesinatos, a la violencia emocional: tratar a las mujeres como un objeto de usar y tirar. Las industrias sexuales, locales y globales, han hecho fortunas para macarras y traficantes, y maltratan un número creciente de mujeres mediante la prostitución, el turismo y el tráfico sexual, los negocios de compra de mujeres por correo y la pornografía.»[16]

Según Naciones Unidas, en seis de cada ocho países en guerra o conflicto a los que se enviaron cascos azules o tropas de paz, aumentó la prostitución de las niñas. Los soldados que pertenecían a la misión observadora de Naciones Unidas en Mozambique enviaron a este país, una vez firmado el tratado de paz en 1992, a niñas reclutadas entre 12 y 16 años en calidad de prostitutas. En todos los campamentos de refugiados —el ochenta por ciento de las personas que viven en los campamentos son mujeres, niños y niñas—, prolifera la prostitución.

16. NASH y PENELAS (1999), citado en NASH, Mary, op. cit., pág. 298.

La violencia simbólica también forma parte de la prostitución. Ésta existe porque hay demanda masculina. No habría tráfico de mujeres si no existiera demanda. La prostitución es el universo donde las fantasías sexuales masculinas, sean cuales sean, siempre se cumplen. Mediante la prostitución desaparece la sexualidad femenina, es un ámbito donde los hombres aprovechan su hegemonía en el mundo. «A los varones su sexo les da derecho a disfrutar del entorno, el espacio, el tiempo, el cuerpo y la sexualidad aunque sea con violencia. La prostitución es una industria de esclavitud en función de unos compradores que siempre se mantienen invisibles. El cliente y la sociedad ocultan la violencia con una estructura formada por el dinero.»[17]

Por ello, para Fraser y otras feministas, es en la prostitución donde se revela hoy la fragilidad del género. Y así explica que aquello que con frecuencia se vende ahora en la sociedad del capitalismo tardío es una fantasía masculina del derecho sexual masculino. «Lejos de adquirir poder de mando sobre una prostituta, lo que obtiene el cliente es la representación escenificada de dicho poder.»[18]

17. SZIL, Peter, psicoterapeuta y experto en masculinidad. Conferencia: «Los hombres, la pornografía y la prostitución», 15 de octubre de 2004, Círculo de Bellas Artes, Madrid.

18. FRASER, N., *Iustitia interrupta. Reflexiones críticas desde la posición "postsocialista"*, Siglo del Hombre ed., Universidad de los Andes, Santa Fe de Bogotá, 1997, pág. 307.

10

LA VIOLENCIA

Los crímenes del patriarcado

Se trata no solamente de que no haya guerra,
ésa que sería ciertamente
la última de toda la historia,
sino que se trata de establecer la vida
en vista de la paz.

MARÍA ZAMBRANO

La violencia es el arma por excelencia del patriarcado. Ni la religión, ni la educación, ni las leyes, ni las costumbres ni ningún otro mecanismo habría conseguido la sumisión histórica de las mujeres si todo ello no hubiese sido reforzado con violencia. La violencia ejercida contra las mujeres por el hecho de serlo es una violencia instrumental, que tiene por objetivo su control. No es una violencia pasional, ni sentimental, ni genética, ni natural. La violencia de género es la máxima expresión del poder que los varones tienen o pretenden mantener sobre las mujeres. Como dejó escrito Kate Millett, igual que otras ideologías dominantes —el racismo o el colonialismo—, la sociedad patriarcal ejercería un control insuficiente, e incluso ineficaz, de no contar con el apoyo de la fuerza. Ésta no sólo constituye una medida de emergencia, sino también un instrumento de intimidación constante.[1]

El feminismo está absolutamente comprometido con la erradicación de la violencia. La denuncia de la misma en el ámbito del matrimonio ya aparecía referenciada en los cuadernos de quejas durante la Revolución francesa, la condenaban las sufragistas y teóricos como John Stuart Mill y fue puesta en primer plano cuando las radicales norteamericanas lanzaron el mensaje de «lo personal es político», definieron la construcción de los géneros y acuñaron la definición de patriarcado. El feminismo nunca se ha resignado frente a la violencia y en las últimas décadas ha intensificado el trabajo para desentrañar sus mecanismos, desarrollar la prevención, proteger a las víctimas y crear sociedades en paz. Como se rebela Julia Otxoa:

> *Me niego a creer*
> *en un mundo regido tan sólo*
> *por la persuasión de la espada,*
> *en un tiempo cerrado y excluyente*
> *donde ondeen gloriosas banderas hechas de mortajas.*

¿POR QUÉ SE LLAMA VIOLENCIA DE GÉNERO?

El término violencia de género quedó definido por Naciones Unidas en el marco de su Convención para la eliminación de todas las formas de discriminación contra las mujeres y su significado ha sido ratificado por la conferencia de derechos humanos que se celebró en Viena en el año 1993.

Es la violencia que sufren las mujeres, que tiene sus raíces en la discriminación histórica y la ausencia de derechos que éstas han sufrido y continúan sufriendo en muchas partes del

1. MILLETT, Kate, op. cit, pág. 100.

mundo y que se sustenta sobre una construcción cultural (el género). Ser mujer es factor de riesgo.

Algunas feministas consideran que la expresión violencia de género es demasiado institucional o que oscurece la realidad y prefieren utilizar violencia contra las mujeres. Quienes eligen violencia de género defienden que es la expresión utilizada en los organismos internacionales, por lo tanto común en todo el mundo y, además, con ella reivindican la autoridad del pensamiento feminista puesto que el desarrollo de la teoría del género y el estudio sobre la violencia contra las mujeres forma parte de su tradición intelectual. Son expresiones prácticamente sinónimas por lo que ambas se utilizan indistintamente. Sin embargo, no ocurre lo mismo con violencia doméstica.

La violencia doméstica es un término similar a violencia callejera, es decir, hace referencia al lugar donde se ejerce la violencia pero no aclara quién agrede ni por qué lo hace. Por violencia doméstica se entiende aquella que se desarrolla en el seno de las familias y puede ser ejercida por cualquiera de sus miembros y las víctimas pueden ser hombres, menores, ancianos..., es decir, cualquier miembro de la familia sin distinción de sexo ni edad. La precisión no es gratuita. Utilizar violencia doméstica para referirse a la violencia contra las mujeres es un error puesto que no son sinónimos. Además, habitualmente es un error interesado y consciente. La violencia doméstica invisibiliza que las mujeres son quienes sufren la violencia, sitúa al agresor y a la víctima en el mismo nivel, por lo que niega la existencia del patriarcado y, además, induce a confusión respecto a las cifras. Así, en España, durante años, oficialmente sólo se contabilizaban las mujeres asesinadas por sus maridos. En el cómputo no quedaban reflejadas aquellas que habían muerto a manos de sus novios, parejas de hecho o ex maridos. También se intentaba equilibrar los números de manera que en el epígrafe de varones fallecidos por violencia doméstica se sumaba a quienes, después de haber asesinado a sus parejas, se suicidaban.

En resumen, la violencia doméstica hace referencia a la que se ejerce en el hogar por cualquiera de los miembros de la familia, y respecto a las parejas es la que se desarrolla en situaciones igualitarias, son las «riñas conyugales», mientras que la violencia de género se refiere a las agresiones contra las mujeres como fórmula para controlarlas y mantenerlas en la obediencia y su rol tradicional. Es la manera que tiene el patriarcado de ratificar su poder. Agredir a una mujer durante 20 años es inexplicable como violencia doméstica, lo mismo que quemarla viva o impedirle trabajar o violarla o echarle ácido a la cara... Éstos son los crímenes del patriarcado, las manifestaciones de la violencia de género.

UNA REALIDAD ÉTICAMENTE INACEPTABLE

Utilizar violencia doméstica cuando se está hablando de violencia de género forma parte de la ceremonia de la confusión en la que la sociedad se enreda para no examinar la realidad, analizarla y modificarla. Probablemente porque es demasiado vergonzoso enfrentarse a las cifras de mujeres maltratadas, violadas, agredidas, asesinadas o machacadas psicológicamente que provoca año tras año la violencia ejercida por los varones. También, porque cuando se conoce la realidad es inmoral permanecer en silencio y no hacer nada para modificarla. Lo advierte la Organización Mundial de la Salud (OMS) en su informe del 2002: «La autocomplacencia es una barrera para combatir la violencia.»[2]

En dicho trabajo de la OMS se documenta que casi la mitad de las mujeres que mueren por homicidio son asesinadas por sus maridos o parejas actuales o anteriores, un porcentaje que se eleva al 70 % en países donde no hay altos índices de delincuencia, problemas graves de seguridad, ni conflictos ar-

2. «Informe mundial sobre la violencia y la salud», Organización Mundial de la Salud, Nueva York, 2002.

mados. La OMS define la violencia como el uso deliberado de la fuerza física o el poder ya sea en grado de amenaza o efectivo y añade que una de cada cuatro mujeres será víctima de violencia sexual por parte de su pareja en el curso de su vida. En una tercera parte o en más de la mitad de estos casos se producen también abusos sexuales. En algunos países, hasta una tercera parte de las niñas señalan haber sufrido una iniciación sexual forzada.

Los datos también son escalofriantes en España.

AÑO	MUJERES ASESINADAS EN ESPAÑA POR SUS PAREJAS O EX PAREJAS
2003	70
2004	69
2005	61
2006	69
2007	71
2008	76
2009	56
2010	73
2011	61
2012	52

En total, desde que tenemos cifras oficiales, año 2003, y hasta el 2012, como refleja el cuadro anterior, 658 mujeres han sido asesinadas por sus maridos, compañeros, novios o ex, por los hombres de los que se enamoraron. Seiscientos cincuenta y ocho asesinatos documentados. Mujeres que tienen nombres y apellidos. Mujeres que tenían familia y amigos, sueños, ilusiones y una vida por delante para cumplirlos.

De las mujeres asesinadas durante 2003, la más joven tenía 16 años. Su novio la estranguló en Alicante, en la bañera de su propia casa. La de más edad era una anciana de 90 años. Su marido la descuartizó con un hacha en Jaén. Entre estas mujeres fallecidas las hay que fueron arrojadas por la ventana, estranguladas, asesinadas con armas de fuego, con cuchillos —una de ellas sufrió 29 puñaladas—, muertas a golpes, por martillazos en la cabeza.

Pero ellas son la punta del iceberg. No existen datos fiables sobre cuántas mujeres están sufriendo tortura y violencia cotidiana en sus casas sin resultado de muerte. Según los datos de 2011 del Instituto de la Mujer, en España, al menos 2.150.000 mujeres han sufrido violencia de género en contextos de pareja alguna vez en la vida. Como tampoco se conoce el número de mujeres que fallecen cada año como consecuencia de lesiones o enfermedades provocadas por el maltrato continuado ni el número de aquellas que, ante el sufrimiento, se suicidan.

Desde las organizaciones de mujeres se continúa reivindicando la revisión de los criterios de obtención de información respecto de la violencia de género, y se insta a que ese concepto incluya no sólo los episodios de violencia en función de la relación de parentesco, sino de la causa y el objetivo que persigue esa violencia. Es esta falta de coherencia en la recogida de datos lo que hace difícil, por no decir imposible, comparar éstos entre comunidades y países.

NEGAR Y OCULTAR

La violencia de género no es fácil de reconocer. Está socialmente invisibilizada, legitimada y naturalizada. El objetivo es precisamente ignorarla, negarla y ocultarla. Durante siglos fue un objetivo conseguido. «No nos veían ni muertas», que dice con razón Teresa Meana. El feminismo ha conseguido visibilizar lo escondido y exponerlo al debate político y social. Hasta hace un par de décadas, se consideraba que la violencia masculina era algo natural o producto de locos o psicópatas. En otros casos, se utilizaban los efectos o factores externos a la violencia de género para explicarla: el alcohol, la rebeldía de las mujeres, los celos, la rabia ante un proceso de separación o divorcio...

Todo sistema de dominación elabora una ideología que lo explica y justifica. Los niños y las niñas van absorbiendo e integrando en su psicología la tolerancia y el abuso masculino a través de mitos culturales que se encuentran repetidamente a lo largo de su vida. Tanto niños como niñas, a los 12 años ya tienen roles establecidos cargados de tolerancia al abuso en parejas. Las niñas se identifican en roles sumisos respecto a lo masculino, y los niños toman posiciones de supremacía como género privilegiado. Irán aprendiendo a justificar sus privilegios y el abuso que conlleven.

La violencia en la pareja está rodeada de prejuicios que condenan de antemano a las mujeres y justifican a los hombres violentos. Ésta es una de las principales razones que sustentan la tolerancia social ante este tipo de actos y los sentimientos de culpa de las mujeres maltratadas. Pero para un observador imparcial, la realidad es obvia. Ya en el informe de 2004 sobre España del Comité de Naciones Unidas para la eliminación de la discriminación contra la mujer, se subrayaba su preocupación al constatar que persisten actitudes patriarcales y estereotipos profundamente arraigados con respecto al papel y la responsabilidad de mujeres y hombres en la familia y en la sociedad. Y especifica que éstos son una de las causas subyacentes de la violencia basada en el género y de la situación desfavorable de las mujeres en varias esferas, entre ellas el mercado de trabajo.

Añade el informe que es preocupante la prevalencia de la violencia contra las mujeres, en particular el número alarmante de denuncias de homicidios de mujeres a manos de sus cónyuges o parejas actuales y anteriores. Por lo tanto, exhorta al estado a que intensifique su lucha contra la violencia contra las mujeres, como una violación de sus derechos humanos. Y recomienda que se asegure de que los funcionarios públicos, especialmente los encargados de hacer cumplir las leyes, el poder judicial, el personal de salud y los trabajadores sociales, tomen plena conciencia de todas las formas de violencia contra las mujeres. También insiste en que se divulgue que esa violencia es social y moralmente inaceptable y constituye discriminación contra la mujer.

La violencia de género está reconocida por la ONU como el crimen encubierto más frecuente del mundo y España no es una excepción.

HISTORIA DE UNA LEY INTEGRAL

A partir del año 1975, cuando el movimiento feminista español se pone en marcha, sitúa entre sus prioridades la lucha contra la violencia. En aquel momento, sin estudios y sin datos, se creía que la violencia que sufrían las mujeres era fundamentalmente violencia sexual, procedía de desconocidos, violadores que no tenían ninguna relación con sus víctimas, y que las agresiones se sufrían en la calle. Pero las comisiones contra la violencia, los despachos de las abogadas y las asociaciones que ya trabajaban con mujeres separadas llamaron la atención sobre la violencia que se ejercía en las familias, los problemas legales a los que se enfrentaban en los casos de malos tratos, y el desdén social e institucional que sufrían las mujeres maltratadas.

En las comisarías y los juzgados se valoraban las agresiones como «riñas» o «peleas domésticas», las denuncias no se tramitaban y en los casos en que se llegaba a juicio, los propios magistrados instaban a las mujeres a perdonar a sus agresores. Las penas que se imponían resultaban absolutamente ridículas. Diez años después, en 1985, las organizaciones feministas presionaron al gobierno para que organizara servicios de atención a las mujeres, inexistentes y necesarios, y así nacieron las primeras casas de acogida. También se realizaron en profundidad nuevos análisis e investigaciones sobre la violencia.

A partir de 1998, las organizaciones de mujeres que trabajaban en el estudio de la violencia de género y en la atención a las víctimas, plantean la necesidad de una ley integral. En la campaña electoral del año 2000 todos los candidatos se comprometen, si ganan las elecciones, a sacar adelante la ley.

José María Aznar ganó pero no cumplió su promesa. Así, el grupo socialista presentó en el Congreso de los Diputados su Proposición de Ley Orgánica Integral contra la violencia de género en diciembre de 2001. Pero la ley no fue aprobada. El resultado de la votación, tras el debate que se celebró el 10 de septiembre de 2002, fue de 165 votos en contra y 151 a favor. Todos los grupos políticos apoyaron la iniciativa a excepción del grupo popular que votó en contra.

Mientras tanto, las organizaciones de mujeres constituidas en Red de Organizaciones Feministas contra la violencia de género, presentan en Madrid su campaña en favor de una ley integral contra la violencia de género. Con el triunfo electoral del Partido Socialista en marzo de 2004 comienza a elaborarse la ley sobre el borrador que había sido rechazado en el Congreso en 2002. El entonces candidato, José Luis Rodríguez Zapatero, había prometido que ésta sería la primera ley que aprobaría su gobierno en el caso de ganar las elecciones. Y así fue. La ley integral se aprobó por unanimidad en el Congreso de los Diputados y fue publicada en el BOE el 29 de diciembre de 2004.

LA CEREMONIA DE LA CONFUSIÓN

A pesar de tantos años de trabajo, cuando la ley integral comenzó su andadura, simultáneamente, se escenificó una gran ceremonia de la confusión. Fue un gran ejemplo —el paso del tiempo dará perspectiva histórica para calificar lo ocurrido en España durante estos meses— de reacción patriarcal ante la posibilidad de que, por primera vez, una ley feminista entrara a formar parte de la legislación española. La reacción hizo buenas las reflexiones que hace más de dos décadas escribiera Susan Faludi sobre las consecuencias de los gobiernos conservadores de Ronald Reagan y Margaret Thatcher —aunque en el caso de España la reacción no fue gubernamental—: «La última reacción antifeminista no se desencadenó porque las mujeres hubieran conseguido plena igualdad con los hombres, sino porque parecía posible que llegaran a conseguirla.»[4] En España, en cuanto se presentó el proyecto de ley, las críticas llovieron desde todos los frentes. Lo sorprendente es que no aparecieron ni con la misma fuerza, ni en la misma cantidad las propuestas ni las ganas de trabajar para hacer de la ley integral un instrumento útil para erradicar la violencia, objetivo que supuestamente comparte toda la sociedad.

El Consejo General del Poder Judicial, en su informe contra la ley, negaba que históricamente las relaciones de dominio que se han ejercido en el seno de la familia hayan sido practicadas por los hombres contra las mujeres. Tampoco se aceptaba en su informe que exista la cultura machista o sexista como problema social que explica que, durante décadas y a nivel universal, los hombres se han relacionado con las mujeres en el ámbito de la pareja desde el dominio y la posesión.

A la ceremonia de la confusión también se sumó la jueza decana de los juzgados de instrucción de Barcelona, María Sanahuja, quien aseguró que las mujeres ponían denuncias falsas en los juzgados para conseguir mejoras en sus divorcios. Pero no presentó ni datos ni pruebas de semejante afirmación. También reaccionó la Iglesia con la carta a los obispos de la Iglesia Católica sobre la colaboración del hombre y la mujer en la Iglesia y en el mundo, documento preparado por la Congregación para la Doctrina de la Fe, el antiguo Santo Oficio y presentado el 31 de julio de 2004 en el Vaticano. En él criticaba el feminismo radical y la llamada «ideología del género» por considerar que ese planteamiento, en el que no se tiene en cuenta el sexo de las personas, conduciría a que cada cual elija el propio género.

4. FALUDI, Susan, op. cit., pág. 21.

Igualmente, el Consejo de Estado consideró que la situación de dominación sobre las mujeres que describía el anteproyecto de la ley, apoyada en convenios internacionales, «es más propia de países del Tercer Mundo, concretamente de África, por lo que puede no resultar ajustada a España, en donde padecemos una concreta situación de violencia doméstica».[5] Sorprendente afirmación viniendo de un órgano presidido por un varón, Francisco Rubio Llorente, y que no contaba con ninguna mujer entre sus ocho consejeros permanentes, ni entre los siete consejeros natos ni tampoco entre los diez consejeros electivos. Es decir, no había ni una consejera entre los 25 que formaban el Consejo de Estado. Suponemos que sus miembros pensaban que era por casualidad y no tenía nada que ver con situaciones de dominación o discriminación respecto a las mujeres. Hasta 2007 no hubo mujeres en la composición del Consejo de Estado.

En palabras de la senadora Rosa Vindel, (PP) fue un «impresionante rosario» de críticas las que recibía esta ley. También desde la izquierda. Joaquín Leguina (PSOE) escribía que «esa barrera infranqueable, esa lucha de sexos, que las más radicales pretenden conducir, tiene su expresión más desalentadora en el tratamiento intelectual de la violencia doméstica o de género, donde negando el análisis, se pretende que todo ese complejo fenómeno se reduce a un solo impulso: la violencia intrínseca del macho, aunque sea intelectualmente ilegítimo sumar asesinatos con presiones psicológicas. La campaña emprendida, cuyos efectos positivos son evidentes, también se pretende explotar para, a partir de unos comportamientos patológicos, deducir una ley general acerca del mal comportamiento de los varones en general».[6] El político atribuía al feminismo lo que eran sus propios errores personales, precisamente los tópicos y las mentiras que desde mediados de los años

5. *El País*, 24 de junio de 2004, pág. 28.
6. *El País*, 4 de septiembre de 2004, pág. 17.

ochenta el movimiento de mujeres intenta desmontar. Así, utilizaba como sinónimos violencia doméstica y violencia de género; criticaba de falta de análisis a quienes precisamente lo habían realizado; calificaba de comportamientos patológicos los de los agresores, repitiendo el tópico de que son locos o enfermos, cuando hace años que se ha demostrado que ni lo uno ni lo otro; y rechazaba la íntima relación que existe entre la violencia psicológica y la violencia física cuando ha quedado demostrado que la segunda es imposible sin la primera.

La Real Academia Española no quiso faltar a la ceremonia y emitió un informe para rechazar el uso de la expresión violencia de género que no tiene desperdicio.[7] El sociólogo Amando de Miguel fue rotundo, asegurando que la ley «es una gigantesca ubre que alimentará el movimiento asociativo de mujeres»,[8] de lo que se puede deducir que no le parece una buena idea que las mujeres se asocien. Los medios de comunicación cambiaron el nombre a la ley, negándose a utilizar violencia de género y se pudieron leer titulares como: «El gobierno mantiene que la ley contra la violencia ampare sólo a las mujeres»[9] o «La ley que protege sólo a las mujeres es sexista según el Poder Judicial»[10] Quedaba bastante claro que proteger a las mujeres les parecía poca cosa.

Fue una ceremonia desconcertante y dolorosa. Al menos, para muchas mujeres maltratadas, para muchos hombres justos, y para buena parte de los colectivos de mujeres que confiaban en una respuesta social rotunda dirigida a colaborar en la elaboración de una ley que pudiera atajar la violencia de género. Se esperaba una sociedad que a través de sus instituciones dijera alto y claro: «No en mi nombre» frente a una lacra que va pasando de generación en generación.

7. Ver informe completo en Anexos.
8. Ibídem.
9. *El País*, 26 de junio de 2004.
10. *El Mundo*, 13 de junio de 2004, portada.

LAS HERMANAS MIRABAL

El recuerdo de las hermanas Mirabal forma parte del trabajo feminista de visibilizar la violencia de género. En su honor, el 25 de noviembre fue declarado el Día internacional contra la violencia hacia las mujeres en el primer encuentro feminista para América Latina y el Caribe, celebrado en Bogotá, Colombia, en julio de 1981. Ya en esa fecha, mucho antes de que las instituciones y los gobiernos se pusieran a trabajar contra la violencia, las mujeres latinoamericanas denunciaron la violencia de género como una realidad sistemática que abarcaba desde agresiones domésticas a violaciones, desde tortura sexual a violencia de estado, incluyendo abusos a mujeres prisioneras políticas. Dieciocho años después, en 1999, Naciones Unidas reconocía oficialmente el 25 de noviembre como Día internacional para la eliminación de la violencia contra las mujeres.

Patria, Minerva, María Teresa y Debé nacieron en Ojo de Agua, en la región de Cibao de la República Dominicana. Eran hijas de Enrique Mirabal y María Mercedes Reyes y se las apodaba «las mariposas». Eran activistas políticas y símbolos muy visibles de la resistencia a la dictadura de Trujillo y fueron encarceladas repetidamente por sus actividades revolucionarias en defensa de la democracia y la justicia. El 25 de noviembre de 1960, Minerva, Patria y María Teresa fueron asesinadas por miembros de la policía secreta de Trujillo. Las tres mujeres se dirigían a Puerto Plata a visitar a sus maridos encarcelados. Sus cuerpos fueron encontrados en el fondo de un precipicio con los huesos rotos y signos de que habían sido estranguladas. La noticia de estos asesinatos conmovió y escandalizó a la nación. El brutal asesinato de las hermanas Mirabal impulsó al movimiento anti-Trujillo. El dictador fue asesinado el 30 de mayo de 1961 y su régimen cayó poco después. Las hermanas se han convertido en símbolos de la resistencia, tanto popular como feminista.

UNA VIOLENCIA UNIVERSAL

Cuando en 1993 la ONU aprobó la Declaración sobre la eliminación de la violencia contra la mujer marcó un hito histórico por tres razones fundamentales. En primer lugar, situó la violencia contra las mujeres directamente en el marco de los derechos humanos. La Declaración afirma que las mujeres tienen derecho a disfrutar igualmente de todos los derechos humanos y libertades fundamentales, incluidos la libertad y la seguridad de la personas, y el derecho a no ser sometidas a tortura, ni a otros tratos o penas crueles, inhumanos o degradantes y a que este derecho sea protegido. En segundo lugar, amplió el concepto de violencia de género para que reflejara la realidad de la vida de las mujeres. La Declaración no sólo reconoce la violencia física, sexual y psicológica, sino también la amenaza de dicha violencia y la aborda tanto dentro del contexto familiar como dentro de la comunidad. También hizo hincapié en la violencia perpetrada o tolerada por el estado. El tercer aspecto fundamental fue resaltar que la violencia contra las mujeres está basada en el género. La Declaración refleja que la violencia de género no es fortuita o casual, que el factor de riesgo es ser mujer.

La Declaración exige a los estados que regulen la violencia de género tanto en el ámbito privado como público y dicta una recomendación general:

Las actitudes tradicionales según las cuales se considera a la mujer como subordinada o se le atribuyen funciones estereotipadas perpetúan la difusión de prácticas que entrañan violencia o coacción, tales como la violencia y los malos tratos en la familia, los matrimonios forzosos, el asesinato por presentar dotes insuficientes, los ataques con ácido y la circuncisión femenina. Esos prejuicios y prácticas pueden llegar a justificar la violencia contra la mujer como una forma de protección o dominación de la mujer. El efecto de dicha violencia sobre la integridad física y mental de la mujer es privarla del goce efectivo, el ejercicio y aun el conocimiento de sus derechos humanos y libertades fundamentales.

La Declaración era el resultado de muchos años de trabajo. En ella se visibilizaba la violencia perpetrada contra las mujeres en todo el mundo. Y así, también se comenzaba a definir cómo la comunidad internacional estaba ciega ante la violencia ejercida contra las mujeres durante los conflictos armados.

Por fin, el 22 de febrero de 2001, en el marco del Tribunal Penal Internacional para la ex Yugoslavia con sede en La Haya, por primera vez en la historia, se calificaba la violación sexual de civiles en tiempo de guerra como un crimen contra la humanidad. En el artículo 7 se definían las acciones punibles: «La violación, la esclavitud sexual, la prostitución forzada, el embarazo forzado, la esterilización forzada y toda otra forma de violencia sexual de análoga gravedad.»

Actualmente, la violación es un acto de guerra en Sudán. La Organización para la Libertad de las Mujeres de Irak informaba a cuatro meses de la ocupación militar de Estados Unidos que al menos 400 mujeres iraquíes habían sido secuestradas y violadas en medio del caos generalizado que vivía el país. Meses después la situación era aún peor. Igual que ocurre en Sudán, las mujeres iraquíes se enfrentaban al doble castigo: tras ser violadas, son rechazadas por sus familias y comunidades. Varias organizaciones humanitarias documentaron que en la cárcel de Abu Ghraib mujeres iraquíes fueron humilladas y violadas lo que derivó en el suicidio posterior de esas mujeres o su asesinato por parte de sus familias, que no soportaron «la des honra». Mohamed Daham al-Mohamed, presidente de la Unión de detenidos y presos, denunciaba el testimonio de una joven que ayudó a su hermana, madre de cuatro hijos y detenida en diciembre de 2003, a suicidarse después de haber sido violada varias veces por guardias en el mismo establecimiento penitenciario, delante de su marido. La repulsa de sus familias consigue que las mujeres violadas habitualmente no denuncien.

En mayo de 2004, Amnistía Internacional denunciaba a efectivos de la policía de la misión de Naciones Unidas en Kosovo y fuerzas de la OTAN por participar en la explotación sexual de mujeres sin recibir ningún castigo. «Mientras los policías y las tropas disfrutan de impunidad, un número difícil de saber de mujeres y niñas, algunas de sólo 12 años, se convierten en esclavas, obligadas a atender al día entre 10 y 15 clientes», aseguraba Esteban Beltrán, director de la sección española de Amnistía Internacional (AI). Hasta esa fecha, mayo de 2004, 52 militares habían sido repatriados por delitos de este tipo, pero no se conocía que ninguno hubiese sido procesado, según Beltrán.

Dos meses después, en julio de 2004, la misma organización (AI) denunciaba que en la región sudanesa de Darfur las milicias janjaweed violaban a niñas y mujeres mientras emitían cantos de triunfo. «La violación está siendo utilizada sistemáticamente para deshumanizar y humillar a las mujeres», se afirma en el documento «Darfur: la violación como arma de guerra. La violencia sexual y sus consecuencias». En el texto se documentaban las agresiones tanto contra niñas de ocho años como ancianas de ochenta, violadas por las milicias o los soldados del ejército sudanés y se explicaba cómo se realizan y qué significado tienen: «A menudo en público, en frente de sus maridos o familias. Los atacantes saben muy bien lo que una violación significa en su cultura: estigma y marginación de las víctimas por parte de sus propias familias y comunidades.»[11]

Construir una cultura de paz es la gran tarea urgente en todos los rincones del planeta. La violencia sólo engendra violencia y ningún conflicto —ni personal ni internacional— se resuelve con ella. El empeño del feminismo actual es contagiar a toda la sociedad con su compromiso de erradicar la violencia.

Fanziya Kassindja, nacida en Togo, fue la primera mujer que en 1994 consiguió asilo político en Estados Unidos ale-

11. *El Mundo*, 20 de julio de 2004, pág. 25.

gando que huía de su país para evitar la mutilación genital. El estatuto de refugiado de la Convención de Ginebra de 1951, señala que «el factor determinante para conceder el estatuto de refugiado es la existencia de temores fundados de ser perseguido por motivos de raza, religión, nacionalidad, opinión política o pertenencia a un grupo social determinado». Nunca antes se había considerado que la violencia contra las mujeres estuviera dentro de este contexto.

MUTILACIÓN GENITAL FEMENINA

La mutilación genital femenina es la expresión utilizada para referirse a la extirpación parcial o total de los órganos genitales femeninos. Su forma más severa es la infibulación —aproximadamente un 15 % de todas las mutilaciones que se practican en África son infibulaciones—. El proceso incluye la extirpación total o parcial del clítoris —clitoridectomía—, la escisión —extirpación de la totalidad o parte de los labios menores— y la ablación de los labios mayores para crear superficies en carne viva que después se cosen o se mantienen unidas con el fin de que, al cicatrizar, tapen la vagina. Se deja una pequeña abertura para permitir el paso de la orina y del flujo menstrual.

El tipo de mutilación, la edad y la manera en que se practica varían conforme a diversos factores, entre ellos el grupo étnico al que pertenezca la mujer o la niña, el país en el que viva, si se encuentra en un área rural o urbana o su origen socioeconómico. Habitualmente se practica entre los cuatro y los ocho años, pero también la edad varía. Algunas niñas sufren la mutilación individualmente, pero con frecuencia se lleva a cabo en grupo. En la mayor parte de África es habitual que se practique al mismo tiempo a todas las niñas de la comunidad que tengan la misma edad. La mutilación se lleva a cabo utilizando un cristal roto, la tapa de una lata, unas tijeras, la hoja de una navaja u otro instrumento cortante. Cada vez más niñas son mutiladas en Europa fruto de la inmigración. Generalmente se aprovechan las vacaciones de la familia para realizar la operación. Se desconoce el origen de esta práctica. Existía antes del cristianismo y del islam y no es un precepto de ninguna de las principales religiones. Atraviesa las fronteras étnicas y culturales. Cada vez más personas, de África y de todo el mundo, se oponen a ella por considerarla una forma de violencia sistemática contra la mujer y una negación de sus derechos fundamentales.[12]

El objetivo de la mutilación es la representación material del cierre del cuerpo de las mujeres, reservado para la entrada del futuro marido, y la asociación de sexualidad y dolor. Para estas niñas, en el futuro, la penetración sexual y los partos auguran nuevos sufrimientos y complicaciones sanitarias. La mutilación genital femenina es una práctica que identifica la mutilación del cuerpo y la mutilación de los derechos de las mujeres y con ello su sujeción al colectivo de los varones. La subordinación de unos grupos sociales a otros siempre busca legitimarse en el sistema cultural, ya sea en los ritos y tradiciones, ya en las religiones y en las ciencias.[13]

Mende Nacer fue raptada en 1994 y apartada de su familia y de su tribu —un pueblo de las montañas de Nuba, en Sudán— cuando tenía 12 años y vendida como esclava. Fue comprada por una familia rica de Jartum que años después la traspasó, como una propiedad más, a una hermana de su ama que vivía en Londres. Allí consiguió escapar y denunciar su experiencia en un libro: *Esclava*. En él también recuerda cómo fue mutilada cuando apenas tenía 11 años. Es un relato tremendamente doloroso, pero mucho menos que la realidad que sufren millones de niñas en el mundo.

12. Amnistía Internacional, *La mutilación genital femenina y los derechos humanos. Infibulación, escisión y otras prácticas cruentas de iniciación*, Madrid, 1999, págs. 21-22.

13. COBO, Rosa y DE MIGUEL, Ana, *Diversidad cultural y multiculturalismo* en *Amnistía Internacional*, op. cit., pág. 14.

La mujer me sentó en un pequeño escabel de madera y me separó las piernas todo lo que pudo. Hizo un agujero en la tierra delante de mí. Entonces, sin decir una palabra, se puso en cuclillas entre mis piernas.

Sentí que me cogía los labios de la vagina. Dejé escapar un grito que helaba la sangre. Con un rápido corte descendente de la cuchilla, me había cortado un trozo de carne. Lloraba y pataleaba intentando liberarme. El dolor era tan insoportable que no se puede describir, nadie se lo puede imaginar, ni en la más terrible de las pesadillas. Pero mis hermanas y mi madre me tenían fuertemente sujeta y me mantenían las piernas separadas, así que la mujer seguía cortando. Sentí que me escurría la sangre por los muslos hasta el suelo. Y sentí a la mujer cogiendo trozos de mi carne, cortándolos y arrojándolos en el agujero que había hecho en el suelo. Pensé que me iba a morir. [...]

Lo peor no había llegado todavía. La mujer debía de haber terminado de cortar la carne que rodeaba mi vagina. Se inclinó de nuevo y sentí que sujetaba algo y empezaba a cortarlo con la cuchilla. El dolor fue más espantoso que antes, si era posible. Gritaba y me revolvía intentando apartarla, pero me tenían tan bien sujeta que no podía escapar. Finalmente con los brazos cubiertos de sangre, me quitó algo más y lo arrojó al hoyo. [...]

—Pon en el fuego agua a hervir —le dijo a mi madre sin un rastro de emoción en su voz.

Estaba tumbada, sin resuello, llorando y temblorosa, cuando vi que empezaba a enhebrar un espeso hilo de algodón en la aguja.

Luego, introdujo la aguja en el agua hirviendo. Pocos segundos después la sacó y se volvió a inclinar entre mis piernas. [...] Todo lo que quedaba de mi orificio vaginal tenía el tamaño de un dedo meñique. Lo demás había desaparecido. [...] Después llegaron todos nuestros parientes y hubo una gran fiesta para celebrarlo. Pero casi no me di cuenta. Durante tres días estuve en cama. No podía dormir a causa del dolor. [...] El segundo día fue incluso peor. [...] Cualquier movimiento me producía unos dolores horrorosos. [...]

Lo primero que puedo recordar con claridad es que al tercer día intenté orinar. No me podía agachar por el dolor, así que mi madre tuvo que sostenerme en pie. Pero cuando empezaron a salir las primeras gotas, entre las piernas sentí escozor y ardor. Empecé a llorar y revolverme y me agarré a mi madre.

—No puedo hacer pis. ¡Me duele demasiado! [...]

Durante toda esa semana, Umi me estuvo empapando los puntos con té caliente y aceite, para ablandarlos. Pero cada vez que intentaba quitármelos, le decía que lo dejara. Mi madre era muy amable y cuidadosa. Si dolía demasiado, seguía empapando los puntos. Luego, después de una hora aproximadamente, intentaba empezar a quitarlos de nuevo. Pasaron tres semanas antes de que hubiéramos terminado de hacerlo. Durante este tiempo, mi madre y mi padre parecían estar muy tristes y sentirse muy culpables.

Después de la ablación murieron algunas muchachas de la tribu debido a las infecciones. Otras más fallecieron años después, al dar a luz, porque su vagina era demasiado estrecha para permitirles parir normalmente.

Pero lo más corriente era que el niño muriera en el momento de nacer, por la misma razón. Probablemente por eso murió la niña de Kunyat. Me llevó al menos dos meses perdonar a mis padres por esto. Ahora sé que su temor era que nunca me casara. Ningún hombre nuba se casa con una mujer que no sea «estrecha», lo cual demuestra que es virgen. Mis padres realmente creían que lo que hacían era lo mejor para mí.[14]

14. NACER, Mende y LEWIS, Damián, *Esclava*, Círculo de Lectores, cedido por Ediciones Temas de Hoy, Madrid, 2002, págs. 77-81.

11

EL CUERPO DE LAS MUJERES
El botín más preciado

> El ser humano no es un árbol frutal que sólo
> se cultive por la cosecha.
>
> EMILIA PARDO BAZÁN

ENFERMAS DE DESENCANTO

Ana es una veinteañera presumida. Aparece a primera hora de la mañana impecable. Puntual y perfecta. Luce coordinados todos los detalles de su ropa, los zapatos, el bolso, los pendientes... Maquillada de forma excesiva para su edad, quizás es el primer detalle que delata su enfermedad. Ana Serrano no sabe lo guapa que es.

Fue una niña estudiosa y responsable. Pero, además, quería ser la mejor en todo, también quería ser la más delgada. Es guapa por dentro. Lo transmite su sonrisa y el brillo de sus ojos, atentos a los detalles, pidiendo cariño, ofreciéndolo. Habla con pasión y espontaneidad. Quiere ser mayor y que la vida no la asuste.

«Hice la primera dieta para el día de mi primera comunión. Tenía ocho años. La hice para estar guapísima ese día. Fue mi primera visita al infierno del hambre. Primero llegó la anorexia, después, la bulimia.»

Comienza Ana su relato, su dolor. Como en tantos otros dramas sufridos por las mujeres, dolor gratuito, sólo por ser mujer.

«Creo que he madurado, he visto que se me iba la vida. Sé que no es importante estar delgada, pero esta sociedad nos bombardea. En todos los trabajos quieren chicas delgaditas y monas. Ahora me encuentro mucho mejor, pero me queda el estómago destrozado; los dientes, con las vomitonas de la bulimia, se te caen a trozos; también se te cae el pelo, la piel se queda sin brillo... espantoso.»

Cuando Ana llegó a la edad de disfrutar de su cuerpo no le quedaban ni carne ni ganas. Con la anorexia se le fue el deseo sexual y la capacidad de sentirse querida, se le escapó la autoestima. «Si no te aceptas, en el momento en que tu novio gira la cabeza y hay una chica, te enfadas. Yo tenía celos hasta de una mosca.»

No se avergüenza, pero esconde con disimulo un callo en un dedo de la mano izquierda. Es un feo recuerdo. Ana lo mira y explica que le hace revivir la película de su adolescencia: provocarse vomitonas hasta cinco veces al día. La novela de su obsesión: «Estaba en la cama y me tocaba los huesos. Las etiquetas de la ropa eran mis victorias, las pegaba detrás de la puerta de mi habitación. ¡Talla 27!, un trofeo más.»

A finales del siglo XIX, las mujeres vestían corsé y morían de tuberculosis porque la prenda deformaba la caja torácica y facilitaba la infección. Hasta que algunas tomaron conciencia y quemaron sus corsés en las plazas. Comenzó la moda de la gimnasia sueca, la vida al aire libre. Comenzó un nuevo siglo, una nueva era. A principios del siglo XXI, mujeres que no sufren la pobreza también mueren de hambre. Anorexia y bulimia, la epidemia del nuevo milenio en las sociedades del mundo desarrollado y entre las clases acomodadas del subdesarrollado.

La anorexia no se cura equilibrando el peso de la enferma,

hay que equilibrar a la persona y de paso, a una sociedad que esclaviza a las mujeres que quisieron ser libres y están presas de la moda, doblegadas por una cultura que las predetermina, que les impide la libertad de ser, de elegir su propio destino. Con la anorexia están llegando a los psiquiátricos de medio mundo *lo mejor de cada casa*. Las niñas *ideales* socialmente —últimamente también los niños, pero en una proporción de 9 mujeres por cada varón—. Las chicas que desde muy pequeñas están compitiendo. Son excelentes estudiantes, muy rígidas en su forma de pensar, muy estructuradas. La sociedad busca, fomenta, mujeres perfectas y las niñas reciben esta presión, pero cuando llega la adolescencia se quiebran porque no son capaces de seguir las exigencias de su entorno tanto en rendimiento escolar como en imagen. Son las enfermas del desencanto de un mundo que un día les susurró que eran mujeres libres cuando sólo pretendía esclavas, sumisas consumistas, adornos bonitos sin fuerzas para correr ni músculos para luchar.[1]

EL MITO DE LA BELLEZA

A comienzos de los años noventa, la joven feminista estadounidense Naomi Wolf publicó un libro revelador titulado *El mito de la belleza*. En él afirmaba que, una vez más, los éxitos del feminismo habían desencadenado una fuerte reacción. Junto a la ola conservadora que se expandió por el mundo, otra arma política se esgrimió específicamente contra las mujeres, era el mito de la belleza. «Al liberarse las mujeres de la mística femenina de la domesticidad, el mito de la belleza vino a ocupar su lugar y se expandió para llevar a cabo su labor de control social.»[2] Wolf explicaba que hay algo oculto en que asuntos tan

---

1. Entrevista con la autora. Madrid, 2000.
2. WOLF, Naomi, *El mito de la belleza*, EMECE, Barcelona, 1991, pág. 14.

triviales como todo lo relacionado con el aspecto físico, el cuerpo, la cara, el pelo y la ropa tengan tanta importancia.

Así es, era la reacción contra la libertad sexual y la reapropiación del cuerpo por parte de las mujeres. El cuerpo femenino ha sido territorio conquistado y arrebatado durante siglos. Aún hoy lo es en buena parte del mundo. El cuerpo femenino en toda su extensión: sexualidad, salud, belleza y capacidad reproductora. El patriarcado se ha empeñado en negar la sexualidad de las mujeres, su placer y su deseo, y, al mismo tiempo, se ha encargado de imponer cánones estéticos al margen del riesgo que éstos tienen para la salud. También se ha encargado de decidir, sin tener en cuenta a las mujeres, sobre la maternidad. Según las necesidades, las autoridades religiosas y políticas han impuesto leyes de control de natalidad, han prohibido los métodos anticonceptivos, regulado el derecho al aborto y se han apropiado de los hijos y de las hijas de las mujeres al negar la autoridad a las madres.

Buena parte de esta rígida estructura patriarcal saltó por los aires con las feministas radicales en los años setenta y la contraofensiva no se hizo esperar. El mito de la belleza —como dice Wolf— prescribe una conducta y no una apariencia. «Lo más importante es que la identidad de las mujeres debe apoyarse en la premisa de la belleza, de modo que las mujeres se mantendrán siempre vulnerables a la aprobación ajena, dejando expuesto a la intemperie ese órgano vital tan sensible que es el amor propio.»[3] Y en el ámbito de la economía, el siglo XX creó otra enorme bolsa de consumo. «Nos es impuesto por la sociología popular las revistas y la ficción, con el fin de disimular el hecho de que la mujer en su papel de consumidora ha sido esencial en el desarrollo de nuestra sociedad industrial... Si una conducta es esencial por razones económicas se la transforma en una virtud social.»[4]

---

3. Ibídem, pág. 17.
4. GALBRAITH, John Kenneth, en WOLF, Naomi, op. cit., pág. 23.

Irónica, afirma Wolf que «sospecho que si todas volviésemos mañana a casa y dijésemos que en realidad aquello no iba en serio, que renunciamos a los empleos, la autonomía, los orgasmos y el dinero, el mito aflojaría de inmediato su asedio y nos molestaría mucho menos».[5] Pero como eso no va a ocurrir, será mejor estar alerta y desenmascarar a una sociedad que despilfarra anualmente —sólo en Estados Unidos— 32.000 millones de dólares en la industria dietética, 20.000 millones en la cosmética y 500 millones en la cirugía estética. Son datos aportados por Lucía Etxebarria y Sonia Núñez en su libro *En brazos de la mujer fetiche* en el que afirman que «la sociedad que presuntamente ha conocido el nacimiento de la emancipación femenina, de la incorporación de la mujer a la esfera del poder, es en realidad una sociedad constrictora. Una sociedad que cosifica sobre todo a la mujer, pero que en realidad lo cosifica todo: individuos y sentimientos».[6]

En el ensayo, Etxebarria, que define el siglo XXI como «el siglo del culto a la cosa», explica que el modelo de cosificación de lo femenino que ahora cristaliza, comenzó en el siglo XIX: «Nunca la mujer ha sido tanto un objeto como lo es a día de hoy. En la era de la cirugía estética todo parece posible. Los cuerpos tratan de adaptarse a los deseos [...]. En una sociedad de ganadores lo imperfecto se aborrece. Sólo se admiten los cuerpos perfectos, y la perfección se define según ciertos cánones muy determinados, cánones que definen lo que es femenino y lo que es masculino según nuestra sociedad, y que descartan a los cuerpos que no se adaptan.»

5. Ibídem, pág. 353.
6. ETXEBARRIA, Lucía y NÚÑEZ PUENTE, Sonia, *En brazos de la mujer fetiche*, Destino, Barcelona, 2002, pág. 34.

La escritora marroquí Fátima Mernissi describe en su libro *El harén en Occidente*, la perplejidad que vivió el día que, por primera vez, fue a una tienda de Estados Unidos con la intención de comprar una falda. Explica que también fue el día que escuchó por primera vez que sus caderas no iban a caber en la talla 38: «A continuación viví la desagradable experiencia de comprobar cómo el estereotipo de belleza vigente en el mundo occidental puede herir psicológicamente y humillar a una mujer.»

«¡Es usted demasiado grande!», le dijo la dependienta.

«¿Comparada con qué?», respondió Mernissi.

Asegura la escritora que tras pensar en su sobrina —delgadísima—, que tenía 12 años y usaba la talla 36, se dio cuenta del paralelismo entre las restricciones patriarcales en Oriente y Occidente. Así, explica que el hombre musulmán establece su dominación por medio del uso del espacio. A las mujeres se las excluye de los lugares públicos y en los más privados —las mezquitas o las casas—, se las separa en habitaciones o zonas bien diferenciadas. El occidental, según Mernissi, lo que manipula es el tiempo. «Afirma que una mujer es bella sólo cuando aparenta tener catorce años. [...] Al dar el máximo de importancia a esa imagen de niña y fijarla en la iconografía como ideal de belleza, condena a la invisibilidad a la mujer madura. Las mujeres deben aparentar que son bellas, lo cual no deja de ser infantil y estúpido. [...] El arma utilizada contra las mujeres es el tiempo. [...] La violencia que implica esta frontera del mundo occidental es menos visible porque no se ataca directamente la edad, sino que se enmascara como opción estética.»[7]

Mernissi asegura que, en aquella tienda, no sólo se sintió horrorosa, sino también inútil. Y expone el mecanismo, idén-

7. MERNISSI, Fátima, *El harén en Occidente*, Espasa, Madrid, 2001, págs. 239-244.

tico al utilizado con el velo en el mundo musulmán o contra las mujeres en la China feudal, a quienes se les vendaban los pies. «No es que los chinos obligaran a las mujeres a ponerse vendajes en los pies para detener su crecimiento normal. Simplemente definían el ideal de belleza.»[8] Es decir, no se obliga a ninguna mujer a hacerse una operación de cirugía estética o a pasar hambre, simplemente se rechaza a quien no entra en el modelo impuesto. Sólo un modelo idéntico para todas porque las mujeres, en el patriarcado, son la mujer, en singular, lo que quiere decir, todas iguales.

Es lo que Pierre Bourdieu llamó la violencia simbólica: «La fuerza simbólica es una forma de poder, que se ejerce directamente sobre los cuerpos y como por arte de magia, al margen de cualquier coacción física; pero esta magia sólo opera apoyándose en unas disposiciones registradas, a la manera de unos resortes, en lo más profundo de los cuerpos.»[9]

El «arte de magia» tiene unos estupendos instrumentos a su servicio en los medios de comunicación, la publicidad, las entrevistas de trabajo, el cine, la música, la pornografía... y consecuencias dramáticas en mujeres frágiles e inseguras, sumisas a los modelos corporales; mujeres anoréxicas, bulímicas, operadas, hambrientas y consumidoras de cualquier producto que prometa belleza y juventud en siete días. Frente a todo esto, la propuesta de Germaine Greer: *la mujer completa*, definida como una mujer que no existe para dar cuerpo a las fantasías sexuales masculinas ni espera que un hombre la dote de identidad y estatus social, una mujer que no está obligada a ser bella, que puede ser inteligente y que adquiere autoridad con la edad.[10] Porque como explica Wolf, los cosméticos sólo son un problema cuando las mujeres se sienten invisibles o inútiles sin

8. Ibídem, pág. 245.
9. BOURDIEU, Pierre, *La dominación masculina*, Anagrama, Barcelona, 2.ª ed., 2000, pág. 54.
10. GREER, Germaine, *La mujer completa*, Kairós, Barcelona, 2.ª ed., 2001, pág. 14.

ellos. Igual que cuando se sienten obligadas a adornarse para que las escuchen o para conseguir un empleo o mantenerlo. Lo mismo que la ropa deja de ser crucial cuando las mujeres tienen una identidad sólida. En un mundo en el que las mujeres tengan verdaderas opciones, lo que hagan respecto de su propio aspecto pasará a tener una importancia muy relativa.[11]

TRASTORNO DE DISMORFIA CORPORAL

Explica Germaine Greer en su mencionado libro, *La mujer completa*, cómo funciona esa perversa relación entre belleza, salud, autoestima y codicia capitalista en lo que se refiere a las mujeres. Así, expone que toda mujer sabe que por muchos que sean sus demás méritos, no vale nada si no es guapa o atractiva o aparenta serlo. También sabe que cada día que pasa va perdiendo implacablemente la belleza, poca o mucha, que posee. Aunque sea extraordinariamente hermosa, jamás será suficientemente bella. Siempre habrá alguna parte de su cuerpo que no dará la talla. Ejemplo: «Cualquiera que sea la cantidad de vello que tenga, siempre será excesiva. Si su cuerpo es lo bastante delgado, sus senos son esmirriados. Si tiene un pecho abundante, seguro que el culo es demasiado gordo. Descubrí muy pronto que una mujer hermosa no se considera en absoluto bella. A menudo vive atenazada por la inseguridad. Toda mujer tiene algo que no le gusta de su aspecto.»[12]

Pero ningún ejemplo mejor que la explicación sobre el Trastorno de dismorfia corporal (TDC), definido por los científicos como la preocupación anormal por algún supuesto defecto del propio cuerpo. Cita Greer la reunión anual del Real Colegio de Psiquiatría estadounidense que ya en 1996 explicó que los individuos que sufren este trastorno tienen muchas dificultades en

11. WOLF, Naomi, op. cit., pág. 355.
12. GREER, Germaine, op. cit., pág. 33.

su vida social, presentan una fuerte incidencia de depresiones y un 25 % ha intentado suicidarse. Los psiquiatras ponían como un caso claro de TDC al cantante Michael Jackson.

Pues bien, desarrolla Greer que «lo que en un hombre se considera una conducta patológica, se le exige a una mujer. La que logra salvarse del exceso de vello, seguro que no escapará a la celulitis. La celulitis es pura y simplemente grasa subcutánea. Mantiene el calor corporal [...] y su presencia es una cuestión genética; algunas mujeres tienen un tejido adiposo compacto y liso, y otras lo tienen más blando. El aspecto característico de "piel de naranja" se puede encontrar hasta en los culitos de bebés que aún no han comido chocolate, ni bebido café ni alcohol, ni tampoco han fumado ni han cometido ninguno de los pecados que tienen como castigo la celulitis. Como la celulitis no mata y tampoco desaparece, es una mina de oro para los médicos, nutricionistas, naturópatas, aromoterapeutas, expertos en fitness y organizadores de planes de vida. Los fabricantes de cremas, aparatos de ejercicios, cepillos para la piel y suplementos dietéticos ganan todos un pastón gracias al disgusto, atentamente cultivado, que sienten las mujeres por sus propios cuerpos».[13]

Para la feminista australiana, se ha inoculado deliberadamente a las mujeres el TDC como un medio para inducirlas a comprar productos inútiles y sin ningún valor. Características que afectan prácticamente a todas las mujeres puesto que partes de sus cuerpos se describen como antiestéticas y anómalas, creándoles la impresión de que son ellas las defectuosas y es preciso que intenten modificarse o incluso alterarse quirúrgicamente. Los métodos para «inocular» el TDC son numerosísimos, pero quizás el más cruel y eficaz al mismo tiempo, sea el que utilizan las industrias cosméticas y de la moda a través de los medios de comunicación y especialmente de las revistas destinadas a las niñas y preadolescentes. Greer hace una descripción demoledora: «Inculcan a las niñas la necesidad de usar maqui-

13. Ibídem, pág. 34.

llaje y les enseñan a emplearlo, implantando así su dependencia de por vida de los productos de belleza. No satisfechas con enseñar a las adolescentes el uso de bases de maquillaje, polvos, difuminadores, colorete, sombras de ojos, perfiladores, lápices y abrillantadores de labios, las revistas también ayudan a detectar problemas de sequedad de piel, descamación, puntos negros, brillo, piel mate, imperfecciones, hinchazón, espinillas, que las niñas deberán tratar con humidificantes, revitalizantes, mascarillas, compactos, enjuagues, lociones, cremas limpiadoras, tónicos, exfoliantes, astringentes... ninguno de los cuales les servirá de nada. Los cosméticos para preadolescentes son relativamente baratos, pero al cabo de pocos años, un marketing más sofisticado conseguirá convencer hasta a la joven más sensata para que despilfarre su dinero en la adquisición de preparados capaces de retrasar su inminente caída en la decrepitud.»[14]

MEDICINA Y FARMACOLOGÍA, COSAS DE HOMBRES

El mito de la belleza tiene mucho que ver con la salud de las mujeres, especialmente con la salud mental por las repercusiones que acarrea: anorexia, bulimia, falta de autoestima, depresiones... Pero también la salud física tiene un rasgo de género. Parafraseando a María Zambrano cuando afirmaba que la paz no es la ausencia de guerra, la salud tampoco es la ausencia de enfermedad. Y parece que en las mujeres menos, puesto que los varones están empeñados en convertir los procesos fisiológicos femeninos naturales en procesos patológicos. Así se inventan enfermedades o medicalizan el embarazo, el parto o la menopausia. La medicina y la farmacología son el colmo del androcentrismo.

Ambas ciencias controladas desde hace siglos por los hom-

14. Ibídem, págs. 36-38.

bres, se basan en los estudios sobre los cuerpos masculinos. Además, los ensayos clínicos también se hacen sobre los varones. Las consecuencias son tremendas. Las mujeres están peor diagnosticadas. Puesto que muchas enfermedades presentan distintos síntomas en hombres y en mujeres, como los estudios y descripciones están hechos sobre ellos, cuando las sufre una mujer, los especialistas no los detectan. Las mujeres también soportan más esperas antes de ser intervenidas —por idénticas razones— y tienen menos hospitalizaciones. Además, sufren mayores efectos adversos de los fármacos porque no han sido probados en ellas.

El informe de 2004 de la Sociedad Española de Salud Pública y Administración Sanitaria (SESPAS) titulado «La salud pública desde la perspectiva de género y clase social» es tremendamente revelador sobre las denuncias que desde hace un par de décadas hace el feminismo en este sentido.[15] El informe afirma textualmente que «la calidad de la atención sanitaria recibida por las mujeres está condicionada por el desconocimiento científico sobre la historia natural de ciertas enfermedades (distintas de las de los hombres) y por diferentes tipos de enfermedades respecto a las padecidas por los varones. [...] Existen imprecisiones empíricas en la práctica médica, en la cual se aplican bastantes juicios subjetivos, así como falta de rigor y transparencia. [...] Muchos estudios biomédicos han utilizado a los hombres como prototipos y han inferido y aplicado los resultados en mujeres como si la historia natural y social y sus respuestas a las enfermedades pudieran ser las mismas».[16]

15. SESPAS es una entidad que agrupa a más de 3.500 profesionales de la salud y otras ciencias sociales y biomédicas. Incorpora a 10 sociedades científicas federadas y es el miembro español de las sociedades europeas y mundiales de Salud Pública (EUPHA y WFPHA). Desde 1993, SESPAS elabora informes técnicos bianuales que analizan el estado de salud y el sistema sanitario español.

16. RUIZ-CANTERO, M. T., VERDÚ-DELGADO, M., «Sesgo de género en el esfuerzo terapéutico», en Informe SESPAS 2004, pág. 118.

En el informe, realizado por ochenta especialistas durante dos años, también se destaca que el androcentrismo de la ciencia puede estar en el origen de que los profesionales toman decisiones sin que en ocasiones sepan identificar completamente el valor de los signos y síntomas de las mujeres porque no han sido estudiadas.

Las mujeres sufren más efectos adversos de los fármacos por su exclusión en los ensayos clínicos realizados en varones. Ésta se justificó con el argumento de que así se prevenía el riesgo potencial de daño fetal. En realidad, el problema está en que es más difícil estudiar a las mujeres puesto que hay que tener en cuenta distintas variables: los cambios hormonales, las alteraciones que puede provocar el uso de anticonceptivos o terapias hormonales sustitutivas, el estadio del ciclo menstrual... Así que es mejor, como en el resto de las ciencias sociales, despreciar a las mujeres. Sólo que en el caso de las ciencias de la salud las consecuencias son aún más trágicas. Millones de mujeres en el mundo están tomando fármacos sin que se conozcan los efectos que tienen en sus cuerpos.

Como indica el Informe SESPAS 2004: «Para prescribir un fármaco hay que conocer la existencia de variaciones en la respuesta al tratamiento según el estadio del ciclo menstrual y si es antes o después de la menopausia, si las terapias hormonales afectan a la respuesta, si los fármacos estudiados pueden afectar a su fertilidad y si ambos sexos responden de forma diferente al mismo tratamiento. El hecho es que las mujeres sufren más efectos adversos que los hombres, incluso bajo el control de dosis y el número de fármacos que se prescriben. La validez de la extrapolación a mujeres de los resultados de los ensayos realizados en hombres, es más que cuestionable.»[17]

Idéntica situación ocurre con los diagnósticos: «Todos los estudios internacionales demuestran que las mujeres tienen retrasos en el diagnóstico puesto que presentan diferentes sínto-

17. Informe SESPAS 2004, pág. 120.

mas ante las mismas enfermedades que los hombres. Esto significa que las mujeres tienen mayor gravedad cuando ingresan en el hospital y también mayor índice de fallecimiento posthospitalización.» Otra de las conclusiones es que las hospitalizaciones son más frecuentes en hombres en todos los grupos de edad y para la mayoría de los grupos diagnósticos. Los datos dicen que los varones utilizan más la atención hospitalaria y son los médicos quienes derivan a los pacientes a la asistencia hospitalaria. ¿Serán sus enfermedades más importantes?[18]

Las expertas y los expertos del Informe SESPAS 2004 afirman que el malestar emocional de las mujeres está medicalizado. Y explican que habitualmente se utilizan los fármacos de manera errónea y sin estudiar las causas que provocan este malestar (depresión, estrés, angustia, insatisfacción, miedo...). Como también está medicalizada la menopausia. Entre 1996 y 2000, las ventas de la terapia hormonal sustitutiva aumentaron un 42 %, a pesar de la escasa evidencia de sus beneficios y despreciando los riesgos que suponen estos tratamientos. Pese a elevar el riesgo de cáncer de mama y no demostrar su utilidad en la prevención primaria de la enfermedad cardiovascular, la Asociación española para el estudio de la menopausia mantiene la indicación de esta terapia por su efecto protector de la osteoporosis.[19]

Otra práctica que los autores del informe califican como mínimo de tener dudosa base científica es la extirpación de los órganos reproductivos femeninos. La extirpación total o parcial del útero así como de los ovarios se realizó durante décadas para solucionar epilepsias y enfermedades de los nervios y falsos problemas psicológicos como la *histeria*. Se presumía que cualquier problema psicológico podía ser curado o controlado mediante su eliminación. Actualmente, según el Informe SESPAS 2004, la mayoría de las histerectomías —extirpa-

18. Ibídem, pág. 121.
19. Ibídem, pág. 123.

ción total o parcial del útero—, se realizan debido a enfermedades benignas y son más frecuentes en centros privados. En España, aproximadamente el 60 % de estas intervenciones se realizan por enfermedades benignas. Pero el 37 % de las mujeres histerectomizadas tuvieron que ser tratadas de depresión después de la operación. También entre el 20 y el 40 % de las mujeres a quienes se les quita uno o ambos pechos sufren depresión. Desde mitad del siglo XX la histerectomía ha sido realizada con poca consideración a sus secuelas psicológicas.[20]

Junto con la extirpación del útero también se extirpan los ovarios, sobre todo en mujeres en edad de menopausia. Esta práctica frecuente (limpieza o vaciado) no ha sido abandonada por completo porque se presume que los ovarios tienen poca función hormonal después de la menopausia y porque —dicen los especialistas— pueden enfermar con el tiempo. La realidad es que no se conocen con precisión las consecuencias hormonales de estas operaciones a largo plazo.[21] Pero el mayor escándalo respecto al poco respeto hacia las mujeres en la práctica médica, a la consideración de sus procesos naturales como enfermedades y a la excesiva medicalización, se da en el parto.

PARTOS SIN MADRES

En España y medio mundo los partos no tienen madre. Las mujeres que van a dar a luz desaparecen en cuanto atraviesan la puerta del hospital. No son personas, son enfermas, y sus opiniones no cuentan. El parto está organizado en los hospitales al servicio de los ginecólogos, del resto de profesionales de la medicina que intervienen y del sistema de salud. Se trata de que

20. Ibídem.
21. Ibídem, pág. 124.

los partos sean rápidos, seguros y cómodos... para los facultativos, claro, no para las madres: cesáreas sin motivo, administración de hormonas para acelerar las contracciones, cortes vaginales y la peor posición para dar a luz, tumbadas. Si para las mujeres todo esto es más difícil, doloroso, violento y humillante —nunca se cuenta con su opinión—, da igual.

Hace ¡veinte años! que la Organización Mundial de la Salud (OMS) daba las primeras recomendaciones en este sentido. En 1985 en el estudio «Tener un hijo en Europa» se afirmaba que: «No más de un 10 % de los procedimientos rutinarios utilizados en la asistencia al nacimiento en los servicios oficiales ha pasado un examen científico adecuado.» Las líneas de actuación que marcaba ya en ese año la OMS eran en realidad un listado de sentido común, casi un manual de parto natural. La OMS subrayaba que, en los hospitales, todos sus medios fuesen utilizados sólo en el caso de que existiera alguna dificultad o complicación. Las recomendaciones echaban por tierra mitos como que la postura natural de parto es la horizontal, que la cesárea es la forma más segura de dar a luz o que la episiotomía (corte vaginal) previene desgarros —cuando en realidad es, junto con la postura horizontal, la principal causa de desgarro grave y además es traumática y deja secuelas como peor cicatrización o molestias y dolores durante el coito.

Pero el sentido común no ha entrado en el servicio de salud en cuanto a los partos se refiere. Así, se continúa dando a luz en un paritorio y no en una habitación confortable. Las mujeres soportan rasurado, enemas y rotura de bolsa sin razón aparente. Tampoco se sabe por qué aguantan la dilatación, que puede durar horas, tumbadas e inmovilizadas en vez de poder pasear, estar acompañadas por quienes quieran y emplear métodos agradables para soportar el dolor como darse un baño o un masaje... No se entiende por qué las mujeres no pueden elegir la postura más cómoda para dar a luz: taburete obstétrico, en cuclillas, de lado, en la bañera, de rodillas apoyada en la cama...

teniendo la fuerza de la gravedad como aliada. Tampoco, salvo por el motivo de acelerar los partos, se explica que se suministre oxitocina sintética sin consultar a la parturienta cuando esta sustancia provoca contracciones más intensas, seguidas y dolorosas y es causa frecuente de sufrimiento fetal y maternal. Cuando las mujeres no tienen estrés, producen oxitocina naturalmente, pero para eso necesitarían estar en un ambiente tranquilo, agradable, íntimo y... no tener prisa. El parto tiene un ritmo lento, pero hasta esto, tan básico, ha sido olvidado por la medicina, la ginecología y el sistema de atención sanitaria.

Las mujeres, en España, están monitorizadas permanentemente, práctica que eleva la tasa de cesáreas, obliga a la inmovilización y postura horizontal y no proporciona mejores resultados de salud. Se supone también que no debería haber nada que impidiera a las mujeres gritar y recibir al bebé en cuanto naciera, ser las primeras en abrazarlo, pero ni siquiera esto ocurre en los hospitales españoles. El desfase del sistema español de atención al parto ha sido motivo de repetidas advertencias por parte de la OMS. De los 500.000 partos que se producen cada año en España, unos 125.000 acaban en cesárea. Uno de cada cuatro. El doctor Marsden Wagner, hasta hace pocos años representante de la OMS en materia de salud maternoinfantil, afirmaba en el Congreso de Jerez de 2000: «Resulta ridículo pensar que ese porcentaje de mujeres de España son incapaces de parir.» Acerca del corte para abrir la vagina durante el parto, Wagner opina: «No es necesario en más del 20 % de los casos y la ciencia ha constatado que causa dolor, aumenta el sangrado y causa más disfunciones sexuales. Por todas estas razones, realizar demasiadas episiotomías ha sido correctamente etiquetado como una forma de mutilación genital en la mujer. El índice de episiotomías del 89 % en España constituye un escándalo y una tragedia.»[22]

El número de cesáreas realizadas supera las recomendacio-

22. FERNÁNDEZ DEL CASTILLO, Isabel, *El Mundo*, pág. 41.

nes de la OMS en un buen número de países. América Latina es la región del mundo donde más se practican. El 38 % de los nacidos entre 2006 y 2010 vinieron al mundo en un quirófano, según el último informe Estado Mundial de la Infancia de Unicef. La Organización Mundial de la Salud dice que solo debe hacerse una cesárea cuando el parto no se puede desarrollar de manera normal, lo que sucede en un 15 % de los casos. Por encima de esa cifra, se consideran intervenciones quirúrgicas innecesarias.

El informe de Unicef pone a la cabeza a Brasil, con el 50 % de cesáreas. Países como la República Dominicana (42 %) o Paraguay (33 %) también doblan con creces el reto de la OMS. El informe de Unicef no ofrece datos de Chile, Argentina o Venezuela, pero indicadores nacionales muestran la misma tendencia. Argentina tuvo un 26,7 % de cesáreas en 2011, según datos del Gobierno. En EE.UU., el índice se eleva al 31 % de los partos. Respecto a Europa, en los países nórdicos el porcentaje de cesáreas es menor, un 20 %, y en el sur se dispara hasta el 40 % de Italia. En Reino Unido y Grecia se supera el 30 por ciento.

«MI CUERPO ES MÍO»

«Yo pertenezco a la generación del "ahí abajo"», asegura Gloria Steinem en el prólogo a la edición española del libro *Monólogos de la vagina* de Eve Ensler. Así era como las mujeres de su familia se referían, siempre en voz baja, a todos los genitales femeninos, ya fuesen internos o externos. No es que desconociesen la existencia de vagina, labios, vulva o clítoris, simplemente, no se usaban. Y añade Steinem: «Por ejemplo, ni una sola vez oí la palabra clítoris. Transcurrirían años hasta que aprendí que las mujeres poseíamos el único órgano en el cuerpo humano cuya función exclusiva era sentir placer. (Si semejante órgano fuese privativo del cuerpo masculino, ¿pueden imaginarse lo mucho que oiríamos hablar de él... y las cosas que se justificarían con ello?)»[23]

En efecto, la sexualidad de las mujeres ha sido arrebatada históricamente por los varones. La negación de una sexualidad y un deseo propios y de libertad para disfrutarlos permanece aún hoy en buena parte del mundo. El patriarcado se ha volcado para controlar la sexualidad femenina, todos los métodos han sido pocos. Desde las imposiciones religiosas y morales, los códigos de conducta, la estigmatización en nombre del honor y la honra hasta la violencia y la represión brutal y mortal, pasando por la utilización del sistema legal y el control de la ciencia...

«Te digo una cosa, tengo 67 años y tres hijos, pero soy virgen», son las sabias palabras de Isabel para explicar toda una vida sin disfrutar de un orgasmo. La experiencia de Isabel es la de muchas mujeres que nunca han sido dueñas y beneficiarias de su propia sexualidad. El goce y el placer son atributos positivos del erotismo masculino mientras que en las mujeres son atributos negativos. La sexualidad masculina está íntimamente relacionada con el poder y una de las características fundamentales del poder masculino es el control de la sexualidad femenina, por todos los medios: físicos, psicológicos, legales, sociales, religiosos, culturales y verbales.[24]

Fueron las feministas radicales de los años setenta quienes comenzaron el proceso de reapropiación del cuerpo femenino para las mujeres. Por eso Gloria Steinem cuenta que cuando fue por primera vez a ver cómo Eve Ensler interpretaba sus *Monólogos*, unos relatos basados en más de 200 entrevistas con mujeres, pensó: «Esto ya lo conozco: es el viaje de contar la verdad que (las mujeres) llevamos haciendo desde hace tres

23. STEINEM, Gloria, prólogo de ENSLER, Eve, *Monólogos de la vagina*, Planeta, Barcelona, 2002, pág. 8.
24. VARELA, Nuria, *Íbamos a ser reinas*, Ediciones B, Barcelona, 2002, pág. 67.

décadas.»[25] Algunas consignas de las manifestaciones feministas que aún hoy se corean son tan sencillas como explícitas: «Mi cuerpo es mío.» Es insólito tener que reivindicar algo tan obvio como que el cuerpo de cada uno y de cada una pertenece a cada cual, pero las mujeres han tenido que pelear y luchar por lo más básico y lo más íntimo. La *reconquista* aún no ha terminado. La *obviedad* aún no es reconocida en decenas de países del mundo y en aquéllos donde la igualdad legal de las mujeres está reconocida, la consigna aún es repetida para exigir dos derechos que todavía no están conseguidos: acabar con la violencia sexual y manifestar que los procesos reproductivos deben ser decididos y controlados por las mujeres.

La salud reproductiva es un derecho de las mujeres que está en el ámbito de los derechos humanos. Ya en 1994, en la Conferencia internacional sobre población y desarrollo, celebrada en El Cairo, se superaron los conceptos hasta entonces manejados de planificación familiar y anticoncepción como sinónimo de control de la natalidad —en manos de los gobiernos y sus leyes—, para definir la salud reproductiva como el hecho de llevar una vida sexual responsable, satisfactoria y segura, además de la capacidad de reproducirse y decidir, libremente, cuándo y cuánta descendencia se desea. Ha pasado una década y aún no es una realidad.

El feminismo siempre ha abogado por la libertad de elección en el ámbito de la reproducción. La elección sólo es posible si existen verdaderas alternativas. Tanto para tener hijos e hijas como para no tenerlos. Así, en muchos países en vías de desarrollo ha tenido que pelear por el derecho de las mujeres a ser madres, enfrentándose a políticas públicas de esterilización masiva o de elevadísimos índices de mortandad maternoinfantil por la escasez de recursos destinados a este fin. Y en todo el mundo, ha peleado por el derecho de las mujeres a la interrupción voluntaria del embarazo cuando ellas lo decidan.

25. ENSLER, EVE, op. cit., pág. 13.

Siguiendo a Victoria Sau, etimológicamente la palabra aborto quiere decir privar de nacer. El aborto puede ser espontáneo o provocado, pero es el segundo el motivo de debate por ser objeto del derecho y estar tipificado como delito en el código penal de muchos países. Desde un punto feminista casi universal —afirma Sau—, el aborto es una agresión al cuerpo y la psique de las mujeres que hay que evitar por todos los medios, pero que, en última instancia, agrede menos de lo que lo haría la continuación del embarazo cuando una mujer decide interrumpirlo. «El aborto provocado, desde que existe patriarcado, ha estado y está controlado por los hombres. Estar bajo control no significa que forzosamente tuviera que constituir delito y castigarse como tal. Significa, ante todo, que el hombre se ha reservado el derecho de intervenir legalmente en el aborto, sea para decir que no constituía delito, que sí constituía delito o para cambiar de una posición a otra. Ni siquiera la palabra aborto responde a la realidad de un modo total, por lo que las feministas van utilizando cada vez más una expresión más acertada: interrupción voluntaria del embarazo.»[26]

En España, desde 1998 hasta 2002, las interrupciones voluntarias del embarazo se han incrementado en un 43 %. La mayor incidencia se da en mujeres entre 20 y 24 años. La mitad de los embarazos de las adolescentes acaba en aborto. Las edades demuestran que el aumento se debe a la falta de educación sexual y a las dificultades en el acceso a los anticonceptivos. Las conquistas de las mujeres, además de conseguirlas, hay que mantenerlas.

La doble moral se extiende sobre su salud reproductiva como una mancha pegajosa que no hay manera de quitar. En España, tan sólo el 2 % de los abortos se realiza en los hospitales públicos. Lo «obvio» aún es un sueño. Las mujeres todavía no tienen acceso a los medios como un derecho, tienen que recurrir al poder médico para conseguir la «píldora del día si-

26. SAU, Victoria, op. cit., volumen I, págs. 11-16.

guiente» y si quieren que el sistema público de salud cubra la interrupción del embarazo, no será suficiente con que ellas lo hayan decidido, tendrán que convencer de lo acertado de su decisión a otras personas, que no tienen ningún interés en las consecuencias de este embarazo ni deberán responsabilizarse. Pero parece obvio también que quedar embarazada contra la propia voluntad significa empezar a perder el control sobre la propia vida.[27]

Quizá sea éste el ámbito más trabajado por el feminismo y donde, a pesar de las tremendas resistencias, se han conseguido más éxitos. La rebeldía de las mujeres hacia la usurpación de sus cuerpos ha provocado la ruptura de la familia patriarcal tradicional, ámbito donde se consuman los abusos con impunidad y, durante siglos, con complicidad legal. La familia tradicional, lugar de sumisión obligatoria para las mujeres, se está despedazando a favor de múltiples formas de familia basadas en el respeto y la libertad. Mujeres que renuncian a la maternidad, mujeres que renuncian al matrimonio, mujeres que deciden ser madres solas, con métodos de reproducción asistida; mujeres que retrasan la maternidad hasta cumplir los cuarenta, mujeres que eligen la adopción frente a la propia maternidad, mujeres que optan por vivir una sexualidad libre, mujeres que prefieren uniones sin papeles, mujeres que rompen con la heterosexualidad obligatoria y muestran su opción homosexual... Desde la famosa teoría de «lo personal es político», el feminismo se ha empeñado en democratizar el ámbito familiar y parece que, poco a poco, lo consigue.

SABOR DE VENDIMIA

Frente al mito de la belleza, la exigencia de la juventud eterna, la maternidad arrebatada, la sexualidad impuesta, la

27. GREER, Germaine, op. cit., págs. 144-146.

salud regateada y el pecado de la madurez sabia, se nos ocurre proponer inteligencia, rebeldía y quizás unos versos. Dice Gioconda Belli bajo el título de *Sabor de vendimia*:

Recuerdo el terror de las primeras arrugas.
Pensar: Ahora sí. Ya me llegó la hora.
Las líneas de la risa marcadas sobre mi cara
aun en medio de la más absoluta seriedad.
Yo, frente al espejo,
intentando disolverlas con mis manos,
alisándome las mejillas, una y otra vez,
sin resultado.
Luego fue la mirada furtiva de mi reflejo
                    [en los escaparates
preguntarme si la luz del día las haría más evidentes,
si el que me observaba desde la otra acera
estaría censurando mi incapacidad de
                    [mantenerme joven,
incólume ante el paso del tiempo.

Viví esas primeras marcas de la edad
con la vergüenza de quien ha fallado.
Como una estudiante que reprueba el examen
y debe caminar por la calle
con las malas notas expuestas ante todos.
—Las mujeres nos sentimos culpables por envejecer,
como si pasada la juventud de la belleza,
apenas nos quedara que ofrecer,
y debiéramos hacer mutis;
salir y dejar espacio a las jóvenes,
a los rostros y cuerpos inocentes
que aún no han cometido el pecado
de vivir más allá de los treinta o los cuarenta.

No sé cuándo dispuse rebelarme.

No aceptar que sólo se me concedieran como válidos
los diez o veinte años con piel de manzana;
sentirme orgullosa de las señales de mi madurez.

Ahora, gracias a estos razonamientos
cada vez me detengo menos
frente al espejo.
Paso por alto
la aparición de
inevitables líneas
en el mapa de vida del rostro.

Después de todo,
el alma, afortunadamente,
es como el vino.
Que me beba quien me ame,
que me saboree.[28]

28. BELLI, Gioconda, *Apogeo*, Visor, Madrid, 1998.

12

LA CULTURA
Mujeres de ficción

Abandonar el ámbito de las ideas recibidas requiere un esfuerzo, y además puede ser entendido como una provocación.

DOLORES JULIANO

Los diccionarios se saltan su regla fundamental. Supuestamente, es el orden alfabético el que los organiza. Sin embargo, primero se pone el masculino y luego el femenino. A la *a*, primera letra del alfabeto, le hubiesen sido concedidos todos los honores si no fuera porque indica femenino. Así que la *o*, indicadora del masculino, por arte de magia, ha sido ascendida al primer lugar. De manera que *gato* siempre va delante de *gata* y *completo* delante de *completa*, por ejemplo. Los diccionarios no reflejan la realidad, ni la lengua, ni el mundo. Reflejan, simplemente, el poder de quienes los escriben.

Ha sido tarea del feminismo de las últimas décadas cuestionar, modificar y ampliar los saberes. Desde que las mujeres conquistaron el derecho a acceder a la educación masivamente y en todos los tramos —aunque no en todo el mundo—, comprobaron estupefactas cómo la aparente neutralidad de la ciencia era sólo eso, aparente, una gran farsa, y el saber científico, un saber reducido sólo a una parte del mundo.

La elección de los temas de investigación, la forma de aproximarse a ellos, la interpretación de datos y resultados... tienen lugar bajo una perspectiva que pretende hacer universales unas normas y unos valores que responden a una cultura construida por los varones y defensora del dominio masculino. Cualquier forma de definir, clasificar, nombrar... es arbitraria, pero tiene una función ideológica porque determina una manera concreta de explicar la realidad. La representación de esa realidad se hace bajo los intereses del poder. En el caso de las mujeres, ha sido especialmente importante puesto que han sido representadas. Es decir, la prohibición expresa a las mujeres de acceder a la cultura y producirla, significaba la prohibición de explicar la vida y explicarse a sí mismas. La consecuencia es que tanto las mujeres como la vida han sido definidas por los varones, obviamente, bajo sus intereses y puntos de vista.

Este androcentrismo en las ciencias y la cultura ha producido una ingente cantidad de mentiras. Son las «falacias viriles» de las que hablaba Kate Millett. Algunas de estas mentiras, repetidas durante siglos, están tan arraigadas que resulta difícil incluso detectarlas. Como el orden supuestamente alfabético de los diccionarios que en realidad expresa una jerarquía en la que el masculino está por encima del femenino.

Ésta es la razón por la que el feminismo se puso a desmontar los saberes heredados, puesto que servían ideológicamente para perpetuar la dominación masculina. Por eso Amelia Valcárcel insiste en que el pensamiento feminista forma parte de lo que se denomina «filosofía de la sospecha» como fórmula de acercarse al saber: hay que aprender el componente de poder que reside en el núcleo de toda verdad y desconfiar de ciertas verdades aun aparentemente bien establecidas. En este hacer, las mujeres han puesto el mundo patas arriba como se ha visto en el campo de la economía, la política, la violencia, la autoridad, la historia, la medicina, la farmacología... y han ampliado el conocimiento en todas las disciplinas: literatura, arte, educación, psicología, sociología, filosofía, arquitectura, teología, comunicación, antropología... El listado es interminable y excede las dimensiones de este libro exponerlo completo. Así que hemos seleccionado sólo tres grandes campos: la lengua, los medios de comunicación y las religiones.

MUJERES CON VOZ

En el mundo existen 6.000 lenguas, lo que indica que son algo adquirido. La lengua no es común para el total de los seres humanos. Las lenguas cambian día a día, están vivas. Por eso, las reticencias de las academias, de la autoridad, a incorporar el saber y hacer de las mujeres no tienen fundamento intelectual. El sexismo y el androcentrismo del patriarcado provocan, fundamentalmente, dos consecuencias: el silencio, la invisibilidad de las mujeres, y el menosprecio.

El menosprecio es lo más evidente y probablemente lo más fácil de cambiar. Se construye con palabras que tienen significado muy distinto si se expresan en masculino o en femenino, lo que se denomina duales aparentes (zorro y zorra) o cuando nos encontramos con palabras que no tienen equivalentes femeninos si son positivas (caballerosidad) y no tienen equivalentes masculinos cuando son negativas (víbora, arpía).

Otra forma de menosprecio es la negativa a feminizar las profesiones. No hay ninguna razón lingüística que lo impida puesto que continuamente se inventan palabras para nombrar nuevas realidades. En este caso, el trasfondo de poder es obvio puesto que son las profesiones que denotan autoridad y prestigio las más difíciles de feminizar. Así, cuando las mujeres comenzaron a trabajar en el comercio, «dependiente» pasó a «dependienta» sin mayores problemas, al igual que el originario «asistente» derivó en «asistenta». Pero cuesta mucho más trabajo feminizar «presidente» en «presidenta». Lo mismo ocurre con «jueza». Podemos decir sin problemas «andaluces» y «andaluzas» pero no «jueces» y «juezas». La objeción nunca está en la lengua.

Para invisibilizar a las mujeres se recurre fundamentalmente a tres procedimientos: usar el masculino como genérico, utilizar la palabra hombre para referirse a hombres y mujeres y el salto semántico.

Una vez más, lo obvio: el masculino es masculino. Su función es designar el masculino y no tiene amplitud semántica para incluir el femenino, para eso tenemos en la lengua los genéricos. Todo lo que sea utilizar el masculino como genérico invisibiliza a las mujeres y las excluye. Ejemplo: en vez de decir «los asturianos se manifiestan» se puede decir «Asturias se manifiesta». Ante esta obviedad, quienes defienden la tradición patriarcal argumentan que visibilizar a las mujeres va en contra de la economía del lenguaje. Lo primero que sorprende es que, una vez detectados los fallos, no se hayan puesto a corregirlos. La academia y los lingüistas dedican sus esfuerzos a impedir los cambios en vez de a mejorar la lengua de manera que sea útil para todos y para todas y más veraz a la hora de reflejar el mundo. También sorprende que se pida economía hasta en el lenguaje, ¿por qué? En tercer lugar, no siempre es más largo como demuestra el ejemplo anterior y en último lugar, duplicar es hacer una copia, pero cuando se nombra a mujeres y hombres no se está duplicando, se está nombrando. Se dice lo que se quiere decir, que había hombres y mujeres.

El salto semántico es un error lingüístico porque produce un fallo en la comunicación. Consiste en comenzar una frase o un texto con un supuesto masculino genérico para terminarla sólo refiriéndose a los varones. Ejemplo: «Todo el pueblo bajó a recibirlos quedándose en la aldea las mujeres y los niños.» Con el lenguaje utilizado de esta manera se han construido grandes mentiras:[1] «La Revolución francesa consiguió univer-

---

1. El epígrafe «Mujeres con voz» está basado en la conferencia de Teresa Meana de octubre de 2004, Club de las 25, Madrid.

salizar el sufragio» (hasta el siglo XX no se consiguió el voto femenino), por ejemplo.

El feminismo no se ha cansado de repetir que lo que no se nombra no existe. Por eso, ya no es cuestión de ignorancia. Numerosas filólogas, lingüistas, expertas y catedráticas han expuesto y desenmascarado el sexismo y el androcentrismo que esconden los mecanismos verbales de dominación. Sin embargo, los académicos de la lengua continúan aprovechando su poder para mantener los privilegios masculinos. El Diccionario de la Lengua Española está repleto de ejemplos: «Huérfano/na. Dícese de la persona de menor edad a quien se le han muerto el padre y la madre, o uno de los dos; especialmente el padre.» Hay decenas de definiciones similares diseminadas por el DRAE. Si no fuese por las tremendas consecuencias que tiene el sexismo, algunas definiciones —como el ejemplo anterior (huérfano/na)— causan hasta risa.

Otro ejemplo lo ofrece Eulàlia Lledò: «Periquear. Dicho de una mujer: Disfrutar de excesiva libertad. Andar periqueando.»

«En esta última definición se constata, con un sentimiento que va de la estupefacción a la auténtica indignación, que se presenta un binomio letal a entender del patriarcado y también de quien redactó la acepción: la imposible unión de la libertad y de las mujeres; fijémonos con qué palabra se adjetiva la libertad femenina, con la palabra "excesiva", y entonces cabe preguntarse, ¿puede ser en algún caso excesiva la libertad? No, nunca, porque si se constriñe, ni que sea una milésima de centímetro, ya no es libertad; ¿y quién está decidiendo que esta libertad es excesiva?, ¿las mujeres?, en absoluto. Entonces, ¿de quién es, a quién representa la voz enunciadora de ésta y de tantas otras entradas del diccionario?

»Hete aquí constreñidas a las mujeres como si de eternas menores se tratara, como si las mujeres fuésemos personas que necesitamos tutela y tutoría constante porque si no, no sabríamos usar la libertad, y esto enunciado, claro está, por una voz que no es la nuestra, que nos impone recortes en la libertad (que entonces ya no es libertad, porque un recorte desde fuera la invalida), que nos pone en nuestro lugar, que nos enclaustra. Vergonzoso.»[2]

EL GRAN TEATRO DEL MUNDO

Para reproducirse y perpetuarse, el patriarcado cuenta con numerosos mecanismos. Alicia H. Puleo explica que se puede hablar de dos grandes modelos: el patriarcado «de coerción» y el «de consentimiento». El primero se refiere a los sistemas que deciden mediante leyes o normas, sancionadas con violencia, lo que está permitido o no para las mujeres. Son los modelos utilizados en Afganistán o Arabia Saudita, por ejemplo. El segundo modelo, el «de consentimiento» es el que está establecido en las democracias occidentales donde se mantienen y reproducen las desigualdades de género mediante mitos y estereotipos —aunque ambos utilizan las dos fórmulas, la distinción se realiza sobre cuál es la de mayor peso.

Así, en los países donde existe la igualdad formal, el patriarcado se asienta en los roles y estereotipos que produce el sistema de géneros. Luisa Antolín propone, para explicarlo, la metáfora del teatro. «Rol» alude a función, tarea, papel. Hombres y mujeres, en cuanto nacen, tienen asignado un papel en función de su sexo. En él se les dice cómo tienen que comportarse, vestir, mirar, soñar, trabajar, hablar, relacionarse con los demás... Mujeres y hombres se convierten en actrices y actores en cuanto nacen y, según interpreten mejor o peor ese papel asignado en el gran teatro del mundo, el público —la sociedad— les aplaudirá o censurará. La crítica juzgará cuánto se

2. LLEDÓ, Eulàlia, «Recomendaciones para el tratamiento de la violencia contra las mujeres en los medios informativos» en *Medios de comunicación y violencia contra las mujeres*, Instituto Andaluz de la Mujer, Sevilla, 2003, pág. 218.

acerca o aleja cada cual de los estereotipos. Si la niña es fuerte, valiente y activa será castigada igual que lo será el niño pruden-te y sensible.[3]

En realidad, los roles y estereotipos nacidos de la construc-ción de los géneros hacen de hombres y mujeres seres atro-fiados puesto que ni unos ni otras pueden desarrollar sus capa-cidades, siendo limitados a lo que se espera de ellos y no a lo que son.

La palabra «estereotipo», etimológicamente viene del latín *estereo*, que significa molde. En el vocabulario de imprenta, de donde fue tomada, el estereotipo es una plancha de acero o plomo que imprime caracteres repetidamente sin ninguna modificación. En el contexto de las ciencias sociales —explica Luisa Antolín—, los estereotipos pueden definirse como imá-genes o ideas simplificadas y deformadas de la realidad, acep-tadas comunmente por un grupo o sociedad con carácter in-mutable. Los estereotipos se hacen verdades indiscutibles a fuerza de repetirse.

VOCEROS GLOBALIZADOS

Los medios de comunicación son, actualmente, los encar-gados de repetir y repetir hasta la extenuación los estereotipos sexuales. Y ya se sabe que «con la repetición se puede alcanzar todo. Una gota de agua acabará atravesando una roca. Si gol-peáis de manera certera y continuada, el clavo se hundirá en la cabeza».[4]

Los medios de comunicación se han convertido en la gran barrera que impide el cambio real entre hombres y mujeres

3. ANTOLÍN, Luisa, «El concepto de género y la teoría feminista» en *Agentes de Igualdad de Oportunidades 1*, Forem, Madrid, 2004.
4. TEDLOW, Richard S., *L'Audace et le marché. L'invention du marke-ting aux Etats-Unis*, Odile Jacob, París, 1997.

en las sociedades democráticas. Paradójicamente, los medios, siempre en busca de la noticia y atentos a ser los primeros en detectar y contar los cambios y novedades que se producen en la sociedad, se han erigido en los guardianes del patriarcado. En la comunicación social se conjugan lenguaje, participación, visibilidad, poder y dinero. Un cóctel demasiado explosivo al que sólo le faltaba la guinda de la globalización. Con la expansión y la unificación de la información gracias a las nuevas tecnologías, la famosa *aldea global* que pronosticara McLuhan a finales de los años sesenta es una realidad, pero una realidad masculina.

Hasta hace sólo unas décadas, se consideraba que los medios de comunicación eran únicamente un *reflejo* de la sociedad, desde las perspectivas de los intereses sociales dominantes. En este sentido, el espejo de una sociedad patriarcal que reforzaba una representación sexista del mundo. Posteriormente, se ha analizado a los medios como un agente socializador, que compite con la familia y con la escuela en el proceso de educar a la gente. Los medios proponen los modelos sociales adecuados y se han convertido en el lugar de discusión de *lo que importa* y *lo que ocurre* en las sociedades. En la actualidad, además de las dos funciones anteriores, los medios son capaces de construir la realidad social. En general, las opiniones se forman a partir de la información que transmiten a los avances tecnológicos. Numerosos especialistas señalan, con acierto, que resulta difícil incluso establecer diferencias entre la «realidad» y la realidad reconstruida por los medios a través de su información cotidiana.[5]

Además, en el análisis de los medios es necesario tener en cuenta el concepto de poder. Como señala Vázquez Montalbán: «Los historiadores de la propaganda suelen esforzarse en distinguirla de la información, como si pudiera concebirse una

5. VALLE, Norma, HIRIART, Berta y AMADO, Ana María, *El abc de un periodismo no sexista*, Fempress.

información sin intencionalidad persuasora cuando hay una desigualdad evidente en la posición histórica que ocupan el emisor y el receptor.»[6]

Ese enorme poder que actualmente tienen los medios es tremendamente dañino para las mujeres en cuanto que los estereotipos de género permanecen casi inalterables en las comunicaciones. Explica la profesora Felicidad Loscertales que «el estereotipo se puede definir como una generalización en las atribuciones sociales sobre una persona por causa de su pertenencia a un grupo determinado. Y es una realidad el hecho de que las distintas culturas han elaborado unas definiciones muy claras acerca de las personas en uno y otro sexo: lo que son y lo que deben hacer; qué conductas se esperan de cada uno de estos sexos y cuáles les están vetadas».[7]

Loscertales añade que el uso de estereotipos es habitual en la comunicación puesto que, como creencias y saberes comunmente compartidos, facilita el mecanismo sobreentendido que la hace fluida. Así, el estereotipo es realmente un instrumento de comunicación poderoso, especialmente como transmisor ideológico. El estereotipo sexista, el que nos atañe en esta ocasión, es peligroso puesto que parte de una relación desigual de poder entre hombres y mujeres y su uso abunda y perpetúa el desequilibrio entre unos y otras.

Las periodistas de Fempress fueron las primeras en explicar el paralelismo entre la invisibilización de las mujeres en la historia y en los medios de comunicación. Exactamente igual que las mujeres están presentes y lo han estado siempre en los grandes acontecimientos, también son protagonistas de los eventos cotidianos cubiertos por los medios de información,

6. VÁZQUEZ MONTALBÁN, Manuel, *Historia y comunicación social*, Alianza Editorial, Madrid, 1985, pág. 17.
7. LOSCERTALES, Felicidad, «El lenguaje publicitario: estereotipos discriminatorios que afectan a las mujeres», en *Medios de Comunicación y violencia contra las mujeres*, Instituto Andaluz de la Mujer y Fundación Audiovisual de Andalucía, Sevilla, 2003, pág. 99.

pero están siendo excluidas de la *verdad mediática* como están ocultas en los libros de historia.

Además de excluidas, el uso de estereotipos hace que, habitualmente, las mujeres que aparecen en los medios de comunicación respondan a los ideales masculinos: belleza —fundamentalmente— y riqueza (modelos, mises, princesas). Todos los estudios consultados respecto al tratamiento de la mujer en los medios coinciden en que ésta se refleja mayoritariamente como madre, esposa y consumidora, es decir, en su relación con los varones o en las tareas tradicionalmente asignadas al ama de casa. También destacan que las que mejor tratamiento reciben, es decir, las que se proponen desde los medios como «triunfadoras», son las que por su actividad o actitud se acercan a los comportamientos masculinos. Es otra victoria paradójica del feminismo. El acceso de las mujeres como protagonistas a los medios de comunicación, tan lento y costoso, sin embargo, refuerza los estereotipos.

Sólo hay un apartado en el que las mujeres aparecen muy a menudo, habitualmente sobrerrepresentadas en comparación con los varones. Se trata de los casos en los que las mujeres son protagonistas como víctimas, maltratadas, analfabetas o discriminadas. Pero ni siquiera en este último apartado, en el que las mujeres sí tienen presencia, aparecen con discurso. En éste, más que en ningún otro caso, sólo son imágenes.

Un ejemplo muy visual es el de las mujeres con burka. Es una imagen tremendamente familiar para todo el mundo por el abuso que se ha hecho de ella en todos los medios de comunicación, pero ¿podría el público en general decir cuál es el nombre de la mayor organización de mujeres afganas, las únicas prácticamente que desde 1996, cuando los talibanes accedieron al poder, ejercieron verdadera oposición no violenta a los fanáticos? ¿Sabemos lo que opinan las mujeres de Kabul de los talibanes, de la ocupación norteamericana, de su propia vida? Aun cuando las mujeres son utilizadas como imagen, carecen de palabra.

Esta forma de tratar a las mujeres en los medios se repitió con la tragedia ocurrida el sábado 4 de septiembre de 2004 en Beslán, la población de la república rusa de Osetia del Norte. Los medios españoles se hicieron eco de aquel horror con interés y profusión. Durante los días siguientes, mientras Beslán comenzaba a enterrar a las 338 personas que según los datos oficiales murieron durante el asalto a la escuela Número Uno, la imagen habitual en las portadas de los periódicos fueron mujeres llorando. También en las imágenes que ofreció la televisión se mostraba con generosidad el llanto y la desesperación de las mujeres. Era algo normal, la situación no era para menos y los medios así la recogían. Sin embargo, no tan normal aunque sí habitual era que tanto en televisión como en los medios escritos, el relato de los hechos, la transmisión de los sentimientos, el análisis de la situación, es decir, la voz de aquellas imágenes correspondió en una proporción que en algunos casos llegó al 100 por cien a los varones de Beslán. Una vez más, no oímos la voz de las mujeres. Mujeres innombradas, silenciadas, invisibilizadas... oprimidas.[8]

En resumen, como explica Elvira Altés, el periodismo está marcado históricamente porque nace en Europa con la Ilustración, de ahí que construya un discurso androcéntrico como si fuera universal, practique una mirada masculina a su alrededor con la pretensión de abarcarnos a todos y a todas, y a partir de una serie de mecanismos y prácticas profesionales, nos ofrezca unos significados y explicaciones de los hechos que ocultan su carga subjetiva mediante el recurso de un sujeto neutro, sin sexo ni género, convertido en un narrador objetivo.[9]

Pero los medios de comunicación, además de transmitir información, son soporte para la publicidad y para la opinión.

---

8. LAGARDE, Marcela, *Una mirada feminista en el umbral del milenio*, Instituto de Estudios de la Mujer, Universidad Nacional, Costa Rica, 1999.

9. ALTÉS, Elvira, «Estereotipos y roles de género en los medios de comunicación», en LÓPEZ, Pilar (ed.), *Manual de información en género*, Instituto Oficial de Radio y Televisión, Madrid, 2004, pág. 40.

Y si en la información cualquier parecido entre lo que se muestra y la realidad de las mujeres —del mundo, por tanto— es pura coincidencia, en la publicidad es ciencia ficción. Si una marciana pretendiera entender la Tierra a través de la publicidad, difícilmente llegaría a ninguna conclusión aproximada de lo que son las mujeres. Pensaría que éstas sólo tienen un objetivo fundamental: exhibirse como reclamo sexual o conseguir el blanco más reluciente y satisfacer las necesidades de la familia en una casa con los suelos más brillantes de todo el barrio.[10]

Recuerda Ignacio Ramonet sobre la publicidad que ésta es un vehículo de ideología y técnica de persuasión a la vez. La publicidad sabe hacerse seductora, movilizando todos los recursos de la estrategia del deseo. Bajo su atractiva apariencia, la publicidad no es con frecuencia mas que mera propaganda, una verdadera máquina de guerra ideológica al servicio de un modelo de sociedad basado en el capital, el mercado, el comercio y el consumo. La publicidad promete siempre lo mismo: bienestar, confort, felicidad y éxito. Vende sueños, propone atajos simbólicos para una ascensión social rápida, pero las mujeres continúan encerradas en un contexto que generalmente sólo las reconoce como objetos de placer o como sujetos domésticos. Las mujeres son acosadas y culpabilizadas, convertidas en responsables de la suciedad de la casa o de la ropa, del deterioro de su piel y de su cuerpo, de la salud de los niños y de la limpieza de sus «partes íntimas», del estómago de su marido y de la economía del hogar. En la oficina o en la cocina, en una playa o en la ducha, todo depende de su aliento, el realce de su sostén o el color de sus medias.[11] Y como decía Tedlow, «con la repetición, se puede alcanzar todo».

Para combatir los estereotipos, el Instituto de la Mujer cuenta con un observatorio de la publicidad donde se pueden

10. FUERTES, Cristina, ZABALETA, Arantxa, *Andra*, enero, 2003.
11. RAMONET, Ignacio, *Le Monde Diplomatique*, n.º 67, págs. 1 y 32.

denunciar las campañas sexistas mediante un teléfono que funciona las 24 horas (900 191 010) o a través de la web www.mtas.es/mujer. Aunque quizá la fórmula más eficaz sería recordar, a la hora de comprar, qué tipo de publicidad realiza cada marca comercial y evitar que se enriquezcan aquellos que no muestran ningún respeto hacia la dignidad de las mujeres.

En cuanto al apartado de opinión en los medios (columnas en periódicos o revistas, tertulianos en radio y televisión...) ahí no hay tregua. Es el escenario donde diariamente se representa a modo de exhibición el poder social masculino. No sólo por su abrumadora presencia —la paridad en este ámbito es palabra desconocida—. Además, el pensamiento feminista está prácticamente inédito y el sexismo no tiene cortapisa. Ningún *opinador* profesional es cuestionado ni intelectual ni profesionalmente por mostrar o defender posturas de desprecio hacia las mujeres. Mientras que hoy sería inconcebible un tertuliano o columnista racista (o al menos que no disimule serlo), machistas, sexistas y misóginos exponen su ideario antidemocrático con soltura sin ser cuestionados ni por el público mayoritario ni por los editores o propietarios de los medios de comunicación —incluidos los medios públicos—. Afortunadamente, y gracias a Internet, cada día es más habitual que se organicen campañas de protesta contra determinadas firmas o artículos aunque, hasta ahora, los responsables de los medios de comunicación hacen oídos sordos.

CATÓLICAS POR EL DERECHO A DECIDIR

«No nos vamos». Ésa es la respuesta que miles de católicas han dado al sexismo de la Iglesia. «¿Por qué una mujer tendría que abandonar su propia tradición?», se preguntan al tiempo que reconocen que «por sentido común, por dignidad, muchas mujeres han dejado la Iglesia, han dejado incluso de ser creyentes, cansadas de esa institución totalitaria donde sólo parece haber lugar para la obediencia y el sometimiento». Sin embargo, ellas han decidido unirse para dar respuestas. Las mujeres críticas dentro de la Iglesia se agrupan en numerosas organizaciones nacionales e internacionales. Algunas de ellas son: Católicas por el Derecho a Decidir, Catholics For Free Choice, Somos Iglesia, Religiosas de barrios, Comunidades de Base y la Federación de los Grupos de Mujeres y Teología del Estado español.

Su compromiso es el trabajo político —explican Católicas por el Derecho a Decidir— que busca la forma de impulsar la justicia social y de género y el cambio de patrones culturales y religiosos vigentes en la sociedad, promoviendo los derechos de las mujeres. En especial, trabajan sobre los que se refieren a la sexualidad y la reproducción humana y luchan por la equidad en las relaciones de género, tanto en la sociedad en general, como en el interior de las iglesias.

Para estas católicas, ser cristianas no se identifica con pertenecer a una estructura jerárquica, ni con renunciar a la propia dignidad, aún más, no reconocen el derecho de nadie a juzgar acerca de su fe ni a echarlas. Aseguran que lo que se llama religión es una construcción humana, interpretada, entretejida con la cultura, con la ideología, con lo social, con lo económico, con lo político... y de enormes consecuencias. La Iglesia constituye la tradición del poder, del control, del dominio de la sumisión. Pero ellas se sienten herederas de otra historia de aquélla no por acallada inexistente, donde las mujeres ocuparon su lugar por derecho propio, una historia de resistencia y de liberación, una tradición. Explica Paloma Alfonso: «Nosotras nos reclamamos de la tradición de las buscadoras olvidadas, aquellas que, movidas por el deseo, hacen otra experiencia de Dios y resulta ser una experiencia de liberación. Una experiencia libre, peligrosa para cualquier poder, asumiendo el propio destino y el ser que se es, en libertad.»

Las Católicas por el Derecho a Decidir se han comprometido especialmente en la campaña para retirarle al Vaticano el estatus de país dentro de Naciones Unidas «porque se causa daño cuando se permite que las religiones se disfracen de estados», explican. La campaña se asienta fundamentalmente en tres razones. La primera razón es la muerte innecesaria de mujeres en el embarazo y el parto —algunas organizaciones cifran en 600.000 las mujeres muertas anualmente por estas causas—. Paloma Alfonso asegura que la Santa Sede, como país reconocido en Naciones Unidas, tiene una voz poderosa que emplea en limitar el acceso a la planificación familiar y la interrupción voluntaria del embarazo aun en los países en los que es legal, así como los métodos de contracepción de emergencia, incluso para las mujeres violadas durante las guerras. La segunda razón se centra en evitar la expansión del SIDA. Dentro de la ONU, la Iglesia Católica intenta obstruir las decisiones sobre políticas públicas internacionales que harían de la educación y del uso del preservativo instrumentos principales en la prevención del VIH. Y la tercera, porque se amenaza la libertad religiosa. Puesto que otras religiones con representación en Naciones Unidas, como el Consejo Mundial de las Iglesias, por ejemplo, tienen una condición igual a la de otras organizaciones no gubernamentales. Por eso consideran que Naciones Unidas debe mantener una separación bien clara entre las creencias religiosas y las políticas públicas internacionales.

Sobre el derecho al aborto, las Católicas por el Derecho a Decidir, también tienen una postura clara. Aseguran que en este caso lo que se plantea es un debate sobre valores. Para ellas, esos valores tienen que ver con el reconocimiento de la capacidad de las mujeres para tomar decisiones justas, adecuadas y morales, el reconocimiento de su derecho a la vida, al disfrute de su sexualidad y de su salud sexual y a la recuperación del poder sobre su cuerpo.[12]

12. El epígrafe «Católicas por el derecho a decidir» está basado en AL-FONSO, Paloma, *Voces disidentes, católicas por el derecho a decidir... y disentir*, Córdoba, op. cit., pág. 311.

TEOLOGÍA FEMINISTA

La teología feminista nació como un aspecto del feminismo de los años sesenta del siglo XX, especialmente en los países europeos occidentales y en Estados Unidos. Muchos de los escritos teológicos feministas aceptan un presupuesto doble: por un lado, que la raíz de la opresión de las mujeres está en el patriarcado, y por otro, que el judaísmo y el cristianismo constituyen la base del patriarcado occidental. Las teólogas feministas también subrayan la conciencia de que la historia cristiana ha perjudicado a las mujeres desde el momento que a Dios se le ha visto como masculino, lo que ha sido motivo para no considerar a las mujeres como hechas a su imagen.

En definitiva, el objetivo de la teología feminista cristiana es entender cómo las mujeres han estado subordinadas en los contextos teológicos y su meta consiste en iniciar cambios para transformar la teología de forma que no subordine a las mujeres. También hay teólogas feministas que buscan reconstruir una historiografía feminista teológica. Explican que en la misma Biblia existen mujeres a las que se puede llamar «protofeministas», lo mismo que en la era monástica, la Edad Media, la Reforma y en los distintos movimientos religiosos del siglo XIX. Ya en el siglo XIII, Guillermine de Bohemia afirmaba que la redención de Cristo no había alcanzado a la mujer, y que Eva aún no había sido salvada. Así que creó una iglesia de mujeres a la que acudían tanto mujeres del pueblo como burguesas y aristócratas. Fueron denunciadas por la Inquisición a comienzos del siglo XIV.[13]

Aún antes nacen las beguinas, mujeres cuya vida transcurre al margen tanto de la familia como de la autoridad religiosa. Su nivel cultural fue superior a la media de la población y, de hecho, la característica principal de las beguinas era la de su saber propio, su adquisición de conocimiento y de rela-

13. DE MIGUEL, Ana, *Feminismos,* op. cit., págs. 219-221.

ción con Dios por vía directa, sin la clásica mediación de los hombres, saltándose por tanto el orden jerárquico establecido. Su autonomía, de pensamiento y de acción, contribuyó a que fueran vistas como peligrosas por la jerarquía eclesiástica y estuviesen con frecuencia bajo sospecha. Las beguinas surgen en el siglo XII en la diócesis de Lieja y se extienden por Europa occidental durante los últimos siglos medievales. Hacían voto de castidad durante su vida dentro de la asociación, tenían derecho a su propiedad privada y trabajaban para mantenerse.[14]

El movimiento sufragista también produjo lideresas que llevaron la cuestión de los derechos de las mujeres a la Iglesia y a la teología. En Estados Unidos, Elizabeth Cady Stanton, quien escribió *La Biblia de la mujer* en 1890, o Sojourner Truth, referencia tanto de su comunidad religiosa como del movimiento antiesclavista y del sufragista. En América Latina se considera que «la primera feminista de América» fue Sor Juana Inés de la Cruz, monja del siglo XVII, poeta e intelectual.[15] Explica Celia Amorós que Cady Stanton supo ver con lucidez que el éxito de la lucha feminista para conseguir el voto de las mujeres pasaba, en una sociedad de religiosidad protestante como Estados Unidos, por una reinterpretación de la Biblia en sentido racionalista, alentadora de los derechos de las mujeres. Y añade que difícilmente se podrá exagerar la importancia que tuvo, especialmente para las mujeres, la traducción de la Biblia a las lenguas vernáculas.[16]

En la actualidad, siguiendo a Elina Vuola, la opresión de las mujeres y la conciencia que éstas tienen de esa realidad es una de las razones más importantes de la actual crisis de la religión.

14. SAU, Victoria, Volumen II, op. cit., págs. 232-236.
15. VUOLA, Elina, *Los límites de la liberación. La Praxis como método de la teología latinoamericana de la liberación y de la teología feminista*, Iepala, Madrid, 2000, pág. 100.
16. AMORÓS, Celia, *Tiempo de feminismo. Sobre feminismo, proyecto ilustrado y postmodernidad*, op. cit., págs. 106-107.

Vuola asegura: «La teología feminista revela tanto el carácter contradictorio de la mayor parte de la teología cristiana como el alto grado de corrupción teológica en las iglesias.»[17] La autora continúa explicando que el principio crítico de la teología feminista es la promoción de la plena humanidad de las mujeres. Porque todo lo que la disminuya o la niegue debe suponerse que no refleja lo divino y, por contra, lo que promocione la plena humanidad de las mujeres es lo que forma parte de lo sagrado.

El androcentrismo y la misoginia de la teología son los dos blancos principales de la crítica feminista. Las mujeres nunca aparecen en la teología patriarcal como representantes de la humanidad. Esto significa que «los padres de la iglesia» defienden el derecho masculino de definir y controlar a las mujeres. Lo que hacen las teólogas feministas es poner en tela de juicio la autoridad de esta teología y llamar malvado al patriarcado.

En cuanto a las propuestas constructivas de la teología feminista, éstas buscan tradiciones alternativas, dentro y fuera de la cristiandad, que apoyen la humanidad plena y autónoma de las mujeres. Dado que «las mujeres han sido excluidas de lo sagrado, concreta y simbólicamente e incluidas en un principio femenino que funciona como la parte más baja, carnal y profana de una construcción de los dogmas teológicos»,[18] la teología feminista también se ha centrado en el lenguaje y los símbolos y en la importancia que tienen en la práctica de la Iglesia. Y en este contexto está incluido el discurso católico sobre la ordenación femenina, cuestión que los jerarcas ni siquiera aceptan discutir.

17. VUOLA, Elina, op. cit., pág. 127.
18. Ibídem, pág. 117.

El islam y sus fueros son extensos: 23 países musulmanes, más de 1.000 millones de personas en el mundo y 200 prendas proclamadas como «vestir musulmán», modas y costumbres diferentes entre las que se incluye la práctica extendida en parte del subcontinente indio de que las campesinas pobres lleven los senos desnudos.[19]

En esos *fueros* han crecido sufragistas, activistas, feministas teóricas y teólogas. Una de las primeras referencias es Durriyya Shafiq, sufragista egipcia que nació en Tanta en 1908. Rebelde desde que era joven, aprovechó la fortuna de su familia materna para estudiar primero en Alejandría y después en París, donde se doctoró en la Universidad de la Soborna con la tesis titulada «La mujer y el derecho religioso en Egipto». Con ella comenzó la defensa pública de los derechos de las mujeres a la que dedicaría su vida.

«No podía asumir la responsabilidad de la belleza de la profesora en la Facultad de Letras» fue lo que alegó el decano que le negó la solicitud de un puesto de profesora en El Cairo. El claustro al completo añadió que «la juzgaba muy emancipada». Así que Shafiq se dedicó a tiempo completo al feminismo con una rica actividad literaria. En sus libros denunciaba las ínfimas condiciones de vida de las mujeres egipcias y todos los derechos que éstas tenían negados. Siguiendo la tradición feminista, escribió sus libros ante la negativa de periódicos y semanarios a publicar sus artículos y en 1945 decidió publicar su propia revista: *La Hija del Nilo*. Tres años después llevó sus reivindicaciones a la calle formando la asociación La Unión de la Hija del Nilo con la que consiguió organizar masivas manifestaciones, protestas de mujeres ante el parlamento, huelgas de hambre... La reacción del gobierno egipcio fue brutal: la

19. ABDELAZIZ, Malika, «Velos sobre las mujeres», www.nodo50.org/mujeresred.

condenó a arresto domiciliario, cerró todas sus publicaciones, presionó a la asociación feminista que Shafiq había creado hasta que fue expulsada de ella, obstaculizó el ejercicio profesional de su marido hasta que éste se divorció, amenazó con detener a quienes la visitaran hasta que nadie se atrevió a acudir a su domicilio y prohibió a los periódicos del país mencionar su nombre. El 20 de septiembre de 1975, Durriyya Shafiq decidió poner fin a la tortura y se suicidó.[20]

Pero la memoria de Durriyya Shafiq pervive junto a la de tantas otras mujeres rebeldes que continúan enfrentándose a la discriminación en la tradición del feminismo islámico. Actualmente, un objetivo central en su trabajo es el estudio y reubicación del Corán y todo el corpus religioso que le rodea. Porque sabido es que lo religioso es la expresión de lo social y todas las religiones son manifestaciones de poder, se nutren de las interpretaciones que les favorecen y asientan con ellas su legitimidad y control social.

En todo lo referente a las mujeres, la Shari'a —considerada como ley musulmana/divina— continúa siendo fuente del derecho civil actual en la casi totalidad de los países musulmanes. Muy pocos —Arabia Saudita, Emiratos Árabes, parte de Nigeria...— aplican una Shari'a «integral», pero todos «islamizan» su edificio legislativo. A pesar del carácter sagrado que se pretende tiene la Shari'a, esta ley musulmana está fundamentalmente basada en los dichos y actos atribuidos al Profeta. Todos, dichos y actos, han necesitado testigos, relatores, redactores y sabios encargados de acertar la veracidad o no de estos relatos, todos póstumos —igual que ocurre con la Biblia.

La teología feminista musulmana se centra por tanto, en no dar por divina dicha ley que evidentemente ha sido construida por varones y volver al sentido original del islam que, aseguran, en sus inicios suponía emancipación para las mujeres ya

20. RUIZ-ALMODÓVAR, Caridad, «Una sufragista egipcia. Durriyya Shafiq», *Pandora*, n.º 3, 2003, págs 12-13.

que defendía el derecho a la vida, al libre arbitrio y al protagonismo intelectual y religioso de las mujeres puesto que en sus inicios la oración era mixta y ellas tenían responsabilidad dentro de la comunidad de los creyentes. Así, gran parte de la propuesta de las teólogas musulmanas se basa en la relectura del Corán.

Y en ese trabajo se incluye el disputado velo (*hijab*) de las mujeres musulmanas. Dentro de la propia tradición islámica, las interpretaciones sobre el uso del *hijab* son numerosas. Desde el fundamento religioso, hasta su interpretación como *distinción* —en sentido positivo— de las mujeres musulmanas, pasando por la ampliación de la libertad de movimientos que éste otorgaba en la época en la que el Corán, libro sagrado de los musulmanes, fue dictado al Profeta por Dios (años 622-632 del calendario cristiano). Más recientemente, incluso el velo fue adoptado por jóvenes musulmanas en los países colonizados que reivindicaban así su tradición frente a la autoridad occidental.

La mayoría de las feministas musulmanas, incluso aquellas que están absolutamente en contra del *hijab*, no quieren sin embargo que el debate sobre los derechos de las mujeres en el islam se centre en el uso o no del velo. Para muchas, esta discusión es sólo una maniobra de distracción que evita el debate sobre cuestiones mucho más importantes —derecho a la educación de las niñas o al empleo de las adultas, reconocimiento de los derechos sexuales y reproductivos...—. Lo cierto es que desde el feminismo islámico se reivindica que son las mujeres musulmanas las únicas legitimadas para marcar sus tiempos y decidir sus prioridades en la lucha por la emancipación. Lo importante, insisten, es que para nadie ser musulmana tenga como significado la carencia de autonomía y derechos.[21]

21. El epígrafe «La hija del Nilo» está basado en la conferencia «Velos sobre las mujeres» impartida por Malika Abdelaziz en Madrid, 25 de marzo de 2004, Escuela de Animación del Voluntariado de la Comunidad de Madrid.

13

LA MASCULINIDAD
¿Y los hombres qué?

> Un hombre comienza a ser interesante cuando aprende a dudar.
>
> CARMEN RICO-GODOY

Durante meses, circuló por Internet un texto anónimo que tenía muy buena aceptación entre personas que trabajan a favor de nuevas formas de ser mujeres y hombres. Decía así:

POR CADA MUJER HAY UN HOMBRE

Por cada mujer fuerte, cansada de tener que aparentar debilidad, hay un hombre débil cansado de tener que parecer fuerte.

Por cada mujer cansada de tener que actuar como una tonta, hay un hombre agobiado por tener que aparentar saberlo todo.

Por cada mujer cansada de ser calificada como «hembra emocional», hay un hombre a quien se le ha negado el derecho a llorar y a ser delicado.

Por cada mujer catalogada de poco femenina cuando

compite, hay un hombre que se ve obligado a competir para que no se dude de su masculinidad.

Por cada mujer cansada de sentirse un objeto sexual, hay un hombre preocupado por aparentar que está siempre dispuesto.

Por cada mujer que se siente atada por sus hijos, hay un hombre a quien se le ha negado el placer de la paternidad.

Por cada mujer que no ha tenido acceso a un trabajo o salario satisfactorio, hay un hombre que debe asumir la responsabilidad económica de otro ser humano.

Por cada mujer que desconoce los mecanismos de un automóvil, hay un hombre que no ha aprendido los secretos del arte de cocinar.

Por cada mujer que da un paso hacia su propia liberación, hay un hombre que redescubre el camino a la libertad.

El texto gustaba mucho. Incluso circuló también alguna variante que invertía los términos de la comparación:

Por cada hombre débil, cansado de tener que parecer fuerte, hay una mujer fuerte cansada de tener que aparentar debilidad.

Por cada hombre agobiado por tener que aparentar saberlo todo, hay una mujer cansada de tener que actuar como una tonta.

Quienes trabajan en masculinidad explican que este texto gusta porque expresa que también los hombres sufren los efectos de la imposición patriarcal de los roles tradicionales. Pero... cuatro de los expertos más destacados —Luis Bonino, Dani Leal, José Ángel Lozoya y Peter Szil— añadían que a ellos su lectura les incomoda: «Pensamos que es engañoso ya que sólo habla de diferencias y no de desigualdades y porque, en esa equiparación que propone, invisibiliza el plus de sufrimiento y subordinación que el modelo tradicional impone a las mujeres.»

Ante esto, los cuatro presentaron también a través de Internet, un texto alternativo para su reflexión:

POR CADA MUJER HAY UN HOMBRE...

Por cada mujer cansada de tener que aparentar debilidad, hay un hombre que disfruta de protegerla esperando sumisión.

Por cada mujer cansada de tener que actuar como una tonta, hay un hombre que aparenta saberlo todo porque eso le da poder.

Por cada mujer cansada de ser calificada como «hembra emocional» , hay un hombre que aparenta ser fuerte y frío para mantener sus privilegios.

Por cada mujer catalogada de poco femenina cuando compite, hay un hombre al que no le importa pisar a quien sea con tal de ser el primero.

Por cada mujer cansada de sentirse un objeto sexual, hay un hombre que disfruta utilizando a las mujeres para su placer.

Por cada mujer que se siente atada por sus hijas e hijos, hay un hombre que disfruta de tiempo libre a su costa.

Por cada mujer que no ha tenido acceso a un trabajo o salario satisfactorio, hay un hombre que se aprovecha del trabajo gratuito hecho en casa y que no mueve un dedo para reivindicar la igualdad de derechos laborales de la mujer.

Por cada mujer que desconoce los mecanismos de un automóvil, hay un hombre que cuando llega en coche a casa tiene mesa y mantel puesto.

Por cada mujer que da un paso hacia su propia liberación, hay un hombre que tiene miedo de perder su lugar privilegiado ante ella.

Por cada mujer que es víctima de violencia en el hogar, hay un hombre que la ejerce y lo niega, presentándose como víctima de las «provocaciones» o el «abuso psicológico» femeninos y muchos otros que miran hacia otro lado en un silencio cómplice.

Por cada mujer que confía en que los hombres quieren la plena
igualdad de derechos, hay cientos de hombres confiando
en que «todo cambie un poco para que todo siga igual».

«Si queremos que las cosas cambien y desaparezcan las desigualdades dejémonos de autocomplacencias masculinas y
asumamos nuestras responsabilidades», concluían Bonino, Lozoya, Leal y Szil.

LA IDENTIDAD MASCULINA

La teoría del género no se refiere sólo a las mujeres. De
igual manera que el género femenino está construido socialmente y es una obligación para todo el sexo femenino, el género masculino también está edificado sobre mandatos exigidos
para todos los varones. Es decir, todos los hombres deben
comportarse según esté definida la *masculinidad* en su cultura.
Esas características no son innatas ni naturales. Como señala
Elizabeth Badinter a propósito de la identidad masculina, no
hay una masculinidad única, lo que implica que no existe un
modelo masculino universal y válido para cualquier lugar, época, clase social, edad, raza, orientación sexual... sino una gran
diversidad de identidades masculinas y de maneras de ser hombre en nuestras sociedades.[1]

Ser niño o niña se aprende viviendo. A este proceso de
aprendizaje del ser humano se le denomina socialización. Tiene
como objetivo que las personas se integren en la sociedad en la
que les toca vivir, que conozcan sus normas y las respeten para
evitar ser excluidas y/o castigadas. Niñas y niños se hacen mujeres y hombres por el proceso de socialización que se encarga
de reprimir o fomentar las actitudes que se consideran adecua-

1. LOMAS, Carlos (comp.), *¿Todos los hombres son iguales? Identidades masculinas y cambios sociales*, Paidós, Barcelona, 2003, pág. 13.

das para cada sexo. Como en el mundo en el que vivimos impera un sistema patriarcal, discriminatorio y opresor para las mujeres, el proceso de socialización también lo es. Pero además, es castrante para los varones. Los estereotipos de género tienen como consecuencia la desigualdad entre los sexos y se convierten en agentes de discriminación, impidiendo el pleno desarrollo de las potencialidades y las oportunidades de ser de cada persona. Privan a las mujeres y niñas de su autonomía, limitando sus derechos a la igualdad de oportunidades y a los hombres y niños les niegan el derecho a la expresión de su afectividad.[2]

¿Cómo funcionan los estereotipos de género?[3]

Cuando alguien se comporta así	Si es niña se dice que es	Si es niño se dice que es
Activa	Nerviosa	Inquieto
Insistente	Terca	Tenaz
Sensible	Delicada	Afeminado
Desenvuelta	Grosera	Seguro de sí mismo
Desinhibida	Pícara	Simpático
Obediente	Dócil	Débil
Temperamental	Histérica	Apasionado
Audaz	Impulsiva, actúa sin pensar	Valiente
Introvertida	Tímida	Piensa bien las cosas
Curiosa	Preguntona, cotilla	Inteligente
Prudente	Juiciosa	Cobarde
Si no comparte	Egoísta	Defiende lo suyo
Si no se somete	Agresiva	Fuerte
Si cambia de opinión	Caprichosa, voluble	Capaz de reconocer sus errores

2. ANTOLÍN, Luisa, *El concepto de género y la teoría feminista* en *Agentes de igualdad de oportunidades 1*, Forem, Madrid, 2004.
3. VÁZQUEZ, Norma (comp.), *El ABC del Género*, Asociación Equipo MAIZ, San Salvador, El Salvador, 2001.

EL LASTRE DE LA MASCULINIDAD TRADICIONAL

La masculinidad tradicional está compuesta por una constelación de valores, creencias, actitudes y conductas que persiguen el poder y autoridad sobre las personas que considera más débiles. Para conseguir esa dominación, las principales herramientas son la opresión, la coacción y la violencia. Desde este punto de vista, la masculinidad androcéntrica es una forma de relacionarse y supone un manejo del poder que mantiene las desigualdades existentes entre hombres y mujeres en el ámbito personal, económico, político y social. Esta concepción masculina del mundo está sustentada en mitos patriarcales basados en la supremacía masculina y la disponibilidad femenina, en la autosuficiencia del varón, en la diferenciación de las mujeres y en el respeto a la jerarquía. Estos mitos funcionan como ideales y se transforman en mandatos sociales acerca de «cómo ser un verdadero hombre».

Las principales víctimas de esta construcción masculina del mundo son las mujeres. Pero los varones, además de verdugos también son víctimas de sí mismos. Según Pierre Bourdieu «los hombres también están prisioneros y son víctimas de la representación dominante. Al igual que las tendencias de sumisión que esta sociedad androcéntrica transmite a las mujeres, aquéllas encaminadas a ejercer y mantener la dominación por parte de los hombres no están inscritas en la naturaleza y tienen que ser construidas por este proceso de socialización denominado masculinidad hegemónica».[4]

Esta socialización supone un «deber ser». Es decir, demostrar constantemente que se es el más viril, aparentar que no se es débil, no fallar «en las cosas importantes de la vida», exhibir indiferencia ante el dolor y el riesgo, actuar bajo la meta de la competencia... Estas actitudes suponen costes elevados. Por ejem-

---

4. BOURDIEU, Pierre, *La dominación masculina*, Anagrama, Barcelona, 2000, págs. 67-68.

plo, la dificultad para expresar sentimientos, sufrir depresión o sentir rabia cuando no se consigue esa imagen idealizada de uno mismo, alcoholismo, drogodependencias o suicidios. También tienen como consecuencia una serie de problemas derivados del estilo de vida que hay que llevar para ser «como debe ser un hombre»: enfermedades oncológicas y de transmisión sexual, infartos, accidentes de tráfico y muertes por violencia.

La versión dominante de la identidad masculina no constituye una esencia, sino una ideología de poder que tiende a justificar la dominación masculina sobre las mujeres. Además, la identidad masculina, en todas sus versiones, se aprende y, por tanto, también se puede cambiar.[5]

Entonces, si las mujeres llevan décadas comprometidas en deconstruir la feminidad, surgen preguntas inevitables: ¿Por qué tantos varones permanecen en una posición inmovilista?, ¿por qué la mayoría son tan poco receptivos a los argumentos igualitarios?, ¿por qué toman tan pocas iniciativas?, ¿por qué pocos están dispuestos honestamente a compartir, como reclaman las mujeres, el trabajo y el poder y especialmente las tareas domésticas? Y ¿por qué se resisten a fomentar el acuerdo de un nuevo contrato social, de nuevos pactos que reconozcan a las mujeres como ciudadanas como ellas exigen?, ¿por qué finalmente, en los temas de la igualdad con las mujeres, los varones se caracterizan por ser una *mayoría silenciosa*? Todas estas preguntas conducen a dos: ¿por qué los varones no reaccionan ante el cambio de las mujeres con una respuesta igualitaria y por qué permanecen en el *no cambio*?

Asegura Carlos Lomas que esta lamentable lentitud de la mayoría de los hombres en la transformación de su masculinidad hegemónica y complaciente no tiene en absoluto que ver con el lastre de una esencia natural de lo masculino, sino con el vínculo cultural entre masculinidad y poder. La masculinidad se puede definir como un conjunto de prácticas sociales en el con-

5. LOMAS, Carlos, op. cit., pág. 13.

texto de las relaciones de género que afectan a la experiencia corporal, a la personalidad y a la cultura de hombres y mujeres. En la medida en que la masculinidad es una práctica social, tiene un estrecho vínculo con las relaciones de poder, con las relaciones de producción y con los vínculos emocionales.[6]

También los estudios analizan cómo la masculinidad como concepto ha permanecido oculta porque ha creado la ilusión de que el hombre habla y actúa en nombre de la humanidad. Ésta es la razón por la que históricamente, parecía que lo *raro*, lo *analizable*, lo que *había que definir y estudiar* era lo «femenino» puesto que lo «masculino» se consideraba lo *normal*, la *norma*, lo *no cuestionable*.

Indagar sobre la construcción social de la masculinidad constituye una prioridad ética y estratégica en la lucha a favor de la equidad entre los sexos. Así lo han entendido algunas feministas y algunos colectivos de mujeres al impulsar estudios y encuentros en torno a las masculinidades. Como se considera fundamental fomentar desde el ámbito escolar tanto una actitud crítica ante las conductas violentas y sexistas de algunos chicos. También, una serie de acciones pedagógicas orientadas a fomentar otras maneras de entender y de vivir la identidad masculina, en la convicción de que los cambios en las vidas de las mujeres deben ir acompañados por cambios en profundidad en las conductas y en los valores de los hombres.[7]

REACCIONES MASCULINAS ANTE LA LUCHA FEMENINA POR LA IGUALDAD

Entonces, ¿cómo reaccionan los hombres ante la lucha feminista, ante el cambio de las mujeres? Según los trabajos

6. CONNELL, Robert W., «Masculinidades», México, UNAM, 2003, en LOMAS, Carlos, op. cit., pág. 21.
7. Ibídem, pág. 23.

del psicoterapeuta Luis Bonino, director del Centro de Estudios de la Condición Masculina, se pueden hacer tres grandes grupos.[8]

El primero es el de los contrarios a los cambios de las mujeres. Suelen encontrarse entre los mayores de 55 años y, en fechas recientes, también entre los menores de 21 y quienes soportan precariedad laboral, ya que ven a las mujeres como directas competidoras en el mundo estudiantil y laboral. Tienen un discurso androcéntrico, machista o paternalista y habitualmente niegan que exista desigualdad, ya que consideran que mujeres y hombres son complementarios. Reconocen que las mujeres son más autosuficientes en la actualidad, pero tan sólo lo valoran si ellas no defienden sus derechos ante ellos. Si lo hacen, acostumbran a reaccionar con ira, alejándose en actitud victimista o actuando con diversos grados de violencia para «ponerlas en su lugar». Suelen ser antifeministas, descalificadores, demonizadores o desconocedores de las reivindicaciones femeninas. Entienden la lucha de las mujeres no como una reivindicación de igualdad, sino como un intento de dominar a los varones o romper el orden social.

El segundo gran grupo lo forman aquellos varones favorables a los cambios. En general, son jóvenes con estudios superiores, solteros, sin hijos, que mantienen relaciones con mujeres que trabajan en el ámbito público y viven en grandes ciudades. Algunos, pocos, cuestionan su propio rol, entre éstos hay bastantes que se consideran «compañeros». Son defensores de la igualdad desde la experiencia y están dispuestos a cambiar para llegar a una convivencia igualitaria. Habitualmente, se sienten huérfanos de modelos masculinos de referencia que les resulten atractivos. Explica Bonino que en Europa los varones que pueden definirse claramente como «compañeros» representan entre el 2 y el 5 % del total, según sus propios estudios y los de

8. BONINO, Luis, «Los hombres y la igualdad con las mujeres», en LOMAS, Carlos (comp.), op. cit., págs. 107-110.

autores como Deven o Godenzi,[9] aunque los expertos perciben que en los últimos años se está produciendo un lento aumento del número de varones que reaccionan favorablemente a los cambios, sobre todo entre los que están menos apegados al modelo masculino tradicional.

El tercer grupo, que —asegura Bonino— va en aumento, son los «acompañantes pasivos», que delegan la iniciativa en las mujeres, provocando una inversión de los roles tradicionales donde ellos no asumen casi ningún comportamiento masculino. Quienes no cuestionan su propio rol son los «varones utilitarios», que se benefician de los cambios de las mujeres (por ejemplo en la pareja en que ella trabaja e ingresa dinero) sin ofrecer nada a cambio. Se les llama también «igualitarios unidireccionales», ya que aceptan que las mujeres asuman «funciones masculinas» pero no a la inversa. En la práctica, estos varones son desigualitarios, porque sobrecargan a las mujeres. Los varones «utilitarios y acompañantes» se definen a favor del cambio de las mujeres, aunque más en la teoría que en la práctica. Creen, mayoritariamente, que la lucha por la igualdad la deben afrontar sólo las mujeres.

Dentro de este tercer grupo, Bonino destaca a los «ambivalentes». Mayoritariamente varones entre 35 y 55 años, que mantienen relaciones con mujeres que trabajan en el ámbito público o divorciados y con hijos. En algunos aspectos predomina el acuerdo, en otros el desacuerdo con los cambios de las mujeres. Son los que más se quejan porque se sienten desorientados, incomprendidos y desconcertados por los cambios de las mujeres a quienes ya no pueden —ni muchas veces quieren— controlar. Viven estos cambios como una pérdida de rol y reaccionan frecuentemente con aislamiento o resistencia pa-

9. DEVEN, F., y otros, «Revisión de investigaciones europeas sobre conciliación de la vida familiar y laboral de mujeres y hombres», *Revista Materiales de trabajo*, de Dirección del Menor-MAS, España, n.º 40, 1998; y GODENZI, A., *Style or substance: Men's responce to feminist challeng*, Men and Masculinities, vol. I, n.º 4, 1999.

siva. La mayoría son «resignados-fatalistas» que aceptan, con algún inconfesado disgusto, que las mujeres seguirán cambiando mal que les pese a los varones, e intentan acomodarse como pueden. No actúan corresponsablemente pero tampoco entorpecen. Muchos de los «ambivalentes» consideran que deben cambiar, pero no saben, les da pereza o se resisten a tomar iniciativas porque lo viven como una pérdida de privilegios y comodidades. Casi todos se sienten algo cansados de las reivindicaciones femeninas, de lo que se les exige asumir y cambiar, de que no se valoren sus esfuerzos de adaptación y de no ver hasta dónde llegarán las mujeres. Algunos exageran sobre sus cambios y esperan grandes aplausos por «sus sacrificios».

LOS PRIVILEGIOS NO SON OBLIGATORIOS

El lugar social del varón está sustentado en los mitos de la superioridad masculina. Ése es un primer factor que obstaculiza la reacción igualitaria en la mayoría de los varones puesto que uno de los valores en los que se afirma la autoestima masculina, aún hoy, es en sentirse superior o con más autoridad que las mujeres. Así, no es de extrañar que muchos varones vean la igualdad como amenaza a su propia identidad o a sus hábitos más arraigados.

Otro factor que dificulta el cambio masculino es que el imaginario social coloca a los varones en el papel de grupo dominante sobre las mujeres, y ellos lo asumen. Como todos los miembros de los grupos dominantes ante los grupos dominados, ven naturales sus mayores usufructos de derechos y prerrogativas, se sienten agobiados por la exigencia de responsabilidad masculina, minusvaloran el sufrimiento producido en las mujeres, se aprovechan de sus capacidades y asignaciones sociales —el cuidado de las personas y del ámbito doméstico, que los varones no sienten como propios— y no se responsabilizan de la desigualdad, atribuyendo dicha responsabilidad a las propias mujeres. De esto deriva no percibir la necesidad de cambio y pensar que la desigualdad es un problema de las mujeres, que son quienes deben resolver las dificultades que ésta les crea. No estaría mal recordar la carta que escribió J. Stuart Mill el día de su boda con Harriet Taylor, renunciando a todos los derechos que las leyes del momento le otorgaban sobre su esposa. Los privilegios no son obligatorios.

Por eso, resulta como mínimo paradójico el discurso de los varones que reclaman la justicia social frente a grupos más desfavorecidos —económicamente, por ejemplo—, y están completamente ciegos a la injusticia entre hombres y mujeres. Igual de sorprendente que la actitud de muchos jóvenes activistas de movimientos antiglobalización, por ejemplo, que pueden recorrer el mundo solidarizándose con los países asfixiados por la deuda externa, el abuso de los indígenas o la explotación de los inmigrantes, pero ni se enteran del abuso, la explotación o la sensación de asfixia de las mujeres que les rodean.

También son un freno los temores y desconfianzas frente a *lo nuevo* que tienen algunos varones, la falta de modelos de masculinidad no tradicional y el aislamiento silencioso de los varones aliados a las mujeres, que muchas veces se avergüenzan de hacerlo público: la censura al trasgresor del modelo tradicional es muy efectiva con los varones, para quienes el juicio de sus iguales es fundamental.[10]

Algunas *órdenes* derivadas de la masculinidad tradicional también son un obstáculo para una sociedad de ciudadanas y ciudadanos: la ceguera y sordera ante los propios sentimientos, la falta de habilidad para el diálogo y el déficit de empatía. «Un hombre de verdad», diría el mandato patriarcal, no se puede permitir sentir ni ponerse en el lugar del otro o de la otra.

10. BONINO, Luis, op. cit., págs. 127-135.

MASCULINIDAD Y CONDUCTAS DE RIESGO

La masculinidad tradicional impone a los varones una forma estricta de pensar y de estar en el mundo. Esa masculinidad es tremendamente dañina para las mujeres. Desde los estudios de género, también se subraya que es negativa para los propios varones. Los riesgos que para los varones supone la masculinidad se interiorizan desde pequeño. Señala José Ángel Lozoya que en los juegos de los niños y en la vida de muchos hombres lo importante es ganar, participar es una vulgaridad. Para ganar hay que aprender a ocultar las propias carencias y evitar la confianza, algo que a los varones se les inculca como peligroso. Las expectativas de los mayores, la competencia entre varones, la dictadura de la pandilla y la necesidad, inducida, de probarse y probar que son, al menos, «tan hombres como el que más» llevan a asumir hábitos no saludables y conductas temerarias, que se traducen en multitud de lesiones, enfermedades y muertes. Desde la infancia.

La masculinidad no es sólo un factor de riesgo para quienes lo asumen o provocan, sus actos afectan al conjunto de la población —de hecho los hombres son en España los autores del 95 % de la totalidad de los delitos—, y en especial a quienes conviven con ellos. No se puede afirmar que todos los hombres que tienen una muerte violenta sea como consecuencia de la socialización de género, pero no hay duda de que esta causa explica un buen porcentaje de las mismas. Los hombres hacen más uso de la violencia en la solución de conflictos o se exigen más demostraciones de valor asumiendo riesgos innecesarios.[11]

La violencia es quizá la forma más primitiva de poder y la agresión entre las personas ha sido justificada con todo tipo de razonamientos: biológicos, psicológicos, sociales, económi-

11. LOZOYA, José Ángel, «Hombres por la igualdad» (Delegación de salud y género) en las Jornadas de género y sexualidad, La Laguna, mayo de 2002.

cos, culturales, filosóficos, políticos, militares y religiosos.[12] La historia del hombre es una historia de conquista, resistencia y violencia. A los niños se les dice que no sean pegones pero se les anima a que sepan defenderse (para ello es necesario desarrollar el mismo o mayor nivel de violencia que el agresor). Del marido o el novio se espera que defienda a «su mujer» frente a la agresión de otro hombre; del amigo, que ayude si se está metido en una pelea; y del jefe del gobierno, que esté dispuesto a llevar a su país a la guerra si las circunstancias lo requieren.

Es absolutamente necesario disociar la masculinidad del valor, el dominio, la agresión, la competitividad, el éxito o la fuerza, aspectos de cuya caricatura provienen muchas conductas violentas, y asociar la virilidad a la prudencia, la expresión de los sentimientos, la capacidad de ponerse en el lugar del otro o la búsqueda de soluciones dialogadas a los conflictos. Los hombres aprenden a reservarse sus propias ansiedades y miedos al proyectar una cierta imagen pública de ellos mismos. A veces, esa aflicción interior puede crecer en la medida que a los hombres les persigue el miedo a ser marginados si la muestran.[13]

Las conductas violentas no son instintivas, se aprenden. «Las semillas de la violencia se siembran en los primeros años de la vida, se cultivan y desarrollan durante la infancia y comienzan a dar sus frutos malignos en la adolescencia.»[14]

Así, en la masculinidad tradicional, resume Lozoya, los sentimientos masculinos son, con frecuencia, de lo más parecido a un bonsái: el resultado de un esmerado proceso de poda y falta de espacio en el que echar raíces.

Como en otros países desarrollados, se da la paradoja de que frente al peor estado de salud percibido de las mujeres, las tasas de mortalidad son superiores en los hombres. Este exce-

12. ROJAS MARCOS, L., *Las semillas de la violencia*, Espasa, Madrid, 1998, págs. 15 y 20.

13. LOZOYA, José Ángel, op. cit.

14. ROJAS MARCOS, L., op. cit., pág. 15.

so de mortalidad en el sexo masculino se asocia con conductas de riesgo determinadas en gran parte por los valores tradicionales asociados a la masculinidad, como el mayor consumo de alcohol, de drogas y conductas de riesgo ligadas a los accidentes.[15] Como los informes epidemiológicos suelen carecer de información por sexos, se da la falsa imagen de comportamientos homogéneos entre mujeres y hombres y por ello también se plantean esquemas de atención, prevención y rehabilitación idénticos.

LOS NUEVOS MODELOS

Aceptar a las mujeres como sujetos iguales, como interlocutoras, como ciudadanas, legitimadas como socias en un nuevo contrato social, no es tarea fácil para los varones. La igualdad es un reto masculino. Cambiar hacia la igualdad supone un esfuerzo puesto que no sólo implica renunciar a derechos adquiridos sino también poner en cuestión los hábitos propios, la identidad, la imagen que se tiene de las mujeres y la base del sentido masculino de la autoestima.

La guía es querer ser un varón justo y respetuoso. Todo lo demás son excusas, ya no vale la nostalgia del machismo perdido o el victimismo del varón resentido. Los grupos que trabajan una nueva masculinidad proponen, para que el cambio sea posible, desarrollar estrategias grupales, sociales y políticas que ayuden a los varones a hacerlo. Algunas tareas pendientes son la promoción del asociacionismo y estimular a los varones igualitarios para que abandonen el silencio cómplice; el desarrollo y difusión de los estudios críticos del varón y del capítulo masculino de los estudios de género en las universidades; y el entrenamiento de profesionales de la salud, el derecho y la

15. ARTAZCOZ, Lucía, MOYA, Carmela, VANACLOCHA, Hermelinda y PONT, Pepa, «La salud de las personas adultas» en Informe SESPAS 2004, op. cit., pág. 56.

educación sobre las particularidades del psiquismo y los comportamientos masculinos, especialmente las habilidades de resistencia al cambio.

Explica Lozoya que es necesario explicar a niños y jóvenes que ser hombre no impide ser dulce, sensible o cariñoso y enseñar a los niños a atender sus necesidades domésticas y a compartir responsabilidades en el hogar. Enseñarles a cuidar y no sólo a proteger a los y las demás. Ayudarles también a reconocer el dolor y las angustias, a expresar los sentimientos y pedir ayuda, a buscar apoyo y consejo. Aclararles que no necesitan demostrar que son fuertes, valientes... y que tampoco es realmente importante no serlo demasiado. Y decirles que la heterosexualidad no es sinónimo de masculinidad ni motivo de orgullo, ya que en el mejor de los casos sólo es la expresión de la orientación del deseo sexual. Insistirles en que hay que pedir permiso para tener contactos sexuales y aceptar las negativas. Porque no es cierto que un *no* es un *quizás* y un *quizás*, un *sí*, si insisten.

También es imprescindible que los medios de comunicación comiencen a transmitir mensajes sobre modelos masculinos igualitaristas, y lo mismo hagan las campañas institucionales. En definitiva, se trata de que los varones sean valientes y ante las injusticias y las desigualdades entre hombres y mujeres en la sociedad, se atrevan a decir: no en mi nombre.

Concluye Víctor Seidler: «En la medida que los hombres aprendan a mostrar más abiertamente su vulnerabilidad, aprenderán a reconocer que no es un signo de debilidad, sino una muestra de valor. Cuando los hombres jóvenes aprendan a ser responsables íntimos en sus relaciones con cualquiera de los dos sexos, aprenderán a saber qué es lo que les importa en la vida. Aprenderán a apreciar el amor mientras luchan por una mayor justicia en las relaciones entre los sexos dentro de una sociedad más democrática.»[16]

16. SEIDLER, Víctor J. J., *Transformando las masculinidades*, Goldsmiths College, University of London, mayo de 2001.

14

PREJUICIOS Y TÓPICOS
Desenmascarando el machismo

Hay que revisar los tópicos.
Los tópicos son tan cómodos...

CARMEN IGLESIAS

LA PRINCESA DE LA BOLSA DE PAPEL

Ésta es la historia de la princesa Elizabeth y el príncipe Ronald. Un día, cuando los jóvenes enamorados planeaban con detalle su matrimonio, irrumpió en escena un gran dragón que prendió fuego al castillo de Elizabeth y a sus vestidos. Tras el destrozo, el gran dragón huyó volando llevándose consigo al príncipe Ronald, transportado por los fondillos de sus pantalones. La princesa Elizabeth se puso furiosa. Encontró una bolsa de papel, se vistió con ella y persiguió al dragón. La princesa engañó al monstruo haciéndole exhibir todos sus poderes mágicos hasta que, exhausto, el dragón se durmió. La princesa, rápidamente, se introdujo en la cueva del dragón para salvar a Ronald. Y se encontró con la sorpresa de que su príncipe no quería ser salvado por una princesa cubierta de hollín y sin nada más que ponerse que una bolsa de papel. Elizabeth, estupefacta ante el repentino giro de los acontecimientos, se dirige a su amado con las siguientes palabras: «Ronald, tu traje es realmente bonito y tu pelo está muy bien peinado. Pareces un verdadero príncipe, pero eres un idiota.» La historia termina mostrando a la princesa alejándose, sola, bajo la puesta de sol y con las siguientes palabras: «Después de todo, no se casaron.»[1]

¿Por qué no contamos estos cuentos a nuestros niños y a nuestras niñas? ¿Quizá porque la princesa es muy valiente?, ¿porque la princesa Elizabeth no mata al dragón, consigue vencerlo sin emplear la fuerza? ¿Será porque el príncipe Ronald es tonto? A lo mejor, no los contamos porque a la princesa no le importa nada su aspecto o, tal vez, porque «después de todo, no se casaron».

¿Es éste un delirio feminista? ¿Es una tontería? Ni lo uno ni lo otro. El patriarcado, como sistema de dominación de los hombres sobre las mujeres que es, necesita el poder, la fuerza y la cultura para mantenerse. Necesita controlar el mundo simbólico, el lenguaje, los sueños, es decir, necesita que todos interioricemos esa dominación, que nos la creamos, tanto los dominadores como las dominadas. Necesita que las niñas no sueñen con ser heroínas valientes que salven a sus príncipes del peligro que les acecha y mucho menos que, después de salvados y aun enamoradas de ellos, decidan abandonarlos. El patriarcado también necesita que los niños no quieran ser salvados por princesas y mucho menos que se quieran casar con ellas si tienen un aspecto deplorable. Los prejuicios son un arma imprescindible. Es más, los sistemas de dominación se alimentan de prejuicios.

Ya Poulain de la Barre en su libro *Sobre la igualdad de los sexos* escribía que «es incomparablemente más difícil cambiar en los hombres los puntos de vista basados en prejuicios que los adquiridos por razones que les parecieron más convincen-

---

1. DAVIES, Bronwyn, *Sapos y culebras y cuentos feministas. Los niños de preescolar y el género*, Cátedra, col. Feminismos, Madrid, 1994, pág. 9.

tes o sólidas. Podemos incluir entre los prejuicios el que se tiene vulgarmente sobre la diferencia entre los dos sexos y todo lo que depende de ella. No existe ninguno tan antiguo ni tan universal».[2] Los prejuicios son fundamentales porque no forman parte de la lógica, ni de la ciencia, ni de la razón. Todo lo contrario, la razón hace tiempo que ha desmontado el sistema patriarcal. Nadie con dos dedos de frente puede creer —y mucho menos defender— que ser biológicamente mujer, es decir, tener útero, senos y clítoris, traiga consigo la obligación de fregar platos y poner lavadoras. Como nadie en su sano juicio puede defender que la posibilidad de parir supone la imposibilidad de conducir o presidir un país. La teoría feminista indaga en las fuentes religiosas, filosóficas, científicas, históricas, antropológicas y en el llamado sentido común para desarticular las falsedades, prejuicios y contradicciones que legitiman la dominación sexual. Tras el largo recorrido de los capítulos anteriores, éste es el turno del sentido común.

FEMINISMO Y MACHISMO. NO ES LO MISMO

No sólo no es lo mismo sino que no tienen nada que ver. El feminismo es una teoría de la igualdad y el machismo, una teoría de la inferioridad. El feminismo se edifica a partir del principio de igualdad, todos los ciudadanos y ciudadanas son libres e iguales ante la ley. El feminismo es una teoría y práctica política que se basa en la justicia y propugna, como idea base sobre la que se cimienta todo su desarrollo posterior, que mujeres y hombres somos iguales en derechos y libertades. El machismo consiste en la discriminación basada en la creencia de que los hombres son superiores a las mujeres. Según la época,

2. POULAIN DE LA BARRE, «Sobre la igualdad de los sexos», en *Figuras del otro en la Ilustración francesa. Diderot y otros autores,* Alicia H. Puleo (estudio, traducción y notas), Escuela libre editorial, Madrid, 1996, pág. 142.

el momento o la imaginación del machista, los argumentos serán distintos. Da igual, el caso es defender y practicar que los hombres tienen una serie de derechos y privilegios que no están dispuestos a compartir con las mujeres y para ello utilizan todos los medios a su alcance, incluida la violencia si es necesario. Una vez desarrollado el feminismo y nombrado como *privilegio* a lo que hasta entonces se había considerado *natural*, fue necesario equiparar ambas teorías, como si fuesen éticamente iguales. Algo así como decir que el racismo y la lucha contra el racismo son lo mismo. En la estructura mental del patriarcado, *o estás conmigo o estás contra mí*. De ahí a la *guerra de sexos* sólo había un pasito.

UNA REVOLUCIÓN SIN MUERTOS

El feminismo dio por enterrada la guerra de sexos ya en el siglo XVII. Es más, el feminismo nace enterrando la guerra de sexos. Hasta que el joven filósofo y cura Poulain de la Barre publica su libro *Sobre la igualdad de los sexos* en 1673, escritores, filósofos, moralistas, religiosos... se debatían en lo que se conoce como el discurso de la excelencia o la inferioridad de las damas. Es decir, la controversia estaba entre quienes defendían una serie de cualidades en las mujeres que las hacían *superiores* a los varones o todo lo contrario, quienes aseguraban que las mujeres eran la fuente de todos los males. El libro de Poulain de la Barre, considerado el precedente más importante del feminismo, rompe esa discusión al centrarse en la demanda de la igualdad sexual. De la Barre cambia el discurso de la época, termina con esa guerra, con la comparación entre los hombres y las mujeres y hace posible que comience la reflexión sobre la igualdad.[3]

3. FRAISSE, Geneviève, *Musa de la razón*, Cátedra, Madrid, 1991 en DE MIGUEL, Ana y ROMERO, Rosalía, *Flora Tristán. Feminismo y socialismo. Antología*, op. cit., pág. 19.

El feminismo nunca participó en la *guerra de sexos*. «El feminismo nunca ha pretendido la construcción de dos mundos separados, uno varonil y otro de mujeres, sino cambiar y mejorar el que hay.»[4] Pero la guerra es el instrumento por excelencia del patriarcado, con ella ha dominado el mundo, la naturaleza y a las mujeres, así que el machismo continúa hablando de guerra de sexos. Mientras las relaciones de poder y autoridad entre hombres y mujeres se consideren una guerra, no habrá nada que analizar ni nada que cuestionar, simplemente defenderse o atacar. Si como dice el patriarcado, el feminismo propiciase una guerra de sexos, habría muertos en ambos «bandos». Sin embargo, la revolución propiciada por el feminismo, la más importante del siglo XX, no tiene muertos. Nadie, en ninguna parte del mundo, a lo largo de la historia, ha asesinado en nombre del feminismo. En cambio, el machismo mata y millones de mujeres que hoy deberían estar vivas han sido asesinadas. Si existe una guerra, es obvio que no es una guerra de sexos, será una guerra no declarada contra las mujeres.

EL PADRE DE TODOS LOS PREJUICIOS

El primero, el padre de todos los prejuicios, es el que dice que la desigualdad entre hombres y mujeres es *natural* —no las diferencias biológicas, sino las desigualdades entre los derechos de unas y otros—, y prueba de ello —se añade— es que ha existido siempre. Y es que la lógica del patriarcado respecto a las mujeres es contraria a la lógica respecto al resto del mundo, es más, es justo lo contrario a la lógica. Así, cuando las mujeres desmintieron con sus vidas aquellas características que se les decía eran *naturales* a su ser, incluso se afirmaba que no era algo impuesto, sino que a las mujeres les gustaban —estar en casa, no opinar, ser dulces y complacientes, ser pasivas, no te-

4. VALCÁRCEL, Amelia, *Rebeldes hacia la paridad*, op. cit., pág. 158.

ner deseo sexual, no tener inteligencia, sólo sensibilidad...—, en vez de rectificar el error, ilustres señores explicaban que quien se había equivocado era la naturaleza. Igual que cuando el patriarcado aseguraba como verdad científica e irrefutable que las mujeres teníamos instinto maternal. Cuando no una, sino miles de mujeres decidieron no tener hijos, no se cuestionó la mentira inventada y repetida, eran esas mujeres las que eran raras, eran excepciones, ¡miles de excepciones!

Lo mismo que ocurrió cuando las mujeres comenzaron a estudiar y crear. De nuevo, en vez de reconocer el error de haber adjudicado sólo a los varones las capacidades intelectuales, creyeron equivocada a la naturaleza.

Un buen ejemplo se encuentra en los *Recuerdos del tiempo viejo*, obra en la que Zorrilla evoca los principales acontecimientos de su vida artística. En uno de sus capítulos, el autor de *Don Juan Tenorio* recuerda cómo conoció a la brillante escritora Gertrudis Gómez de Avellaneda:

En una de las sesiones matinales del Liceo se presentó de *incógnito* en los salones del Liceo del palacio de Villahermosa de Madrid, y la persona que la acompañaba me suplicó que diera lectura de una composición poética, cuyo borrador me puso en la mano, yo diría aquella sesión, y pasando los ojos por los primeros versos, no tuve reparo alguno en arriesgar la lectura de los no vistos.

Subí a la tribuna, y leí como mejor supe unas estancias endecasílabas, que arrebataron al auditorio. Rompióse el incógnito, y presentada por mí, quedó aceptada en el Liceo, y por consiguiente en Madrid, como la primera poetisa de España, la hermosa Gertrudis Gómez de Avellaneda. Porque la mujer era hermosa, de grande estatura, de esculturales contornos, de bien modelados brazos, su cabeza coronada de castaños y abundantes rizos, y gallardamente colocada sobre sus hombros. Su voz era dulce, suave y femenil; sus movimientos lánguidos y mesurados, y la acción de sus manos delicada y flexible; pero la mirada firma de sus serenos ojos azules, su escritura briosamente tendida sobre el papel, y los pensamientos varoniles de los vigorosos versos que reveló su ingenio, revelaban algo viril y fuerte en el espíritu encerrado dentro de aquella voluptuosa encarnación pueril. Nada había de áspero, de anguloso, de masculino, en fin, en aquel cuerpo de mujer, y de mujer atractiva; ni la coloración subida de la piel, ni espesura excesiva en las cejas, ni bozo que sombreara su fresca boca, ni brusquedad en sus maneras. Era una mujer; pero lo era sin duda por un error de la naturaleza, que había metido por distracción un alma de hombre en aquella envoltura de carne femenina.[5]

LAS MUJERES, LAS PEORES

El discurso de la excelencia, de gran tradición en nuestra cultura, aún pervive. Es utilizado frecuentemente por machistas escondidos bajo la fórmula de paternalistas, galantes o seductores. Es el más viejo de los trucos. Se utiliza desde la Edad Media. Consiste en halagar a la mujer remarcando diferencias, cualidades que sólo ella tiene y, por lo tanto, es mejor que las conserve y no se «estropee» en asuntos que no le son propios. Un buen ejemplo es la típica frase «Detrás de todo gran hombre, hay una gran mujer». Frecuente homenaje, dudoso elogio que, según el escritor uruguayo Eduardo Galeano reduce a la mujer a la condición de respaldo de silla.[6] A las mujeres se las coloca siempre por debajo o por encima de la norma y nunca dentro de ella. Da igual la cuestión de la que se trate, sea una frivolidad o un tema de política de estado. Así, se utilizan frases como «las mujeres

5. CABALLÉ, Anna (ed.), *La pluma como espada. Del romanticismo al modernismo*, Lumen, Barcelona, 2004, págs. 23-24.
6. GALEANO, Eduardo, *Mujeres*, Alianza Cien, Madrid, 1995.

son las más machistas»; «cuando una mujer es mala es peor que cualquier hombre»; «si es buena es una santa y si es una terrorista es la más sanguinaria de la organización».

LAS FEMINISTAS: FEAS, INSATISFECHAS SEXUALMENTE Y MARIMACHOS

¿De dónde viene el desprestigio de un movimiento que sólo ha conseguido mejoras para la situación de las mujeres en el mundo? De sus inicios. Olimpia de Gouges terminó en la guillotina, pero además, una vez asesinada, el periódico *Moniteur Universelle* publicó: «... quiso ser hombre de estado, y parece que la ley haya querido castigar a esta conspiradora por haber olvidado las virtudes que convienen a su sexo».[7]

Pero realmente, cuando se comenzó a desprestigiar a las feministas fue con el sufragismo, tanto en Estados Unidos como en Inglaterra. Las campañas antisufragistas, tremendamente agresivas, utilizaron la caricatura como el medio más eficaz para ridiculizarlas, atribuyéndoles los conocidos rasgos de fealdad o masculinización. La brutalidad de las caricaturas mostraba la resistencia a las demandas de las sufragistas. Fue constante la burla hacia las mujeres por el supuesto abandono de *sus deberes domésticos*. En un cartel de la Liga Nacional Contra el Sufragio Femenino se visualizó el regreso al hogar de un hombre después de *un duro día de trabajo*, encontrándose con la casa desordenada, los hijos llorando y desamparados y una nota que rezaba «Votos para las mujeres. Vuelvo en una hora o más».

La prensa empleó de forma habitual el escarnio y la ridiculización como arma de descrédito hacia las sufragistas. A pesar de que la mayoría de las miles de mujeres movilizadas en el movimiento estaban casadas y eran amas de casa, perduró la visión de las sufragistas como solteronas feas que debían ca-

7. NASH, Mary, op. cit., pág. 79.

llarse. Por otra parte, eran constantes las insinuaciones acerca de que las solteras se convertían en sufragistas debido a sus instintos sexuales no satisfechos.[8]

Ese descrédito permanente, histórico, también lo describe Betty Friedan en *La mística de la feminidad*.

> Es una deformación de la historia sobre la que nadie se ha preguntado el que se diga que la pasión y el fuego del movimiento feminista procediera de solteronas, hambrientas sexuales, amargadas, llenas de odio hacia los hombres, de mujeres castradas o asexuales consumidas por una tal ansia del miembro viril que se lo querían arrancar a todos los hombres, o destruirlos y reclamaban sus derechos sólo porque carecían del don de amar como mujeres. Mary Wollstonecraft, Angelina Grimké, Elizabeth Cady Stanton, Harriet Taylor... todas amaron, fueron amadas y se casaron; muchas de ellas parecen haber sido tan apasionadas en sus relaciones con sus esposos y amantes —en una época en la que el apasionamiento erótico en la mujer estaba tan prohibido como la inteligencia— como lo fueron en su lucha para dar a la mujer la oportunidad de desarrollarse hasta alcanzar la estatura humana total.[9]

Después, llegarían las radicales rompiendo moldes y, entre ellos, los estéticos. Las radicales adoptaron el aspecto que quisieron, buscando sobre todo acabar con las normas impuestas. De nuevo, fueron castigadas, curiosamente, con los mismos argumentos con los que se ridiculizó a las sufragistas un siglo antes. A las radicales, que precisamente pusieron el acento en la libertad sexual y el reconocimiento de su propio cuerpo y deseo, se las volvió a caricaturizar como feas, insatisfechas sexualmente y marimachos. Recuerda con ironía

8. Ibídem, pág. 116.
9. FRIEDAN, Betty, *La mística de la feminidad*, op. cit., pág. 99.

Amelia Valcárcel sobre los cambios *estéticos* de las feministas españolas:

> En nuestra búsqueda de modelos comenzamos por abandonar los patrones estéticos anteriores. Las feministas, en efecto, en su mayor parte jubilaron la minifalda, que era una de las pocas cosas que, de todo lo que veníamos haciendo, a los varones les gustaba (no a los de cada una, por supuesto, padres y hermanos, sino a la fratría en general).

¡Pues claro! Desde hace tres siglos hay feministas guapas y feas, ricas y pobres, gordas y delgadas, altas y bajas, casadas y solteras, heterosexuales y lesbianas, como en todas partes. Lo que no ha habido nunca, a lo largo de la historia, ha sido un movimiento político cuestionado por la belleza física de sus miembros.

¿YO FEMINISTA? NO, NO. YO, FEMENINA

Así las cosas, está claro que identificarse como feminista no otorga prestigio. Y si una mujer ya lo tiene, decir que es feminista sólo le hará perderlo o mitigarlo. Aún actualmente, el feminismo tiene un coste social, es obvio, aunque las feministas aseguran que es mucho más lo que reciben de él que lo que les cuesta. Pero lo sorprendente es el enfrentamiento que se hace por parte de mujeres y hombres sobre los términos feminista y femenino, como opuestos. «Es como cuando en las manifestaciones en la época de la Transición nos gritaban: ¡a fregar! Nunca entendimos por qué se suponía que las feministas vivíamos en casas sucias.»[10] Lo de femenina como opuesto a feminista es algo parecido, igual de misterioso.

10. MEANA, Teresa, conferencia de Madrid, octubre de 2004, el Club de las 25.

El diccionario de la Real Academia Española nos describe así el término «femenina»:

Femenino/na: Propio de mujeres. Perteneciente o relativo a ellas. Que posee los rasgos propios de la feminidad. Dicho de un ser dotado de órganos para ser fecundado. Perteneciente o relativo a este ser. Débil, endeble.[11]

Feminidad: Cualidad de femenino.

Entonces, o las feministas no son mujeres o la mujer que se identifica como femenina se refiere a la última acepción del diccionario: quiere decir que es débil y/o endeble. Y lo mismo suponemos que ocurrirá con los hombres cuando defienden que las mujeres deben ser femeninas y no feministas, se estarán refiriendo a que tienen que ser débiles. Si «femenino/a» es lo propio de las mujeres, está claro que el feminismo es absolutamente femenino.

Mucho nos tememos que el misterio en este caso resida en el contenido real de lo que se considera tradicionalmente femenino. Es decir, coloquialmente parece que cuando se utiliza el adjetivo femenino no estamos calificando lo que hacen, dicen o piensan las mujeres, cada mujer, sino lo que el patriarcado ha impuesto que debe ser una mujer y que tiene que ver con la última acepción del diccionario: débil, endeble, indefensa, vulnerable... Como decía Betty Friedan en la conferencia que dio en Madrid en 1975: «Creo que hasta que no renuncié a ser femenina no empecé a disfrutar de ser mujer.» Pero no parece muy sensato que las mujeres dejemos que nos roben hasta nuestra propia definición. Si femenino es lo propio de las mujeres, será femenino lo que nosotras, todas, hagamos.

Pero es más, si a esta misma mujer que dice públicamente que ella no es feminista sino femenina —entrevistada en algún medio de comunicación por ser una mujer destacada en cualquier campo—, le preguntaran, ¿quiere ser una persona libre?, ¿cree que las mujeres deben tener derecho a ir a la universi-

11. Nótese el sexismo del diccionario de la RAE.

dad?, ¿le parece bien que haya mujeres en la política?, ¿le parece que una mujer puede soñar y aspirar al cargo que su capacidad le permita?... Contestará: sí a todo, seguro. Y si le preguntan si es una persona débil o endeble, lo negará rotundamente, seguro también.

PACIENCIA, MUJER, PACIENCIA

Otro de los tópicos utilizados respecto de los derechos de las mujeres es el argumento del paso del tiempo. Ante las críticas que el feminismo hace sobre los déficits democráticos y las distintas realidades femeninas, una respuesta habitual es: «no se consiguen las cosas de hoy para mañana». Un argumento comunmente aceptado y que causa perplejidad entre las filas feministas en las que se pregunta: ¿Cuál es la razón por la que las mujeres del siglo XXI nos tengamos que resignar a no ser ciudadanas de plenos derechos? ¿Se ha conseguido algún cambio social o político sin trabajo previo y lucha continua? ¿Por qué motivo tenemos que confiar en que serán nuestras nietas las que por fin sean mujeres libres y ciudadanas respetadas? Y, sobre todo, después de tres siglos de lucha, ¿cómo no pensar que es una desvergüenza apelar a la paciencia de las mujeres?

YA ESTÁ TODO HECHO

Actualmente, se utilizan distintos argumentos para desactivar la lucha feminista. Son argumentos más sutiles que conviven con el descrédito de las feministas. Uno es el de considerar el feminismo como un movimiento trasnochado, antiguo, ocultando así la cantidad de corrientes nuevas que en los últimos años han nacido y nacen en su seno. Otro es llamar feminismo a cualquier cosa que se haga a favor de las mujeres o que hagan las mujeres siguiendo su voluntad, o, ni siquiera eso, cualquier cosa, sin más. Es *el todo vale* —el mismísimo Bertín Osborne, nunca visto defendiendo los derechos de las mujeres, ni en primera fila ni en la retaguardia, declaraba en una entrevista: «Soy más feminista que las feministas.» ¡Glup!—. Y el argumento más habitual: se intenta desarticular la lucha asegurando que ya está todo hecho, que vivimos en sociedades democráticas donde la discriminación por sexos no existe. ¡El patriarcado ha muerto! Como bien sabemos las mujeres y los hombres justos, el patriarcado no ha muerto, desgraciadamente, en ningún rincón del planeta. Y dependiendo de dónde se diga que la lucha ya está terminada puede resultar ridículo, atrevido o insultante. (Ver capítulos anteriores sobre mujeres asesinadas, índices de paro, tasas de pobreza, discriminación salarial, cuotas de representación...)

EL MITO DE MARGARET THATCHER

Los restos del discurso de la excelencia también perviven en ese tópico de que las mujeres somos todas iguales. Así, lo que hace una mal, lo pagamos todas (por el contrario, cuando alguna hace algo bien, eso no pasa a la cuenta de resultados). El ejemplo más recurrente es el de Margaret Thatcher. A la ex primera ministra británica, que gobernó su país con políticas ultraliberales y propició junto a R. Reagan la reacción conservadora de la década de los ochenta, le cayó el sobrenombre de *La dama de hierro*. Pero lo curioso es que aquellos que no estaban conformes con la política de Thatcher —y esto no es un alegato a favor de su gobierno ni muchísimo menos— no la critican sólo a ella, sino a todas las mujeres. Así, es frecuente escuchar: ¿para qué queréis el poder las mujeres? ¿Para hacer lo mismo que los hombres, como la Thatcher? Es idéntico recurso de quienes usan la opinión de una mujer no feminista para descalificar el discurso feminista y más aún, quienes utilizan el discurso de una mujer feminista que no coincide con el de otra mujer feminista. Es decir: ¡todas! las mujeres tenemos que pensar igual y ¡todas! las feministas también. Un argumento que ni se plantea en el caso de los varones. Los hombres se pueden dividir en partidos políticos, sindicatos, corrientes, organizaciones sociales, gremios..., es la lógica del mundo. Y, por supuesto, a nadie se le ocurre pensar que después de un Calígula, un Hitler, un Pinochet... estén *todos* desacreditados para gobernar.

MUJERES AL VOLANTE, UN BUEN EJEMPLO

La no lógica patriarcal es como un manto de aceite que cubre y oscurece la realidad. En algunos casos, con consecuencias dramáticas. Los automóviles son muy simbólicos para los varones. La publicidad es tremendamente significativa de cómo se continúan representando el poder y estatus masculino. Junto a un coche de lujo a menudo aparece una mujer bella y semidesnuda. Cuando las mujeres comenzaron a conducir en España —de manera generalizada hace apenas dos décadas—, era algo aceptado sin discusión que las mujeres no sabían conducir. Como el resto de los tópicos y prejuicios, la afirmación no se sustentaba en estadísticas o base científica alguna, simplemente mostraba el rechazo de buena parte de los varones a que las mujeres entraran en un terreno considerado históricamente masculino. Después, se impuso la idea de que a las mujeres les gustaban los coches pequeños, cuando el argumento real era que tenían menos dinero para comprarlos y en el caso de que lo tuvieran, los vehículos no formaban parte de sus prioridades. Además, en la mayoría de las familias donde hay dos automóviles, el de la mujer suele ser el *pequeño* o el *viejo*, «total, a ella le da igual o le gusta», se argumenta. La cuestión no revestía mayor importancia, las mujeres seguían conduciendo —cada día más—, indiferentes a ese tipo de opiniones.

Sin embargo, cuando se analizaron los datos sobre accidentes de tráfico y fallecidos, las cosas tomaron otro color. El estudio realizado por el Ministerio de Justicia sobre los 1.447 accidentes mortales en las carreteras españolas durante el año 2001 muestra que el 90,5 % de los muertos fueron hombres y el 9,5 mujeres. Y si se cruza la variable género con los índices de alcoholemia en los accidentes, resulta que del total de los varones siniestrados, el 45,3 % dio alcoholemia positiva frente al 14,5 % de las mujeres. También, año tras año, los datos de la Unión Española de Entidades Aseguradoras y Reaseguradoras (UNESPA) desmienten el tópico afirmando que las mujeres son, por lo general, mejores conductoras que los hombres y se ven envueltas en menos accidentes, tanto mortales como sin resultado de muerte.

Para quienes desde las ciencias psicosociales estudian los comportamientos masculinos, la lectura de estas cifras es nítida. El psicoterapeuta Luis Bonino explica que la conducción temeraria e imprudente está íntimamente relacionada con el actual modelo de masculinidad que se enseña a los niños. «Este modelo —añade Bonino— fomenta la autosuficiencia, la temeridad, la competitividad y exige la realización de pruebas de demostración de esas cualidades como parte del camino de hacerse hombre. Muchos de los comportamientos imprudentes de riesgo que los varones realizan, funcionan como "pruebas de virilidad". Las políticas de seguridad vial deberían estar orientadas a desafiar el modelo tradicional de "lo que un hombre debe ser" y en ayudar a promover un modelo de hombre, una masculinidad que no deba ser probada y en la que la prudencia y el cuidado por los demás sean también apreciados valores masculinos.»

Sin embargo, frente a la claridad de los datos y lo tremendamente significativas que son las estadísticas, tampoco en un problema tan grave como es la siniestralidad en las carreteras se trabaja con perspectiva de género ni buscando los porqués reales que inducen a cientos de muchachos a jugarse la vida cada fin de semana. En este caso, como en muchos otros, se elude la lectura de género y se persiste en el tópico y el estereotipo frente a la ciencia, a la realidad y a lo obvio.

Los tópicos y los estereotipos son dañinos. Algunos, mortales.

ANEXOS

Declaración de Derechos
de la Mujer y de la Ciudadana

Olympia de Gouges, 1791

Para ser decretados por la Asamblea Nacional en sus últimas sesiones o en la próxima legislatura.

Preámbulo: Las madres, las hijas, las hermanas, representantes de la Nación, solicitan ser constituidas en Asamblea Nacional. Considerando que la ignorancia, el olvido o el desprecio de los derechos de la mujer son las únicas causas de las desgracias públicas y de la corrupción de los gobiernos, han decidido exponer en una solemne declaración los derechos naturales, inalienables y sagrados de la mujer, con el fin de que esta declaración, presente continuamente en la mente de todo el cuerpo social, les recuerde sin cesar sus derechos y deberes; con el fin de que los actos de poder de las mujeres y los actos de poder de los hombres puedan ser comparados en cualquier momento con el objetivo de toda institución política, y sean más respetados; con el fin de que las reclamaciones de las ciudadanas, basadas en lo sucesivo sobre principios sencillos e incontrovertibles, tiendan siempre hacia el mantenimiento de la Constitución, de las buenas costumbres y de la felicidad de todos.

En consecuencia, el sexo superior, tanto en belleza como en valor —como demuestran los sufrimientos maternales—, reconoce y declara, en presencia y bajo los auspicios del Ser Supremo, los siguientes Derechos de la Mujer y de la Ciudadana.

Artículo I: La mujer nace libre y permanece igual al hombre en derechos. Las distinciones sociales no pueden estar basadas más que en la utilidad común.

Artículo II: El objetivo de toda asociación política es la conservación de los derechos naturales e imprescriptibles de la mujer y los del hombre; estos derechos son la libertad, la propiedad, la seguridad y, sobre todo, la resistencia a la opresión.

Artículo III: El principio de toda soberanía reside, esencialmente, en la Nación, que no es otra cosa que la reunión de la mujer y del hombre; ningún cuerpo y ningún individuo puede ejercer autoridad alguna que no emane expresamente de esta soberanía.

Artículo IV: La libertad y la justicia consisten en devolver todo cuanto pertenece a otros; así pues, el ejercicio de los derechos naturales de la mujer no tiene más limitaciones que la tiranía perpetua a que el hombre la somete; estas limitaciones deben ser modificadas por medio de las leyes de la naturaleza y de la razón.

Artículo V: Las leyes de la naturaleza y las de la razón prohíben cualquier acción perjudicial para la sociedad: todo lo que no esté prohibido por estas leyes, sabias y divinas, no puede ser impedido y nadie puede ser obligado a hacer algo que no se incluya en dichas leyes.

Artículo VI: La ley debe ser la expresión de la voluntad general; todas las ciudadanas y ciudadanos deben concurrir, ya sea personalmente o a través de sus representantes, a la formación de dicha ley. Ésta debe ser la misma para todos, todas las ciudadanas y todos los ciudadanos, al ser iguales ante los ojos de la ley, deben ser admitidos por igual a cualquier dignidad, puesto o empleo público, según sus capacidades, sin otras distinciones que las derivadas de sus virtudes y sus talentos.

Artículo VII: Ninguna mujer está excluida de esta regla; sólo podrá ser acusada, detenida o encarcelada en aquellos casos que dicta la ley. Las mujeres obedecen exactamente igual que los hombres a esta ley rigurosa.

Artículo VIII: La ley no debe establecer otras penas que las estricta y evidentemente necesarias, y nadie puede ser castigado más que en virtud de una ley establecida y promulgada antes que la comisión del delito y que legalmente pueda ser aplicable a las mujeres.

Artículo IX: A cualquier mujer que ha sido declarada culpable debe aplicársele la ley con todo rigor.

Artículo X: Nadie puede ser molestado por sus opiniones, aun las más fundamentales. La mujer tiene el derecho a ser llevada al cadalso, y, del mismo modo, el derecho a subir a la tribuna, siempre que sus manifestaciones no alteren el orden público establecido por la ley.

Artículo XI: La libre comunicación de pensamientos y opiniones es uno de los derechos más valiosos de la mujer, ya que esta libertad asegura la legitimidad de los padres con respecto a los hijos. Cualquier ciudadana puede, pues, decir libremente «yo soy madre de un niño que os pertenece», sin que un prejuicio bárbaro la obligue a disimular la verdad; salvo a responder por el abuso que pudiera hacer de esta libertad, en los casos determinados por la ley.

Artículo XII: La garantía de los derechos de la mujer y de la ciudadana necesita de una utilidad mayor, esta garantía debe instituirse para beneficio de todos y no para la utilidad particular de aquellas a quienes se les ha confiado.

Artículo XIII: Para el mantenimiento de la fuerza pública y los gastos de la administración, serán iguales las contribuciones de hombres y mujeres; la mujer participará en todas las tareas ingratas y penosas, por lo tanto debe poder participar en la distribución de puestos, empleos, cargos y honores, y en la industria.

Artículo XIV: Las ciudadanas y los ciudadanos tienen derecho a comprobar por sí mismos o por medio de sus representantes la necesidad de la contribución al erario público. Las ciudadanas no pueden dar su consentimiento a dicha contribución si no es a través de la admisión de una participación equivalente, no sólo en cuanto a la fortuna, sino también en la administración pública y en la determinación de la cuota, la base imponible, la cobranza y la duración del impuesto.

Artículo XV: La masa de las mujeres, unida a la de los hombres para la contribución al erario público, tiene derecho a pedir cuentas a cualquier agente público de su gestión administrativa.

Artículo XVI: Toda sociedad en la que no esté asegurada la garantía de los derechos ni la separación de los poderes no puede decirse que tenga una constitución. La constitución no puede considerarse como tal si la mayoría de los individuos que componen la Nación no ha colaborado en su redacción.

Artículo XVII: Las propiedades son para todos los sexos reunidos o separados. Tienen para cada uno derecho inviolable y sagrado; nadie puede verse privado como patrimonio verdadero de la naturaleza, a no ser que la necesidad pública, legalmente constatada, lo exija de manera evidente y a condición de una justa y previa indemnización.

DECLARACIÓN DE SENTIMIENTOS

Seneca Falls, Nueva York
19 y 20 de julio de 1848

CONSIDERANDO: Que está convenido que el gran precepto de la naturaleza es que «el hombre ha de perseguir su verdadera y sustancial felicidad». Blackstone en sus *Comentarios* señala que puesto que esta ley de la naturaleza es coetánea con la humanidad y fue dictada por Dios, tiene evidentemente primacía sobre cualquier otra. Es obligatoria en toda la tierra, en todos los países y en todos los tiempos; ninguna ley humana tiene valor si la contradice, y aquellas que son válidas derivan toda su fuerza, todo su valor y toda su autoridad mediata e inmediatamente de ella; en consecuencia:

DECIDIMOS: Que todas aquellas leyes que sean conflictivas en alguna manera con la verdadera y sustancial felicidad de la mujer, son contrarias al gran precepto de la naturaleza y no tienen validez, pues este precepto tiene primacía sobre cualquier otro.

DECIDIMOS: Que todas las leyes que impidan que la mujer ocupe en la sociedad la posición que su conciencia le dicte, o que la sitúen en una posición inferior a la del hombre, son contrarias al gran precepto de la naturaleza y, por lo tanto, no tienen ni fuerza ni autoridad.

DECIDIMOS: Que la mujer es igual al hombre —que así lo pretendió el Creador— y que por el bien de la raza humana exige que sea reconocida como tal.

DECIDIMOS: Que las mujeres de este país deben ser informadas en cuanto a las leyes bajo las cuales viven, que no deben seguir proclamando su degradación, declarándose satisfechas con su actual situación ni su ignorancia, aseverando que tienen todos los derechos que desean.

DECIDIMOS: Que puesto que el hombre pretende ser superior intelectualmente y admite que la mujer lo es moralmente, es preeminente deber suyo animarla a que hable y predique en todas las reuniones religiosas.

DECIDIMOS: Que la misma proporción de virtud, delicadeza y refinamiento en el comportamiento que se exige a la mujer en la sociedad, sea exigida al hombre, y las mismas infracciones sean juzgadas con igual severidad, tanto en el hombre como en la mujer.

DECIDIMOS: Que la acusación de falta de delicadeza y de decoro con que con tanta frecuencia se inculpa a la mujer cuando dirige la palabra en público, proviene, y con muy mala intención, de los que con su asistencia fomentaban su aparición en los escenarios, en los conciertos y en los circos.

DECIDIMOS: Que la mujer se ha mantenido satisfecha durante demasiado tiempo dentro de unos límites determinados que unas costumbres corrompidas y una tergiversada interpretación de las Sagradas Escrituras han señalado para ella, y que ya es hora de que se mueva en el medio más amplio que el Creador le ha asignado.

DECIDIMOS: Que es deber de las mujeres de este país asegurarse el sagrado derecho del voto.

DECIDIMOS: Que la igualdad de los derechos humanos es consecuencia del hecho de que toda la raza humana es idéntica en cuanto a capacidad y responsabilidad.

DECIDIMOS, POR TANTO: Que habiendo sido investida por el Creador con los mismos dones y con la misma conciencia de responsabilidad para ejercerlos, está demostrado que la mujer, lo mismo que el hombre, tiene el deber y el derecho de promover toda causa justa por todos los medios justos; y en lo que se refiere a los grandes temas religiosos y morales, resulta muy en especial evidente su derecho a impartir con su hermano sus enseñanzas, tanto en público como en privado, por escrito o de palabra, o a través de cualquier medio adecuado, en cualquier asamblea que valga la pena celebrar; y por ser esto una verdad evidente que emana de los principios de implantación divina de la naturaleza humana, cualquier costumbre o imposición que le sea adversa, tanto si es moderna como si lleva la sanción canosa de la antigüedad, debe ser considerada como una evidente falsedad y en contra de la humanidad.

En la última sesión Lucretia Mott expuso y habló de la siguiente decisión:

DECIDIMOS: Que la rapidez y el éxito de nuestra causa depende del celo y de los esfuerzos, tanto de los hombres como de las mujeres, para derribar el monopolio de los púlpitos y para conseguir que la mujer participe equitativamente en los diferentes oficios, profesiones y negocios.

SUFRAGIO UNIVERSAL

PAÍS	AÑO
Nueva Zelanda	1893
Australia	1902
Finlandia	1906
Noruega	1913
Dinamarca	1915
Islandia	1915
Austria	1918
U.R.S.S.	1918
Suecia	1919
Alemania	1919
EE. UU.	1920
Gran Bretaña	1928
Ecuador	1929
España	**1931**
Brasil	1932
República Dominicana	1942
Jamaica	1944
Francia	1945
Italia	1945
Japón	1945
Panamá	1946
Argentina	1947

Venezuela	1947
Chile	1949
Costa Rica	1949
El Salvador	1950
India	1950
Bolivia	1952
México	1953
Colombia	1954
Honduras	1955
Nicaragua	1955
Egipto	1956
Burkina Faso	1956
Paraguay	1961
Argelia	1962
Irán	1963
Afganistán	1965
Suiza	1971
Portugal	1975
Liechtenstein	1984
Sudáfrica	1994

Fuente: *Atlas del estado de la mujer en el mundo*
Joni Seager
Akal, Madrid, 2001

LA LARGA LUCHA INSTITUCIONAL PARA CONSEGUIR QUE LOS DERECHOS HUMANOS TAMBIÉN SEAN RECONOCIDOS PARA LAS HUMANAS

1946 **Naciones Unidas crea la Comisión de la Condición Jurídica y Social de la Mujer.** (Inactiva durante casi treinta años.)

1948 **Declaración Universal de los Derechos Humanos.**

1954 **En la Asamblea General de Naciones Unidas** se reconoce que las mujeres continuaban sujetas a leyes, tradiciones y prácticas discriminatorias que entraban en flagrante contradicción con la Declaración Universal de los Derechos Humanos.

1966 **Convenio Internacional sobre Derechos Culturales, Sociales y Económicos.**
Entra en vigor el 3 de enero de 1976.

1966 **Convenio Internacional sobre Derechos Políticos y Civiles.**
Entra en vigor el 23 de marzo de 1976.

1967 **Declaración de la Asamblea General de Naciones Unidas sobre la Eliminación de la Discriminación contra la Mujer.**

1975 **Año Internacional de la Mujer.**

I Conferencia Mundial de la ONU sobre la Mujer. Ciudad de México.

Se identificaron 3 objetivos fundamentales:

1. La igualdad plena de género y la eliminación de la discriminación por motivos de género, en especial en el ámbito educativo.

2. La integración y plena participación de las mujeres en el desarrollo.

3. La necesidad de contribuir cada vez más al fortalecimiento de la paz mundial.

1979 **Convención sobre la Eliminación de Todas las Formas de Discriminación contra la Mujer (CEDAW).**
Adoptada y abierta a la firma, ratificación y acceso por resolución de la Asamblea General 34/180 de 18 de diciembre de 1979.

1980 **II Conferencia Mundial de la ONU sobre la Mujer. Copenhague.**
Asistieron representantes de 145 Estados Miembros. Se reafirmaron los objetivos de Igualdad, Desarrollo y Paz, prestando especial atención al empleo, la salud y la educación de las mujeres. Esta Conferencia estableció tres esferas indispensables para la adopción de medidas concretas: igualdad de acceso a la educación, oportunidades de empleo y servicios adecuados de atención de la salud.

1981 3 de septiembre, **entra en vigor la Convención sobre la Eliminación de Todas las Formas de Discriminación contra la Mujer (CEDAW).**
La CEDAW promulga, en forma jurídicamente obligatoria, principios aceptados universalmente y medidas a adoptar por parte de los Estados y determinados actores privados, para conseguir que las mujeres gocen de derechos iguales en todas partes, y avanzar así en el reconocimiento y profundización del principio de no discriminación. Es el tratado más comprehensivo de los

derechos humanos de las mujeres y se orienta hacia el adelanto de la condición de las mujeres en el mundo y es, en esencia, el decreto internacional de los derechos de las mujeres. La Convención requiere que los Estados eliminen la discriminación contra las mujeres en el disfrute de todos sus derechos civiles, políticos, económicos y culturales. También establece medidas que los estados deben perseguir para lograr la equidad entre las mujeres y los hombres.

1984 **España ratifica la CEDAW.**

1985 **III Conferencia Mundial de la ONU sobre la Mujer. Nairobi.**

1992 El Comité de la ONU para Erradicar la Discriminación contra la Mujer adopta la Recomendación 19 sobre la Violencia contra la Mujer. Esta recomendación declara que la violencia contra la mujer es una forma de discriminación contra ella que refleja y perpetúa su subordinación, y solicita que los Estados eliminen la violencia en todas las esferas. Exige que todos los países que ratificaron la CEDAW preparen informes para el Comité de la ONU cada cuatro años y que incluyan información acerca de las leyes y la incidencia de la violencia de género, así como las medidas tomadas para detenerla y eliminarla.

1993 **Conferencia Mundial sobre Derechos Humanos. Viena.**
Reconoce que la violencia contra las mujeres y las niñas constituye una grave violación de los derechos humanos.

La Asamblea General de las Naciones Unidas aprueba la **Declaración de la Eliminación de Todas las Formas de Violencia Contra la Mujer**, que compromete a todos los Estados miembros de la ONU y debe ser reforzada internacionalmente por medio de los comités de tratados relevantes, incluyendo a la CEDAW.

La Comisión de los Derechos Humanos de la ONU nombra a la primera Relatora Especial sobre violencia contra la mujer, lo cual permite recibir denuncias e iniciar investigaciones sobre violencia contra las mujeres en todos los países miembros de la ONU.

1994 **Conferencia Internacional de Población y el Desarrollo**. Reconoce que los derechos reproductivos son derechos humanos y que la violencia de género es un obstáculo para la salud reproductiva y sexual de las mujeres, la educación y la participación en el desarrollo, y hace un llamado a los Estados para implementar la Declaración de la Eliminación de la Violencia Contra las Mujeres.

1995 **IV Conferencia Mundial sobre la Mujer. ONU. Beijing**.
En esta Conferencia se afirma que «la violencia hacia las mujeres es un obstáculo para alcanzar los objetivos de igualdad, desarrollo y paz. La violencia hacia las mujeres viola y anula la libertad fundamental y la de disfrutar sus derechos humanos básicos. El constante fracaso de los Estados en proteger y promover estos derechos y libertades en cuanto a violencia hacia las mujeres, es un tema que les concierne y debe ser discutido». La creciente responsabilidad de los Estados por la violencia de la sociedad delineada en la Plataforma de Beijing obliga a los Estados a condenar y adoptar políticas para eliminar la violencia hacia las mujeres.
La Conferencia aprobó por unanimidad la Declaración y la Plataforma de Acción de Beijing, en esencia, un programa para promover el avance de las mujeres en el siglo XXI.

1998 **La Comisión de la ONU sobre el Estado de la Mujer**, revisa cuatro secciones claves de los derechos humanos de la Declaración y la Plataforma de Acción de Beijing: los Derechos Humanos de la Mujer, la Violencia contra la Mujer, la Mujer y los Conflictos Armados y la Niña.

*ONU MUJERES

En julio de 2010, la Asamblea General de las Naciones Unidas creó ONU Mujeres, la Entidad para la Igualdad de Género y el Empoderamiento de la Mujer. Su nacimiento formó parte de la reforma de la ONU al fusionar los cuatro componentes que hasta entonces se encargaban de la igualdad y el empoderamiento de las mujeres: la División para el Adelanto de la Mujer (DAW), el Instituto Internacional de Investigaciones y Capacitación para la Promoción de la Mujer (INSTRAW), la Oficina del Asesor Especial en cuestiones de género (OSAGI) y el fondo de Desarrollo de las Naciones Unidas para la Mujer (UNIFEM). ONU Mujeres, en realidad, es la heredera de UNIFEM, creada en 1976 como respuesta a las demandas de las organizaciones de mujeres presentes en la primera Conferencia Mundial de las Naciones Unidas sobre la Mujer, que se realizó en Ciudad de México en 1975.

Informe de la Real Academia Española sobre la expresión *violencia de género*

El anuncio de que el Gobierno de España va a presentar un *Proyecto de Ley integral contra la violencia de género* ha llevado a la Real Academia Española a elaborar el presente Informe sobre el aspecto lingüístico de la denominación, incorporada ya de forma equivalente en las Leyes 50/1997 y 30/2003 al hablar de *impacto por razón de género*.

El análisis y la propuesta que al final de este Informe se presentan a la consideración del Gobierno han sido aprobados en la sesión plenaria académica celebrada el pasado jueves día 13 de mayo.

1. Origen de la expresión

La expresión violencia de género es la traducción del inglés *gender-based violence* o *gender violence*, expresión difundida a raíz del Congreso sobre la Mujer celebrado en Pekín en 1995 bajo los auspicios de la ONU. Con ella se identifica la violencia, tanto física como psicológica, que se ejerce contra las mujeres por razón de su sexo, como consecuencia de su tradicional situación de sometimiento al varón en las sociedades de estructura patriarcal.

Resulta obligado preguntarse si esta expresión es adecuada en español desde el punto de vista lingüístico y si existen alternativas que permitan sustituirla con ventaja y de acuerdo con otras fórmulas de denominación legal adoptadas por países pertenecientes al área lingüística románica y con el uso *mayoritario* de los países hispanohablantes.

2. ANÁLISIS SOBRE LA CONVENIENCIA DE SU USO EN ESPAÑOL

La palabra *género* tiene en español los sentidos generales de «conjunto de seres establecido en función de características comunes» y «clase o tipo»: *Hemos clasificado sus obras por géneros; Ese género de vida puede ser pernicioso para la salud.* En gramática significa «propiedad de los sustantivos y de algunos pronombres por la cual se clasifican en masculinos, femeninos y, en algunas lenguas, también en neutros»: *El sustantivo «mapa» es de género masculino.* Para designar la condición orgánica, biológica, por la cual los seres vivos son masculinos o femeninos, debe emplearse el término *sexo*: *Las personas de sexo femenino adoptaban una conducta diferente.* Es decir, las palabras tienen *género* (y no *sexo*), mientras que los seres vivos tienen *sexo* (y no *género*). En español no existe tradición de uso de la palabra *género* como sinónimo de *sexo*.

Es muy importante, además, tener en cuenta que en la tradición cultural española la palabra *sexo* no reduce su sentido al aspecto meramente biológico. Basta pensar al propósito lo que en esa línea ha significado la oposición de las expresiones *sexo fuerte / sexo débil*, cuyo concepto está, por cierto, debajo de buena parte de las actuaciones violentas.

En inglés la voz *gender* se empleaba también hasta el siglo XVIII con el sentido de «clase o tipo» para el que el inglés actual prefiere otros términos: *kind, sort, o class* (o *genus*, en lenguaje taxonómico).[1] Como en español, *gender* se utiliza también con el sentido de «género gramatical».[2] Pero, además, se documenta desde antiguo un uso traslaticio de *gender* como sinónimo de *sex*,[3] sin duda nacido del empeño puritano en evitar este vocablo. Con el auge de los estudios feministas, en los años sesenta del siglo XX se comenzó a utilizar en el mundo anglosajón el término *gender* con el sentido de «sexo de un ser humano» desde el punto de vista específico de las diferencias sociales y culturales, en oposición a las biológicas, existentes entre hombres y mujeres.[4]

Tal sentido técnico específico ha pasado del inglés a otras lenguas, entre ellas el español. Así pues, mientras que con la voz *sexo* se designa una categoría meramente orgánica, biológica, con el término *género* se ha venido aludiendo a una categoría sociocultural que implica diferencias o desigualdades de índole social, económica, política, laboral, etc. En esa línea se habla de *estudios de género, discriminación de género, violencia de género*, etc. Y sobre esa base se ha llegado a veces a extender el uso del término *género* hasta su equivalencia con sexo: «El sistema justo sería aquel que no asigna premios ni castigos en razón de criterios moralmente irrelevantes (la raza, la clase social, el género de cada persona» (*El País* Esp. 28.11.02); «Los mandos medios de las compañías suelen ver cómo sus propios ingresos dependen en gran medida de la diversidad étnica y de género que se da en su plantilla» (*El Mundo* Esp. 15.1.95). Es obvio que en ambos casos debió decirse *sexo*, y no *género*.

1. *Oxford English Dictionary* (edición electrónica, en www.oed.com), acep. 1.
2. *OED*, acep. 2.
3. *OED*, acep. 3.
4. *OED*, acep. 3b.

3. DOCUMENTACIÓN DE LAS DIVERSAS EXPRESIONES USADAS EN ESPAÑOL PARA DENOMINAR EL CONCEPTO

Términos	Documentación Internet (Google)	Documentación CREA[5]	Año primera documentación
violencia doméstica	100.000	136 (72)	1983
violencia intrafamiliar	45.000	49 (34)[6]	1993
violencia de género	37.700	19 (9)	1993
violencia contra las mujeres	35.800	17 (11)	1977
violencia familiar	30.000	34 (25)	1988
violencia de pareja	3.000	1	2001
discriminación por razón de sexo	13.100	70	1983

Como se advierte a simple vista, la expresión *violencia doméstica* es la más utilizada con bastante diferencia en el ámbito hispánico, doblando a la expresión *violencia intrafamiliar* muy frecuente en Hispanoamérica junto con *violencia familiar* y *violencia contra las mujeres*.

5. *Corpus de referencia del español actual* (CREA). Número de casos y, entre paréntesis, número de documentos.
6. Uso hispanoamericano.

Critican algunos el uso de la expresión *violencia doméstica* aduciendo que podría aplicarse, en sentido estricto, a toda violencia ejercida entre familiares de un hogar (y no sólo entre los miembros de la pareja) o incluso entre personas que, sin ser familiares, viven bajo el mismo techo; y, en la misma línea —añaden—, quedarían fuera los casos de violencia contra la mujer ejercida por parte del novio o compañero sentimental con el que no conviva.

De cara a una *Ley integral* la expresión *violencia doméstica*, tan arraigada en el uso por su claridad de referencia, tiene precisamente la ventaja de aludir, entre otras cosas, a los trastornos y consecuencias que esa violencia causa no sólo en la persona de la mujer sino del hogar en su conjunto, aspecto este último al que esa ley específica quiere atender y subvenir con criterios de transversalidad.

4. PROPUESTA DE DENOMINACIÓN

Para que esa *ley integral* incluya en su denominación la referencia a los casos de violencia contra la mujer ejercida por parte del novio o compañero sentimental con el que no conviva, podría añadirse «o por razón de sexo». Con lo que la denominación completa más ajustada sería LEY INTEGRAL CONTRA LA VIOLENCIA DOMÉSTICA O POR RAZÓN DE SEXO.

En la misma línea, debiera en adelante sustituirse la expresión «impacto por razón de género» por la de «impacto por razón de sexo», en línea con lo que la Constitución establece en su Artículo 14 al hablar de la no discriminación «por razón de nacimiento, raza, sexo...».

Avala a esta propuesta el hecho de que la normativa gemela de países de la lengua románica adopta criterios semejantes.

Así en el área francófona:

- En Canadá se discute (texto de 2002) una «Loi de la famille et criminalisation de la **violence domestique**».

- En Bélgica existe una ley (24 de noviembre de 1997) «visant à combatre la violence au sein du couple». Con posterioridad, se ha lanzado una «Campagne nationale de lutte contre les **violences domestiques**».

La ministra Nicole Ameline prepara en Francia (2003) una ley que incluye, entre otros aspectos, la **«violence à l'égard des femmes»**.

- La ley luxemburguesa (8 septiembre 2003) trata «sur la **violence domestique**».

En Italia se documentan ampliamente:
Violenza contro le donne
Violenza verso le donne
Violenza sulle donne
Violenza doméstica
Violenza familiare

Finalmente, en los medios de comunicación españoles predomina hoy, bien que con titubeos, la denominación *violencia doméstica*. La opción lingüística que la próxima Ley adopte resultará claramente decisiva para fijar el uso común. De ahí la necesidad, a juicio de la Real Academia Española, de que el Gobierno considere su propuesta.[7]

Madrid, 19 de mayo de 2004

---

7. El pleno de la Real Academia Española que aprobó este informe el 19 de mayo de 2004 estaba compuesto por 3 mujeres y 37 hombres.

RECOMENDACIÓN A LOS MIEMBROS DE LA COMUNIDAD ECONÓMICA EUROPEA PARA EL EMPLEO DE UN LENGUAJE QUE REFLEJE EL PRINCIPIO DE IGUALDAD ENTRE MUJERES Y HOMBRES

En materia de utilización no sexista del lenguaje, el Comité de Ministros del Consejo de Europa, en virtud del artículo 15 b del estatuto del Consejo de Europa, que aprobó el 21 de febrero de 1990 hizo la siguiente recomendación a los Estados miembros de la CEE:

Considerando que el objetivo del Consejo de Europa es llevar a cabo una unión más estrecha entre sus miembros con el fin de salvaguardar y promover los ideales y principios que constituyen su patrimonio común;

Considerando que la igualdad de la mujer y del hombre se inscribe en el marco de dichos ideales y principios;

Felicitándose porque el principio de igualdad de sexos se esté aplicando progresivamente, de hecho y de derecho, en los Estados miembros del Consejo de Europa;

Comprobando, no obstante, que la implantación de la igualdad efectiva entre mujeres y hombres se encuentra aún con obstáculos, especialmente de tipo cultural y social;

Subrayando el papel fundamental que cumple el lenguaje

en la formación de la identidad social de los individuos y la interacción existente entre lenguaje y actitudes sociales;

Convencido de que el sexismo que se refleja en el lenguaje utilizado en la mayor parte de los Estados miembros del Consejo de Europa —que hace predominar lo masculino sobre lo femenino— constituye un estorbo al proceso de instauración de la igualdad entre mujeres y hombres, porque oculta la existencia de las mujeres, que son la mitad de la humanidad, y niega la igualdad entre hombre y mujer;

Advirtiendo, además, que el empleo del género masculino para designar a las personas de ambos sexos provoca, en el contexto de la sociedad actual, incertidumbre respecto a las personas, hombres o mujeres, de que se habla;

Basándose en la Declaración sobre igualdad de mujeres y hombres que aprobó el 16 de noviembre de 1988,

Recomienda a los gobiernos de los Estados miembros que fomenten el empleo de un lenguaje que refleje el principio de igualdad entre hombre y mujer y, con tal objeto, que adopten cualquier medida que consideren útil para ello:

1. Promover la utilización, en la medida de lo posible, de un lenguaje no sexista que tenga en cuenta la presencia, la situación y el papel de la mujer en la sociedad, tal como ocurre con el hombre en la práctica lingüística actual.

2. Hacer que la terminología empleada en los textos jurídicos, la administración pública y la educación esté en armonía con el principio de igualdad de sexos.

3. Fomentar la utilización de un lenguaje libre de sexismo en los medios de comunicación.

CONVENCIÓN SOBRE LA ELIMINACIÓN DE TODAS LAS FORMAS DE DISCRIMINACIÓN CONTRA LA MUJER

Considerando que la Carta de las Naciones Unidas reafirma la fe en los derechos fundamentales del hombre, en la dignidad y el valor de la persona humana y en la igualdad de derechos del hombre y la mujer.

Considerando que la Declaración Universal de Derechos Humanos reafirma el principio de la no discriminación y proclama que todos los seres humanos nacen libres e iguales en dignidad y derecho y que toda persona puede invocar todos los derechos y libertades proclamados en esa Declaración, sin distinción alguna y, por ende, sin distinción de sexo.

Considerando que los Estados Partes en los Pactos Internacionales de Derechos Humanos tienen la obligación de garantizar al hombre y la mujer la igualdad en el goce de todos los derechos económicos, sociales, culturales, civiles y políticos.

Teniendo en cuenta las convenciones internacionales concertadas bajo los auspicios de las Naciones Unidas y de los organismos especializados para favorecer la igualdad de derechos entre el hombre y la mujer.

Teniendo en cuenta asimismo las resoluciones, declaraciones y recomendaciones aprobadas por las Naciones Unidas y los organismos especializados para favorecer la igualdad de derechos entre el hombre y la mujer.

Preocupados, sin embargo, al comprobar que a pesar de estos diversos instrumentos las mujeres siguen siendo objeto de importantes discriminaciones.

PARTE I

Artículo 1
A los efectos de la presente Convención, la expresión «discriminación contra la mujer» denotará toda distinción, exclusión o restricción basada en el sexo que tenga por objeto o por resultado menoscabar o anular el reconocimiento, goce o ejercicio por la mujer, independientemente de su estado civil, sobre la base de la igualdad del hombre y la mujer, de los derechos humanos y las libertades fundamentales en las esferas política, económica, social, cultural y civil o en cualquier otra esfera.

Artículo 2
Los Estados Partes condenan la discriminación contra la mujer en todas sus formas, convienen en seguir, por todos los medios apropiados y sin dilaciones, una política encaminada a eliminar la discriminación contra la mujer y, con tal objeto, se comprometen a:

a) Consagrar, si aún no lo han hecho, en sus constituciones nacionales y en cualquier otra legislación apropiada el principio de la igualdad del hombre y de la mujer y asegurar por ley u otros medios apropiados la realización práctica de ese principio.

b) Adoptar medidas adecuadas, legislativas y de otro carácter, con las sanciones correspondientes, que prohíban toda discriminación contra la mujer.

c) Establecer la protección jurídica de los derechos de la mujer sobre una base de igualdad con los del hombre y garantizar, por conducto de los tribunales nacionales o competentes y de otras instituciones públicas, la protección efectiva de la mujer contra todo acto de discriminación.

d) Abstenerse de incurrir en todo acto o práctica de discriminación contra la mujer y velar porque las autoridades e instituciones públicas actúen de conformidad con esta obligación.

e) Tomar todas las medidas apropiadas para eliminar la discriminación contra la mujer practicada por cualesquiera personas, organizaciones o empresas.

f) Adoptar todas las medidas adecuadas, incluso de carácter legislativo, para modificar o derogar leyes, reglamentos, usos y prácticas que constituyan discriminación contra la mujer.

g) Derogar todas las disposiciones penales nacionales que constituyan discriminación contra la mujer.

Artículo 3

Los Estados Partes tomarán en todas las esferas, y en particular en las esferas política, social, económica y cultural, todas las medidas apropiadas, incluso de carácter legislativo, para asegurar el pleno desarrollo y adelanto de la mujer, con el objeto de garantizarle el ejercicio y el goce de los derechos humanos y las libertades fundamentales en igualdad de condiciones con el hombre.

Artículo 4

1. La adopción por los Estados Partes de medidas especiales de carácter temporal encaminadas a acelerar la igualdad *de facto* entre el hombre y la mujer no se considerará discriminación en la forma definida en la presente Convención, pero de ningún modo entrañará,

como consecuencia, el mantenimiento de normas desiguales o separadas; estas medidas cesarán cuando se hayan alcanzado los objetivos de igualdad de oportunidad y trato.

2. La adopción por los Estados Partes de medidas especiales, incluso las contenidas en la presente Convención, encaminadas a proteger la maternidad no se considerará discriminatoria.

Artículo 5

Los Estados Partes tomarán todas las medidas apropiadas para:

a) Modificar los patrones socioculturales de conducta de hombres y mujeres, con miras a alcanzar la eliminación de los prejuicios y las prácticas consuetudinarias y de cualquier otra índole que estén basados en la idea de la inferioridad o superioridad de cualquiera de los sexos o en funciones estereotipadas de hombres y mujeres.

b) Garantizar que la educación familiar incluya una comprensión adecuada de la maternidad como función social y el reconocimiento de la responsabilidad común de hombres y mujeres en cuanto a la educación y al desarrollo de sus hijos, en la inteligencia de que el interés de los hijos constituirá la consideración primordial en todos los casos.

Artículo 6

Los Estados Partes tomarán todas las medidas apropiadas, incluso de carácter legislativo, para suprimir todas las formas de trata de mujeres y explotación de la prostitución de la mujer.

PARTE II

Artículo 7

Los Estados Partes tomarán todas las medidas apropiadas para eliminar la discriminación contra la mujer en la vida política y pública del país y, en particular, garantizarán, en igualdad de condiciones con los hombres, el derecho a:

a) Votar en todas las elecciones y referendums públicos y ser elegible para todos los organismos cuyos miembros sean objeto de elecciones públicas.

b) Participar en la formulación de las políticas gubernamentales y en la ejecución de éstas, y ocupar cargos públicos y ejercer todas las funciones públicas en todos los planos gubernamentales.

c) Participar en organizaciones y asociaciones no gubernamentales que se ocupen de la vida pública y política del país.

Artículo 8

Los Estados Partes tomarán todas las medidas apropiadas para garantizar a la mujer, en igualdad de condiciones con el hombre y sin discriminación alguna, la oportunidad de representar a su gobierno en el plano internacional y de participar en la labor de las organizaciones internacionales.

Artículo 9

1. Los Estados Partes otorgarán a las mujeres iguales derechos que a los hombres para adquirir, cambiar o conservar su nacionalidad. Garantizar, en particular, que ni el matrimonio con un extranjero ni el cambio de nacionalidad del marido durante el matrimonio cambien automáticamente la nacionalidad de la esposa, la conviertan en apátrida o la obliguen a adoptar la nacionalidad del cónyuge.

2. Los Estados Partes otorgarán a la mujer los mismos derechos que al hombre con respecto a la nacionalidad de sus hijos.

PARTE III

Artículo 10
Los Estados Partes adoptarán todas las medidas apropiadas para eliminar la discriminación contra la mujer, a fin de asegurarle la igualdad de derechos con el hombre en la esfera de la educación y en particular para asegurar, en condiciones de igualdad entre hombres y mujeres:

a) Las mismas condiciones de orientación en materia de carreras y capacitación profesional, acceso a los estudios y obtención de diplomas en las instituciones de enseñanza de cualquier categoría, tanto en zonas rurales como urbanas; esta igualdad deberá asegurarse en la enseñanza preescolar, general, técnica y profesional, incluida la educación técnica superior, así como en todos los tipos de capacitación profesional.

b) Acceso a los mismos programas de estudios y los mismos exámenes, personal docente del mismo nivel profesional y locales y equipos escolares de la misma calidad.

c) La eliminación de todo concepto estereotipado de los papeles masculino y femenino en todos los niveles en todas las formas de enseñanza, mediante el estímulo de la educación mixta y de otros tipos de educación que contribuyan a lograr este objetivo y, en particular, mediante la modificación de los libros y programas escolares y la adaptación de los medios de enseñanza.

d) Las mismas oportunidades para la obtención de becas y otras subvenciones para cursar estudios.

e) Las mismas oportunidades de acceso a los programas

de educación complementaria, incluidos programas de alfabetización funcional y de adultos, con miras en particular a reducir lo antes posible la diferencia de conocimientos existentes entre el hombre y la mujer.

f) La reducción de la tasa de abandono femenino de los estudios y la organización de programas para aquellas jóvenes y mujeres que hayan dejado los estudios prematuramente.

g) Las mismas oportunidades para participar activamente en el deporte y la educación física.

h) Acceso al material informativo específico que contribuya a asegurar la salud y el bienestar de la familia, incluida la información y el asesoramiento sobre planificación de la familia.

Artículo 11

1. Los Estados Partes adoptarán todas las medidas apropiadas para eliminar la discriminación contra la mujer en la esfera del empleo a fin de asegurar, en condiciones de igualdad entre hombres y mujeres, en los mismos derechos, en particular:

a) El derecho al trabajo como derecho inalienable de todo ser humano.

b) El derecho a las mismas oportunidades de empleo, inclusive a la aplicación de los mismos criterios de selección en cuestiones de empleo.

c) El derecho a elegir libremente profesión y empleo, el derecho al ascenso, a la estabilidad en el empleo y a todas las prestaciones y otras condiciones de servicio, y el derecho al acceso a la formación profesional y al readiestramiento, incluido el aprendizaje, la formación profesional superior y el adiestramiento periódico.

d) El derecho a igual remuneración, inclusive prestaciones, y a igualdad de trato con respecto a un trabajo de igual valor, así como a igualdad de trato con respecto a la evaluación de la calidad del trabajo.

e) El derecho a la seguridad social, en particular en casos de jubilación, desempleo, enfermedad, invalidez, vejez u otra incapacidad para trabajar, así como el derecho a vacaciones pagadas.

f) El derecho a la protección de la salud y a la seguridad en las condiciones de trabajo, incluso la salvaguardia de la función de reproducción.

2. A fin de impedir la discriminación contra la mujer por razones de matrimonio o maternidad y asegurar la efectividad de su derecho a trabajar, en los Estados Partes tomarán medidas adecuadas para:

a) Prohibir, bajo pena de sanciones, el despido por motivo de embarazo o licencia de maternidad y la discriminación en los despidos sobre la base del estado civil.

b) Implantar la licencia de maternidad con sueldo pagado o con prestaciones sociales comparables sin pérdida del empleo previo, la antigüedad o beneficios sociales.

c) Alentar el suministro de los servicios sociales de apoyo necesarios para permitir que los padres combinen las obligaciones para con la familia con las responsabilidades del trabajo y la participación en la vida pública, especialmente mediante el fomento de la creación y desarrollo de una red de servicios destinados al cuidado de los niños.

d) Prestar protección especial a la mujer durante el embarazo en los tipos de trabajos que se haya probado puedan resultar perjudiciales para ella.

3. La legislación protectora relacionada con las cuestiones comprendidas en este artículo será examinada periódicamente a la luz de los conocimientos científicos y tecnológicos y será revisada, derogada o ampliada según corresponda.

Artículo 12

1. Los Estados Partes adoptarán todas las medidas apropiadas para eliminar la discriminación contra la mujer en la esfera de la atención médica a fin de asegurar, en condiciones de igualdad entre hombres y mujeres, el acceso a servicios de atención médica, inclusive los que se refieren a la planificación de la familia.

2. Sin perjuicio de lo dispuesto en el párrafo 1 *supra*, los Estados Partes garantizarán a la mujer servicios apropiados en relación con el embarazo, el parto y el período posterior al parto, proporcionando servicios gratuitos cuando fuere necesario y le asegurarán una nutrición adecuada durante el embarazo y la lactancia.

Artículo 13

Los Estados Partes adoptarán todas la medidas apropiadas para eliminar la discriminación contra la mujer en otras esferas de la vida económica y social a fin de asegurar, en condiciones de igualdad entre hombres y mujeres, los mismos derechos, en particular:

a) El derecho a prestaciones familiares.

b) El derecho a obtener préstamos bancarios, hipotecas, y otras formas de crédito financiero.

c) El derecho a participar en actividades de esparcimiento, deportes y otros aspectos de la vida cultural.

Artículo 14

1. Los Estados Partes tendrán en cuenta los problemas es-

peciales a que hace frente la mujer rural y el importante papel que desempeña en la supervivencia económica de su familia, incluido su trabajo en los sectores no monetarios de la economía, y tomarán las medidas apropiadas para asegurar la aplicación de las disposiciones de la presente Convención a la mujer de las zonas rurales.

2. Los Estados Partes adoptarán todas las medidas apropiadas para eliminar la discriminación contra la mujer en las zonas rurales a fin de asegurar, en condiciones de igualdad entre hombres y mujeres, su participación en el desarrollo rural y en sus beneficios, y en particular le asegurarán el derecho a:

a) Participar en la elaboración y ejecución de los planes de desarrollo a todos los niveles.

b) Tener acceso a servicios adecuados de atención médica, inclusive información, asesoramiento y servicios en materia de planificación de familia.

c) Beneficiarse directamente de los programas de seguridad social.

d) Obtener todos los tipos de educación y de formación, académica y no académica, incluidos los relacionados con la alfabetización funcional, así como, entre otros, los beneficios de todos los servicios comunitarios y de divulgación a fin de aumentar su capacidad técnica.

e) Organizar grupos de autoayuda y cooperativas a fin de obtener igualdad de acceso a las oportunidades económicas mediante el empleo por cuenta propia o por cuenta ajena.

f) Participar en todas las actividades comunitarias.

g) Obtener acceso a los créditos y préstamos agrícolas, a los servicios de comercialización y a las tecnologías apropiadas, y recibir un trato igual en los planes de reforma agraria y de reasentamiento.

h) Gozar de condiciones de vida adecuadas, particularmente en las esferas de la vivienda, los servicios sanitarios, la electricidad y el abastecimiento de agua, el transporte y las comunicaciones.

PARTE IV

Artículo 15

1. Los Estados Partes reconocerán a la mujer la igualdad con el hombre ante la ley.
2. Los Estados Partes reconocerán a la mujer, en materias civiles, una capacidad jurídica idéntica a la del hombre y las mismas oportunidades para el ejercicio de esa capacidad. En particular, le reconocerán los Estados a la mujer iguales derechos para firmar contratos y administrar bienes y le dispensarán un trato igual en todas las etapas del procedimiento en las cortes de justicia y los tribunales.
3. Los Estados Partes convienen en que todo contrato o cualquier otro instrumento privado con efecto jurídico que tienda a limitar la capacidad jurídica de la mujer se considerará nulo.
4. Los Estados Partes reconocerán al hombre y a la mujer los mismos derechos con respecto a la legislación relativa al derecho de las personas a circular libremente y a la libertad para elegir su residencia y domicilio.

Artículo 16

1. Los Estados Partes adoptarán todas las medidas adecuadas para eliminar la discriminación contra la mujer en todos los asuntos relacionados con el matrimonio y las relaciones familiares, y en particular, se asegurarán en condiciones de igualdad entre hombres y mujeres:

a) El mismo derecho para contraer matrimonio.

b) El mismo derecho para elegir libremente cónyuge y contraer matrimonio sólo por su libre albedrío y su pleno consentimiento.

c) Los mismos derechos y responsabilidades durante el matrimonio y con ocasión de su disolución.

d) Los mismos derechos y responsabilidades como progenitores, cualquiera que sea su estado civil, en materias relacionadas con sus hijos. En todos los casos, los intereses de los hijos serán la consideración primordial.

e) Los mismos derechos a decidir libre y responsablemente el número de sus hijos y el intervalo entre los nacimientos y a tener acceso a la información, la educación y los medios que les permitan ejercer estos derechos.

f) Los mismos derechos y responsabilidades respecto a la tutela, curatela, custodia y adopción de los hijos, o instituciones análogas cuando quiera que estos conceptos existan en la legislación nacional, en todos los casos, los intereses de los hijos serán la consideración primordial.

g) Los mismos derechos personales como marido y mujer, entre ellos el derecho a elegir el apellido, profesión y ocupación.

h) Los mismos derechos a cada uno de los cónyuges en materia de propiedad, gestión, administración, goce y disposición de los bienes, tanto a título gratuito como onerosos.

2. No tendrán ningún efecto jurídico los esponsales y el matrimonio de niños y se adoptarán todas la medidas necesarias, incluso de carácter legislativo, para fijar una edad mínima para la celebración del matrimonio y hacer obligatoria la inscripción del matrimonio en un registro oficial.

PARTE V

Artículo 17

1. Con el fin de examinar los progresos realizados en la aplicación de la presente Convención, se establecerán un Comité sobre la Eliminación de la Discriminación contra la Mujer (denominado en adelante el Comité) compuesto, en el momento de la entrada en vigor de la Convención, de dieciocho y, después de su ratificación o adhesión hasta el trigésimo quinto Estado Parte, de veintitrés expertos de gran prestigio moral y competencia en la esfera abarcada por la Convención. Los expertos serán elegidos por los Estados Partes entre sus nacionales, y ejercerán sus funciones a título personal; tendrán en cuenta una distribución geográfica equitativa y la representación de las diferentes formas de civilización, así como de los principales sistemas jurídicos.

2. Los miembros del Comité serán elegidos en votación secreta de una lista de personas designadas por los Estados Partes. Cada uno de los Estados Partes podrá designar una persona entre sus propios nacionales.

3. La elección inicial se celebrará seis meses después de la fecha de la entrada en vigor de la presente Convención. Al menos tres meses antes de la fecha de cada elección, el secretario general de las Naciones Unidas dirigirá una carta a los Estados Partes invitándolos a presentar sus candidaturas en una plazo de dos meses. El secretario general preparará una lista por orden alfabético de todas las personas designadas de este modo, indicando los Estados Partes que las han designado, y la comunicará a los Estados Partes.

4. Los miembros del Comité serán elegidos en una reunión de los Estados Partes que será convocada por el secretario general y se celebrará en la sede de las Nacio-

nes Unidas. En esta reunión, para la cual formarán quorum dos tercios de los Estados Partes, se considerarán elegidos para el Comité los candidatos que obtengan el mayor número de votos y la mayoría absoluta de votos de los representantes de los Estados Partes presentes y votantes.

5. Los miembros del Comité serán elegidos por cuatro años. No obstante, el mandato de nueve de los miembros elegidos en la primera elección expirará al cabo de dos años; inmediatamente después de la primera elección el presidente del Comité designará por sorteo los nombres de esos nueve miembros.

6. La elección de los cinco miembros adicionales del Comité se celebrará de conformidad con lo dispuesto en los párrafos 2, 3 y 4 del presente artículo, después de que el trigésimo quinto Estado Parte haya ratificado la Convención o se haya adherido a ella. El mandato de dos de los miembros adicionales elegidos en esta ocasión, cuyos nombres designará por sorteo el presidente del Comité, espirará al cabo de dos años.

7. Para cubrir las vacantes imprevistas, el Estado Parte cuyo experto haya cesado en sus funciones como miembro del Comité designará entre sus nacionales otro experto a reserva de la aprobación del Comité.

8. Los miembros del Comité, previa aprobación de la Asamblea General, percibirán los emolumentos de los fondos de las Naciones Unidas en la forma y condiciones que la Asamblea determine, teniendo en cuenta la importancia de las funciones del Comité.

9. El secretario general de las Naciones Unidas proporcionará el personal y los servicios necesarios para el desempeño eficaz de las funciones del Comité en virtud de la presente Convención.

Artículo 18

1. Los Estados Partes se comprometen a someter al secretario general de las Naciones Unidas, para lo que examine el Comité, un informe sobre las medidas legislativas, judiciales, administrativas o de otra índole que hayan adoptado para hacer efectivas las disposiciones de la presente Convención y sobre los progresos realizados en este sentido:
   a) En el plazo de un año a partir de la entrada en vigor de la Convención para el Estado de que se trate, y
   b) En lo sucesivo por lo menos cada cuatro años y, además, cuando el Comité lo solicite.
2. Se podrán indicar en los informes los factores y las dificultades que afectan al grado de cumplimiento de las obligaciones impuestas por la presente Convención.

Artículo 19

1. El Comité aprobará su propio reglamento.
2. El Comité elegirá su Mesa por un período de dos años.

Artículo 20

1. El Comité se reunirá normalmente todos los años por un período que no exceda de dos semanas para examinar los informes que se le presentan de conformidad con el Artículo 18 de la presente Convención.
2. Las reuniones del Comité se celebrarán normalmente en la sede de las Naciones Unidas o en cualquier otro sitio conveniente que determine el Comité.

Artículo 21

1. El Comité, por conducto del Consejo Económico y Social, informará anualmente a la Asamblea General de las Naciones Unidas sobre sus actividades y podrá hacer sugerencias y recomendaciones de carácter general

basadas en el examen de los informes y de los datos transmitidos por los Estados Partes.

2. El secretario general transmitirá los informes del Comité a las Comisión de la Condición Jurídica y Social de la Mujer para su información.

Artículo 22

Los organismos especializados tendrán el derecho de estar representados en el examen de la aplicación de las disposiciones de la presente Convención que correspondan a la esfera de sus actividades. El Comité podrá invitar a los organismos especializados a que presenten informes sobre la aplicación de la Convención en las áreas que correspondan a la esfera de sus actividades.

PARTE VI

Artículo 23

Nada de los dispuesto en la presente Convención afectará a disposición alguna que sea más contundente al logro de la igualdad entre hombres y mujeres y que pueda formar parte de:

a) La legislación de un Estado Parte; o
b) Cualquier otra convención, tratado o acuerdo internacional vigente en ese Estado.

Artículo 24

Los Estados Partes se comprometen a adoptar todas las medidas necesarias en el ámbito nacional para conseguir la plena realización de los derechos reconocidos en la presente Convención.

Artículo 25

1. La presente Convención estará abierta a la firma de todos los Estados.

2. Se designa al secretario general de las Naciones Unidas depositario de la presente Convención.

3. La presente Convención están sujeta a ratificación. Los instrumentos de ratificación se depositarán en poder del secretario general de las Naciones Unidas.

4. La presente Convención estará abierta a la adhesión de todos los Estados. La adhesión se efectuará depositando un instrumento de adhesión en poder del secretario general de las Naciones Unidas.

Artículo 26

1. En cualquier momento, cualquiera de los Estados Partes podrá formular una solicitud de revisión de la presente Convención mediante comunicación escrita dirigida al secretario general de las Naciones Unidas.

2. La Asamblea General de las Naciones Unidas decidirá las medidas que, en su caso, hayan de adoptarse en lo que respecta a esa solicitud.

Artículo 27

1. La presente Convención entrará en vigor el trigésimo día a partir de la fecha en que haya sido depositado en poder del secretario general de las Naciones Unidas el vigésimo instrumento de ratificación o adhesión.

2. Para cada Estado que ratifique la Convención o se adhiera a ella después de haber sido depositado el vigésimo instrumento de ratificación o adhesión, la Convención entrará en vigor el trigésimo día a partir de la fecha en que tal Estado haya depositado su instrumento de ratificación o adhesión.

Artículo 28

1. El secretario general de las Naciones Unidas recibirá y comunicará a todos los Estados el texto de las reservas formuladas por los Estados en el momento de la ratificación o de la adhesión.

2. No se aceptará ninguna reserva incompatible con el objeto y el propósito y objetivo de la presente Convención.

3. Toda reserva podrá ser retirada en cualquier momento por medio de una notificación a estos efectos dirigida al secretario general de las Naciones Unidas, quien informará de ello a todos los Estados. Esta notificación surtirá efecto en la fecha de su recepción.

Artículo 29

1. Toda controversia que surja entre dos o más Estados Partes con respecto a la interpretación o aplicación de la presente Convención que no se solucione mediante negociaciones se someterá al arbitraje a petición de uno de ellos. Si en el plazo de seis meses contados a partir del día de presentación de solicitud de arbitraje las partes no consiguen ponerse de acuerdo sobre la forma del mismo, cualquiera de las partes podrá someter la controversia a la Corte Internacional de Justicia, mediante una solicitud presentada de conformidad con el Estatuto de la Corte.

2. Todo Estado Parte, en el momento de la firma o ratificación de la presente Convención o de su adhesión a la misma, podrá declarar que no se considera obligado por el párrafo 1 del presente artículo. Los demás Estados Partes no estarán obligados por ese párrafo ante ningún Estado Parte que haya formulado esa reserva.

3. Todo Estado Parte que haya formulado la reserva prevista en el párrafo 2 del presente artículo podrá retirar-

la en cualquier momento notificándolo al Secretario General de las Naciones Unidas.

Artículo 30

La presente Convención, cuyos textos en árabe, chino, español, francés, inglés y ruso son igualmente auténticos, se depositará en poder del secretario general de las Naciones Unidas.

En testimonio de lo cual, los infrascritos, debidamente autorizados, firman la presente convención.

BIBLIOGRAFÍA

AMORÓS, Celia, *Tiempo de feminismo. Sobre feminismo, proyecto ilustrado y postmodernidad*, Cátedra, col. Feminismos, Madrid, 1997.

— (coord.), *Historia de la teoría feminista*, Madrid, Instituto de Investigaciones Feministas, Universidad Complutense de Madrid, Comunidad de Madrid, Dirección General de la Mujer, 1994.

— (dir.), *10 palabras clave sobre mujer*, Editorial Verbo Divino, 4.ª ed., Navarra, 2002.

ANTOLÍN VILLOTA, Luisa, *La mitad invisible. Género en la educación para el desarrollo*, ACSUR-Las Segovias, Madrid, 2003.

AUGUSTÍN PUERTA, Mercedes, *Feminismo: Identidad personal y lucha colectiva. Análisis del movimiento feminista español en los años 1975 a 1985*, Universidad de Granada, Granada, 2003.

BELLI, Gioconda, *Apogeo*, Visor, Madrid, 1998.

BELTRÁN, Elena y MAQUIEIRA, Virginia (eds.), *Feminismos. Debates teóricos contemporáneos,* Alianza Editorial, Madrid, 2001.

BLANCO ORUJO, Oliva, *Olimpia de Gouges (1748-1793),* Ediciones del Orto, Biblioteca de Mujeres, Madrid, 2000.

BOIX, Montserrat, FRAGA, Cristina y SEDÓN DE LEÓN, Victoria, *El viaje de las internautas. Una mirada de género a las nuevas tecnologías*, AMECO, Madrid, 2001.

BOSCH, Esperanza, FERRER, Victoria A., RIERA, Teresa y ALBERDI, Rosamaría, *Feminismo en las aulas*, Universitat de les Illes Balears, Palma, 2003.

— y FERRER, Victoria A., *Historia de la misoginia*, Anthropos-UIB, Barcelona, 1999.

—, *La voz de las invisibles. Las víctimas de un mal amor que mata*, Cátedra, col. Feminismos, Madrid, 2002.

BOURDIEU, Pierre, *La dominación masculina*, Anagrama, Barcelona, 2000.

CABALLÉ, Anna (ed.), *Contando estrellas. Siglo XX. 1920-1960, La vida escrita por mujeres II*, Lumen, Barcelona, 2004.

—, *La pluma como espada. Del romanticismo al modernismo. La vida escrita por mujeres III*, Lumen, Barcelona, 2004.

CARRASCO, Cristina (ed.), *Mujeres y economía. Nuevas perspectivas para viejos y nuevos problemas*, Icaria, 2.ª ed., Barcelona, 2003.

COBO, Rosa, *Fundamentos del patriarcado moderno. Jean Jacques Rousseau*, Madrid, Cátedra, col. Feminismos, 1995.

CRUZ, Jacqueline y ZECCHI, Barbara (eds.), *La mujer en la España actual ¿Evolución o involución?*, Icaria, Barcelona, 2004.

DAVIES, Bronwyn, *Sapos y culebras y cuentos feministas. Los niños de preescolar y el género*, Cátedra, col. Feminismos, Madrid, 1994.

DE BEAUVOIR, Simone, *El segundo sexo*, traducción de Pablo Palant, Ediciones Siglo Veinte, Buenos Aires, 1987.

DE MIGUEL, Ana, *Alejandra Kollontai (1872-1952)*, Ediciones del Orto, Biblioteca de Mujeres, Madrid, 2001.

— y ROMERO, Rosalía, *Flora Tristán. Feminismo y socialismo. Antología*, Los libros de la Catarata, Madrid, 2003.

DE PIZAN, Christine, *La ciudad de las damas*, trad. Marie-José Lemarchand, Siruela, 2.ª ed., Madrid, 2001.

DOMINGO, Carmen, *Con voz y voto. Las mujeres y la política en España (1931-1945)*, Lumen, Barcelona, 2004.

DUBY, Georges y PERROT, Michelle, *Historia de las mujeres*. Vol. 5, Siglo XX, Taurus, Madrid, 2000.

— y PERROT, Michelle, *Historia de las mujeres*. Vol. 4, Siglo XIX, Taurus, Madrid, 2000.

ESCARIO, Pilar, ALBERDI, Inés y LÓPEZ-ACCOTTO, Ana Inés, *Lo personal es político. El movimiento feminista en la transición,* Instituto de la Mujer, Madrid, 1996.

ESTEVA DE LLOBET, Lola, *Christine de Pizan, (1364-1430)*, Ediciones del Orto, Biblioteca de Mujeres, Madrid, 1999.

ETXEBARRIA, Lucía y NÚÑEZ PUENTE, Sonia, *En brazos de la mujer fetiche*, Ediciones Destino, Barcelona, 2003.

EVANS, Richard J., *Las feministas. Los movimientos de emancipación de la mujer en Europa, América y Australasia. (1840-1920)*, Siglo XXI, Madrid, 1980.

FALUDI, Susan, *Reacción. La guerra no declarada contra la mujer moderna*, trad. Francesc Roca, Anagrama, Barcelona, 1993.

FRIEDAN, Betty, *La mística de la feminidad*, trad. Carlos R. de Dampierre, Ediciones Sagitario, Barcelona, 1965.

—, *Mi vida hasta ahora*, trad. Magali Martínez, Cátedra, Col. Feminismos, Madrid, 2003.

GALEANO, Eduardo, *Mujeres*, Alianza Cien, Madrid, 1995.

GARCÍA MOUTON, Pilar, *Cómo hablan las mujeres*, Arco Libros, Cuadernos de Lengua Española, Madrid, 1999.

GEORGE, Susan, *Informe Lugano*, Icaria, 4.ª ed., Madrid, 2001.

GREER, Germaine, *La mujer completa*, Kairós, 2.ª ed., Barcelona, 2001.

HIRATA, H., LABORIE, F., LE DOARÉ, H., SENOTIER, D., *Diccionario crítico del feminismo*, Editorial Síntesis, Madrid, 2002.

HIRIGOYEN, Marie-France, *El acoso moral en el trabajo. Distinguir lo verdadero de lo falso*, Paidós, Barcelona, 2001.

LAFUENTE, Isaías, *Agrupémonos todas. La lucha de las españolas por la igualdad*, Aguilar, Madrid, 2003.

LAGARDE, Marcela, *Género y feminismo. Desarrollo humano y democracia*, horas y HORAS, Madrid, 1997.

—, *Claves feministas para la autoestima de las mujeres*, horas y HORAS, Madrid, 2000.

LIBRERÍA DE MUJERES DE MILÁN, *No creas tener derechos. La generación de la libertad femenina en las ideas y vivencias de un grupo de mujeres*, horas y HORAS, Madrid, 1991.

LIENAS, Gemma, *El diario violeta de Carlota*, Alba Editorial, Barcelona, 2001.

LLEDÓ CUNILL, Eulàlia (coord.), *De mujeres y diccionarios. Evolución de lo femenino en la 22.ª edición del DRAE*, Instituto de la Mujer, Madrid, 2004.

LOMAS, Carlos (comp.), *¿Todos los hombres son iguales? Identidades masculinas y cambios sociales*, Paidós, Barcelona, 2003.

LÓPEZ DÍEZ, Pilar (ed.), *Manual de información en género*, Instituto Oficial de Radio y Televisión, Madrid, 2004.

LÓPEZ PARDINA, Teresa, *Simone de Beauvoir (1908-1986)*, Ediciones del Orto, Biblioteca Filosófica, Madrid, 1999.

MARTÍN GAITE, Carmen, *Después de todo. Poesía a rachas*, poesía Hiperión, Madrid, 2001.

MARTÍNEZ GUTIÉRREZ, Josebe, *Margarita Nelken (1896-1968)*, Ediciones del Orto, Biblioteca de Mujeres, Madrid, 1997.

MASTRETTA, Ángeles, *El cielo de los leones*, Seix Barral, Biblioteca Breve, Barcelona, 2004.

MERNISSI, Fátima, *El harén en Occidente*, Espasa Calpe, Madrid, 2001.

MILL, John Stuart y TAYLOR, Harriet, *Ensayos sobre la igualdad sexual*, trad. de Carmen Martínez, Cátedra, col. Feminismos, Madrid, 2001.

MILLETT, Kate, *Política sexual*, trad. Ana María Bravo, Cátedra, col. Feminismos, Madrid, 1995.

MIYARES, Alicia, *Democracia feminista*, Cátedra, col. Feminismos, Madrid, 2003.

NACER, Mende y LEWIS, Damián, *Esclava*, Círculo de Lectores, cedido por Ediciones Temas de Hoy, Madrid, 2002.

NASH, Mary, *Mujeres en el mundo. Historia, retos y movimientos*, Alianza, Madrid, 2004.

OBLIGADO, Clara, *Mujeres a contracorriente. La otra mitad de la historia*, Plaza & Janés, Barcelona, 2004.

OSBORNE, Raquel (coord.), *La violencia contra las mujeres. Realidad social y políticas públicas*, Universidad Nacional de Educación a Distancia, Madrid, 2001.

PIÑUEL, Iñaki, *Mobbing. Cómo sobrevivir al acoso psicológico en el trabajo*, Sal Terrae, Santander, 2001.

POSADA, Luisa, *Celia Amorós, (1945-)* Ediciones del Orto, Biblioteca de Mujeres, Madrid, 2000.

RAMOS, María Dolores, *Victoria Kent. (1892-1987)*, Ediciones del Orto, Biblioteca de Mujeres, Madrid, 1999.

RICH, Adrienne, *Nacemos de mujer. La maternidad como experiencia e institución*, Cátedra, Instituto de la Mujer, Madrid, 1996.

RIVIÈRE, Margarita, *El mundo según las mujeres*, Aguilar, Madrid, 2000.

ROMERO PÉREZ, Rosalía, *Amelia Valcárcel, (1949-)*, Ediciones del Orto, Biblioteca de Mujeres, Madrid, 2003.

ROWBOTHAM, Sheila, *Feminismo y revolución*, Debate, Madrid, 1978.

RUIZ FRANCO, Rosario, *Mercedes Formica (1916)*, Ediciones del Orto, Biblioteca de Mujeres, Madrid, 1997.

SAU, Victoria, *Reflexiones feministas para principios de siglo*, horas y HORAS, Madrid, 2000.

—, *Diccionario ideológico feminista*, vol. I, Icaria, 3.ª ed., Barcelona, 2000.

—, *Diccionario ideológico feminista*, vol. II, Icaria, Barcelona, 2001.

SENDÓN DE LEÓN, Victoria, *Marcar las diferencias. Dis-*

cursos feministas ante un nuevo siglo, Icaria, Barcelona, 2002.

—, *Mujeres en la era global. Contra un patriarcado neoliberal*, Icaria, Barcelona, 2003.

SHIVA, Vandana, *Abrazar la vida. Mujer, ecología y desarrollo*, horas y HORAS, Madrid, 1988.

TRISTÁN, Flora, *Peregrinaciones de una paria*, trad. de E. Romero del Valle, Istmo, Madrid, 1986.

UTRERA, Federico, *Memorias de Colombine. La primera periodista*, HMR, Madrid, 1998.

VALCÁRCEL, Amelia, *Sexo y filosofía. Sobre mujer y poder,* Anthropos, Barcelona, 1994.

—, *Rebeldes. Hacia la paridad*, Plaza & Janés, Barcelona, 2000.

—, *La memoria colectiva y los retos del feminismo*, Naciones Unidas, Santiago de Chile, 2001.

—, *Ética para un mundo global. Una apuesta por el humanismo frente al fanatismo*, Temas de Hoy, Madrid, 2002.

VARELA, Nuria, *Íbamos a ser reinas. Mentiras y complicidades que sustentan la violencia contra las mujeres*, Ediciones B, 2.ª ed., Barcelona, 2002.

VIDAL CLARAMONTE, M.ª Carmen África (ed.), *La feminización de la cultura. Una aproximación interdisciplinar,* Centro de Arte de Salamanca, Argumentos, Salamanca, 2002.

WOLF, Naomi, *El mito de la belleza*, Emecé Editores, Barcelona, 1991.

WOLLSTONECRAFT, Mary, *Vindicación de los derechos de la mujer*, trad. de Carmen Martínez Gimeno, Cátedra, col. Feminismos, Madrid, 2000.

Documentos

— «Las mujeres mueven el mundo». SERRANO TORRES, Hortensia (coord.), Mugarik Gabe Nafarroa, 2.ª ed., octubre 2000.

— «Feminismo es... y será». Jornadas feministas Córdoba

2000. Ponencias, mesas redondas y exposiciones. Asamblea de Mujeres de Córdoba Hierbabuena. Servicio de publicaciones Universidad de Córdoba, 2001.

— «Las mujeres en cifras. 20 años. 1983-2003.» Instituto de la Mujer, Madrid, 2003.

— «Dictámenes. Foro mundial de mujeres contra la violencia.» Centro Reina Sofía para el Estudio de la Violencia, Valencia, 2000.

— «Informe. Tráfico e inmigración de mujeres en España. Colombianas y ecuatorianas en los servicios domésticos y sexuales.» BONELLI, Elena (coord.), equipo de investigación: CALVO, Fabiola, LÓPEZ, Irene, OSO, Laura y ULLOA, Marcela, ACSUR- Las Segovias, Madrid, 2001.

— «Informe SESPAS-2004. La salud pública desde la perspectiva de género y clase social.» BORRELL, Carme, GARCÍA-CALVENTE, María del Mar y MARTÍ-BOSCÀ, José Vicente (ed.), *Gaceta Sanitaria*, vol. 18, supl. 1, mayo 2004.

— «Españolas en la transición. De excluidas a protagonistas (1973-1982)», Asociación Mujeres en la Transición Democrática, Madrid, 1999.

Redes de información y publicaciones en la red

ALAI. Agencia latinoamericana de información internacional. Ecuador. http://www.alainet.org/mujeres.

AVIVA. Información internacional sobre los derechos humanos de las mujeres. Londres. http://www.aviva.org.

CIMAC. Red de Información sobre la mujer. México. http://www.cimac.org.mx.

CREATIVIDAD FEMINISTA. Revista feminista. México. http://www.creatividadfeminista.org.

FEMINIST MAJORITY. Noticias sobre activismo en derechos humanos de las Mujeres. EEUU. http://www. feministcampus.org.

IPS. Agencia de noticias internacionales. http://www.ips.org.

LOLA PRESS. Agencia de información de la mujer. Uruguay. http://www.lolapress.org.

MUJERES EN RED. Información nacional e internacional de mujeres. España. http://www.nodo50.org/mujeresred.

LES PENELOPES. Televisión sobre temas de género. Boletines informativos. http://www.penelopes.org.

TERTULIA. Información especializada en salud reproductiva y derechos humanos. Guatemala. http://www.la-tertulia.net/

ÍNDICE ONOMÁSTICO

ÍNDICE